El síndrome Bovary

Care SANTOS

El síndrome Bovary

algaida

Ilustración sobrecubierta: Álvaro Pérez Frías
Imagen: P. Cosano / Anaya

Primera edición: marzo 2007

© Care Santos, 2007
© Algaida Editores, 2007
Avda. San Francisco Javier 22
41018 Sevilla
Teléfono 95 465 23 11. Telefax 95 465 62 54
e-mail: algaida@algaida.es
Composición: Grupo Anaya
ISBN: 978-84-7647-383-2
Depósito legal: M-9344-2007
Impresión: Huertas, I.G.
Impreso en España-Printed in Spain

Índice

Para Deni Olmedo, que salvó esta novela
(y a mí)

Nuestra época es esencialmente trágica, y precisamente por eso nos negamos a tomarla trágicamente. El cataclismo ya ha ocurrido, nos encontramos entre ruinas, empezamos a construir nuevos y pequeños lugares donde vivir, comenzamos a tener nuevas y pequeñas esperanzas. No es un trabajo fácil. No tenemos ante nosotros un camino llano que conduzca al futuro. Pero rodeamos o superamos los obstáculos. Tenemos que vivir, por muchos que sean los cielos que hayan caído sobre nosotros.

D. H. LAWRENCE
El amante de Lady Chatterley

La revista estadounidense *Newsweek* publicó en el mes de julio una nota con el título *La nueva infidelidad*. Así bautizó *Newsweek* al engaño femenino cuyos porcentajes están alcanzando las cifras históricas que, desde siempre, se adjudicaron a las travesuras de los varones: se estima que entre el 30 y el 40 por ciento de las mujeres es infiel, mientras que entre los hombres, el porcentaje se mantiene en una meseta del 50 por ciento. La investigación señala que hoy las mujeres tienen más oportunidades que nunca de dar el mal paso; que son más proclives a traicionar a sus parejas; que lo cuentan más a sus amigas y que, a su vez, prestan oídos más permisivos a escuchar historias de trampas tan secretas como ilícitas.

Mucho cambió, desde que en el siglo XIX Emma Bovary prefirió ahogar su infidelidad en arsénico antes de convivir con su propio adulterio. ¿Será, tal vez, que hoy las chicas sólo quieren divertirse?

MARINA ARTUSA
«De Emma Bovary a la actualidad»
Diario Clarín, *Buenos Aires*

I: Quién es quién

PAULINA:
INSTRUCCIONES DE USO DE UN HOMBRE MUERTO

LOS DÍAS DE LLUVIA SON PROPICIOS PARA LOS DUELOS y los enterramientos. Lo suyo hubiera sido que lloviera a cántaros, que se abriera el cielo sobre las cabezas del centenar de asistentes, que la catástrofe se anunciara con un enfangarse de los caminos de tierra del cementerio y un rebosar de alcantarillas para de inmediato pasar a mayores y empezar el agua a subir y subir sin remedio, desluciendo primero los zapatos de tacón de las señoras —algunas rigurosamente enlutadas— y empapando los dobladillos de los pantalones de todos los caballeros. Mientras los sepultureros harían su trabajo, ris ras, con las palas y el cemento frente a la herida recién abierta y recién cerrada de la tumba, todos los demás se afanarían por protegerse en vano bajo sus paraguas, pero muy pronto terminarían por darse cuenta de que el problema no estaba sobre sus cabezas sino bajo sus pies. El agua les llegaría ya a los tobillos cuando alguien se atreviera a romper el silencio para preguntar a los obreros cuánto falta. Entonces uno de ellos se daría media vuelta, la cara enrojecida por el esfuerzo, y repararía en la situación: algunas flores que un familiar memorioso depositó frente a una tumba de las del primer nivel, el que queda a ras de suelo, flotarían a la deriva llevadas por una corriente apenas perceptible. Empezarían a verse, aquí y allá, esos horrendos floreros de plástico que la gente se empeña en llevar al cementerio, como si no temieran que sus muertos se levanten de sus tumbas para arrojárselos a la cabeza al verse tan afeados. Y un poco después, apenas unos minutos, cuando un sepulturero le hubiera dicho al otro «Date prisa que esto se pone feo» ya se verían marcos con fotos amarillentas flotando con la corriente hacia el lejano mar hacia el cual avanzan, procelosas, todas las aguas del planeta, incluidas éstas.

Ya la subida alcanzaría las rodillas de los presentes, que se irían batiendo en retirada sin mucha precaución, temiendo no alcanzar la puerta franqueada por arcángeles de la salida. En su camino, la comitiva fúnebre encontraría de todo: tumbas abiertas y otras que resistirían aún los envites de las repentinas olas. Ataúdes flotando sobre el río turbio de los muertos perplejos —los que viajan, pero también los que observan desde sus balconadas—, ataúdes como góndolas dejándose mecer por esta felicidad del descanso eterno truncado de pronto. Ninguno de ellos esperaría ahora este paseo. La vida (o la muerte) viene algunas veces cargada con regalos inesperados, podrían estar pensando los ocupantes de esos baúles si no fuera porque algunos de ellos han sido lanzados al agua y bucean ahora en busca de verdades esenciales que no pueden esconderse entre los guijarros del suelo.

Sea como sea, el cementerio entero es ahora un paisaje inusitado, un Ganges a escala por el que van y vienen marcos con fotografías ajadas, flores naturales y de plástico, sombreros, guantes, algún que otro zapato (es imposible saber si las prendas de vestir pertenecen a vivos o a muertos), un bastón con empuñadura marfileña, un pañuelo de gasa de colores anaranjados y hasta una camada de cuatro preservativos, muy bien envasados en su sobre plástico, que escaparon del secreto de algún bolsillo, no se sabe si de dama o de caballero, y nadan en grupo como si de ellos dependiera.

Lograrán al fin los cien asistentes alcanzar los arcángeles y ponerse a salvo en los últimos peldaños de la escalinata de la iglesia parroquial, desde donde gozarán de unas vistas privilegiadas sobre la creciente inundación de la ciudad de los muertos. Ya los ataúdes flotantes se contarán por legión, todos apelmazados en el embudo de la salida tan bien custodiada por los vigías celestiales, todos pugnando por llegar los primeros a su encuentro con las aguas del mar, que tan lejos quedan todavía, y enseguida todos alejándose por las cuestas que flanquean el cementerio por todos sus lados. Mientras tanto, el cielo no cesa en su empeño de hacer navegable la tierra, y pronto las cajas funerarias no tendrán la necesidad de dar con la puerta principal para lograr salir, pudiendo sobrepasar las tapias del santo lugar sin ningún esfuerzo. Precisamente por encima de uno de los muros verán los congregados en la escalinata de la iglesia cómo se fuga Samuel, su muerto, el mismo compañero, esposo, amigo o amante que han venido a enterrar en este día de perros. Algunas señoras prorrumpirán en sollozos y hasta en hipidos al verle alejarse calle abajo sin remedio, mezclado con el tráfico de cajas. Otras suspirarán mientras observan en la distancia lo que interpretan como un signo de un destino extravagante pero justo. Y no faltará la que, embargada por el dolor y por la necesidad de protagonismo, se lanzará a las aguas en pos del hombre cuyo cuerpo nadie puede asegurar que siga aún en el ataúd modelo «Última cena» que todos vieron introducir en el nicho a los dos sepultureros (contrachapado de madera de 45 milímetros de grosor, tapizado en fruncido de seda artificial de raso sobre guata, incluido cubre difuntos bordado a mano y en tamaño estándar de metro noventa y tres por cuarenta y ocho centímetros), porque el agua forma tales remolinos en las pinas calles que todo lo material que por ellas se aleja está condenado a sufrir agresiones y zambullidas.

A saber por dónde andará a estas alturas el cuerpo todavía incorrupto, esculpido a fuerza de horas de gimnasio y bronceado de rayos uva de aquel Samuel Martínez Febles que en vida no sufrió jamás ni un solo tropezón. Excepto, acaso, aquél que le costó la vida: un partido de pádel contra su mayor rival y mejor amigo, Alberto. Durante los minutos previos al inusitado diluvio, no se hablaba en el cementerio de otra cosa. Tan joven, el pobre, y ya recubierto de roble.

Sin embargo, nada de todo eso ocurre en la realidad de este día en que Mónica acude al entierro de quien, hasta las 21.47 del martes 12 de abril, fue su esposo. El cielo es gris pero no hay amenaza en las nubes que impiden ver el sol. La temperatura es acaso un poco más alta de lo que corresponde a un mes de abril mediado. Y Samuel no ha muerto jugando al pádel con Alberto, sino follándose a su secretaria, Paulina, esa mosquita muerta que también viste de luto, también lleva gafas oscuras para ocultar sus ojos hinchados y también disimula frente a los asistentes al entierro.

Mónica, la viuda legítima, o por lo menos la que cobrará la pensión y el seguro de vida del muerto, será declarada su heredera universal y llenará contenedores de basura con sus cosas, lleva desde el inicio de la ceremonia evitando mirar a Paulina. Es curioso: la primera vez que la vio, hace apenas un día y medio, le parecieron insultantes su juventud y su atractivo. Tras estas últimas y aciagas horas, sin embargo, y analizada con detenimiento y desde la distancia que da la indiferencia, le parece otra persona. Tiene el culo desproporcionado y puede que blando (lo vería mejor si no se adivinara bajo su pantalón ajustado una braga acorazada) el abdomen abultado y las tetas casi inexistentes. Le quedan fatal esos reflejos violáceos y se le tuercen los pies al andar sobre tacones. Por otra parte, su mediocre estatura no le permite no llevarlos. Mónica paladea desde el parapeto de sus cristales oscuros la dulzura de juzgar sin piedad a la prójima. A su lado, como si fuera un escudo humano contra la tristeza o la soledad, está como siempre Nora, su mejor amiga, su confidente; desde hace muchos años, la persona que mejor la conoce del mundo.

Es muy probable, prosigue Mónica en sus cavilaciones, que Samuel haya sido el primer hombre en la vida de

Paulina. Por lo menos el primer hombre sin granos. El primero con dinero y con alianza. El primero que pone excusas a su legítima para disponer de un par de horas para tirársela en un hotelucho. Tal vez haya aprendido la lección, aunque las hay con vocación de guarras para toda la vida. El desconsuelo de Paulina ante la pérdida de esa primera conquista parece ahora insuperable. Tampoco descarta que sea mucho más lo que ha perdido Paulina, además de a su amante. Mónica no duda que, si la joven pudiera, se haría enterrar viva, como hacían algunas mujeres en la antigüedad, junto al adorado jefe que le consagró su última erección y en cuyo último orgasmo se le escapó la vida. Sin embargo, se lamenta Mónica de que no sea posible tamaña fortuna. Adivina ahora, entre el murmullo de los presentes y el rasgar de las paletadas de cemento, que Paulina va a ser una inédita molestia en su nueva vida de viuda joven.

Mujer previsora, intentó evitarlo telefoneando a Alberto desde el mismo hotel en el que Samuel llevaba apenas un par de horas muerto.

—Alberto, soy Mónica. Ya sé que es tarde, no te llamaría a estas horas si no tuviera una razón de peso para hacerlo. No, no te alarmes. O sí, alármate. Tu mejor amigo acaba de palmarla. Se estaba tirando a su secretaria y parece que le falló el corazón. La polla no, porque la sigue teniendo bien tiesa. Él, o lo que queda de él, está aquí, sobre la cama. Tiene los ojos abiertos y se agarra a las sábanas como si supiera que le iba la vida. No se le puede tocar hasta que acaben todas las mierdas legales. Ven si quieres, pero aquí no hay nada que hacer. Estoy sola porque acabo de mandar a casa a Paulina. Sí, Paulina la secretaria de Samuel, qué otra Paulina va a ser. Tenía un ataque de nervios y el médico le ha dado un calmante para caballos. Estaban en lo mejor cuando él empezó a poner los ojos en blanco. Hasta ese momento supongo que la pobre confundió los espasmos de la muerte con los del placer. Intentó hacerle el boca a boca y un masaje cardiaco, ha explicado, pero sin éxito. Dice que en la empresa hizo un curso de primeros auxilios, pero no le sirvió de mucho. Se le murió en las manos. Qué más da, todo eso son detalles sin importancia, déjame ir al grano. Para lo único que te llamo es para que avales una versión de los hechos que pueda explicarse durante el velatorio, el entierro y los días posteriores. He pensado, si a ti te parece bien, que podemos decir que Samuel murió jugando al pádel contigo. ¿Cuándo fue la última vez que jugasteis? Perfecto, pues decimos que, además del lunes, teníais otro partido esta tarde. Nadie tiene por qué conocer otra versión, a la fulana esta tampoco le interesa que se sepa la verdad. Eso es lo que diré a mi familia y al resto de la humanidad. Siempre y cuando a ti no te importe, claro. No sabes cuánto te lo agradezco. Ah, escucha, y siempre y cuando no haya alguien que nos descubra. ¿Estás solo?

No había ningún problema en avalar su versión y lo haría con sumo gusto si con eso podía serle de alguna ayuda, aseveró Alberto. Y respecto al asunto de los testigos, tampoco había que preocuparse: él también se estaba tirando a su secretaria cuando sonó el teléfono. Aunque ella era muy discreta además de una gran chica, añadió, antes de colgar y continuar a lo suyo.

Un hombre recién separado siempre es una buena coartada, pensó Mónica cuando en la siguiente llamada empezó a utilizar la versión oficial. Y lo sigue pensando mientras ahora asiste a las explicaciones, muy bien ambientadas, del mejor amigo de su difunto:

—Intenté hacerle el boca a boca y un masaje cardiaco, pero ya estaba inconsciente —explica Alberto ante un grupo de amistades con expresiones que van de la gravedad al espanto—, ¿os habéis fijado en la herida que tenía en la frente? Se distinguía un poco, aunque los embalsamadores hicieron un buen trabajo.

Se asombra Mónica de la profusión de detalles mientras continúa escuchando y asintiendo. A su lado, Nora también escucha y asiente. Como asiente a su vez el auditorio cada vez más numeroso para el que actúa Alberto.

—Se lo hizo al caer, cuando se golpeó contra la red, que tiene unas fijaciones metálicas muy duras. En el momento, sangró bastante.

Sólo Paulina no pide explicaciones. Tal vez porque, no hace ni veinticuatro horas, tuvo que darlas. Frente a Mónica y en la cafetería del hotel.

—Perdona que te haya llamado. No sabía qué hacer. No se me ocurrió nadie más que pudiera ayudar a Samuel.

—Te equivocaste de medio a medio. Si llego a encontrarle aún con vida, le remato.

—Se puso muy tenso y muy pálido, y cuando se quedó quieto tenía los ojos en blanco. Sudaba mucho. Me costó un poco quitármelo de encima y tumbarle boca arriba pero pensé que debía llamar a un médico. El problema fue que no encontré el teléfono, y le veía tan mal… Fue cuando le hice el masaje cardiaco y el boca a boca. Luego te llamé. Creo que murió mientras hablábamos.

Otra vez esos odiosos hipidos de adolescente. Paulina aún no sabe llorar como una mujer, piensa Mónica. Durante la conversación que ha mantenido con la policía, hace un rato, no ha dejado de sollozar ni un segundo. Un policía cretino no dejaba de consolarla y entregarle pañuelos de papel: Cálmese, señorita, cálmese. Es usted muy joven y muy guapa y superará este mal momento.

Y ella se deshacía en detalles, claro, exculpándose sin necesidad. Ni siquiera hizo falta preguntarle por la herida de la frente que presentaba el finado. Una herida anterior al paro cardiaco, según fue capaz de precisar más tarde el forense.

—Se la hice con el tacón del zapato. Es de aguja, diez centímetros, como a él le gustaban. Le gustaba que los llevara puestos en la cama y a mí no me parecía mal, me hacían sentir sexy. Estábamos en pleno sesenta y nueve y se me fue el pie sin querer. Pedimos agua oxigenada al servicio de habitaciones junto con la cena, y le desinfecté la herida.

La versión de Paulina coincidió con las pesquisas policiales. El tacón era de aguja y bien podía haber producido la herida en la frente del muerto, que había sido desinfectada con agua oxigenada. Los restos del algodón impregnados con la sustancia estaban junto con los de la cena sobre uno de los platos. Paulina podía ser joven, imbécil y aficionada a ciertas partes de la anatomía de su jefe, pero por lo menos no mentía.

Del mismo modo, parecían muy reales sus lágrimas ahora que los sepultureros terminaban su trabajo. Volvía a estar hipando, y los asistentes a la lapidación se volvían a mirarla. Nora y Mónica intercambiaban miradas cargadas de sentido. Había quienes se preguntaban quién sería aquella jovencita desconsolada y quienes adivinaban nada más verla de qué modo confortaba ella al difunto Samuel de sus reconcomios laborales. También había en el pequeño séquito quienes deseaban ver a Paulina lapidada viva junto a su jefe mucho más aún que Mónica, por extraña que tal cosa pueda parecer ahora. Y quienes con gusto se hubieran lapidado a su lado a cambio de ciertos favores, que en algunos casos ya habían gozado.

La operación que les ha reunido termina con el descubrimiento de la flamante lápida de imitación mármol de color negro con incrustaciones en acero inoxidable. Aquí yace Samuel-hijo-de-la-gran-puta-Martínez Febles. Tu viuda y tus amigos no te olvidaremos. Junto a ella, se sitúan las coronas de flores. La más grande, claro, la envía Grupo Empata, el magno imperio editorial al que tanto aportó el difunto. También Edmundo de Blas, el autor estrella de la casa, descubierto gracias a su vista de lince para los negocios, ha enviado sus flores, procurando que su nombre resulte muy visible en grandes letras doradas.

Se disgrega la congregación familiar y amistosa mucho antes de alcanzar los dos arcángeles. Nora besa a su amiga y se despide hasta la seis, en que han quedado para tomar algo. Alberto se ofrece para acompañar a Mónica hasta su casa. Observa sus espléndidas rodillas, enfundadas en medias negras. Ambos guardan silencio, concentrados en sus pensamientos.

Mónica piensa en el día tan extraño que va a ser mañana. Alberto piensa en algunas personas a quienes no conocía de las que quisieron darle su último adiós a Samuel. Piensa, en concreto, en tres o cuatro mujeres. En su modo de mirar a Mónica. En sus rostros en tensión que no lograban aparentar indiferencia. En cómo Paulina parecía no ver a nadie más que a sí misma. Sospecha Alberto, pero no dice nada, que en este entierro había más viudas de las que nadie imagina.

Mientras tanto, en un movimiento que él advierte a la perfección, Mónica se sube un poco más la falda.

ÁNGELA:
DEJAD QUE LAS MUJERES HABLEN HASTA DESAHOGARSE

LES PRESENTÓ SAMUEL:
—Alberto es mi mejor amigo, además del director de marketing de esta casa y un fiera en todos los sentidos; Ángela es la nueva jefa de recursos humanos, de la que tanto te he hablado.

A Ángela le bastó mirar una sola vez a los ojos del director de marketing para sentir la punzada de una premonición: Alberto Bango iba a ser un hombre importante en su vida. Por supuesto, Ángela ignoraba por completo de qué modo, pero desde aquel mismo día puso todo su empeño en descubrirlo. El confort de los despachos de reuniones, con sus moquetas acolchadas y sus neveritas repletas de refrescos o los innumerables puntos del orden del día de los almuerzos de trabajo, discurriendo siempre entre panachés de verduras y pasteles de merluza, propiciaron los primeros y fugaces intercambios de opinión. Lo suficiente para formarse cada cual una idea estereotipada del otro: el director de marketing, pensaba

Ángela, es uno de esos triunfadores que jamás conocieron un solo desencanto en su vida, seguro de sí mismo, firme en sus propósitos y en sus convicciones y acreedor de la confianza ajena, seguramente con todo motivo. Le falta un poco de sentido del humor y le sobran quince quilos para ser el hombre perfecto. Para Alberto, la directora de recursos humanos es una mujer inteligente, con una conversación interesante y un modo de discutir agresivo, que le conviene. También es la tigresa sexual de la que su amigo Samuel lleva semanas hablándole. Qué amable gesto de amistad estar dispuesto a compartir con él sus conquistas cuando ya no le interesan.

—Verás cómo te sorprende. Es una mujer distinta a todo lo que has conocido hasta ahora. Está casada con un señor aburrido y se muere de asco, la pobre —le dijo la última vez que hablaron de Ángela.

Ángela conjuga bien el don de gentes con el conocimiento de los intersticios del mundo laboral y con ese buen trato, casi ternura maternal, que tanto aprecia en una mujer. Conoce pocas personas, sean hombres o mujeres, que reúnan tantas cualidades para el puesto que ocupan. Además, su escote, su larga melena rubia y la sobriedad con que su culo se adivina bajo la ropa son objeto de miradas y comentarios entre la tropa oficinesca, aunque sería exagerado afirmar que Ángela es una belleza. Sin embargo, una mujer ponderada por muchos siempre es una pieza valiosa. Por la desenvoltura y hasta el descaro con que se mueve en un ambiente masculino —el de la cúpula de la empresa— y por ciertos clichés facilones aplicados al físico, Alberto supone —o fantasea— que

Ángela es una mujer independiente, de esas que han renunciado a tener hijos en favor de su trayectoria profesional, aficionada a los viajes y al sexo. Se pregunta cómo será en la cama, a qué se referirá Samuel cuando dice que es distinta a cualquier otra. Algo que, por cierto, no habrá de tardar demasiado en descubrir.

El primer abordaje tuvo lugar en la cafetería de la empresa. No estaba muy seguro Alberto de que Ángela fuera de ese tipo de mujeres que esperan y desean que las cortejen. Pagó el desayuno de los dos y de inmediato se lanzó con una invitación a cenar, algo que no dejara lugar a dudas de la línea divisoria que estaba trazando entre la vida laboral de ambos y sus relaciones personales. Para su asombro, ella aceptó de inmediato, con una frase cantarina y jovial que, además, reafirmaba sus teorías:

—Qué bien. Odio cenar sola. Mi marido, para variar, está en un congreso.

—Tú eliges el lugar —retó él.

Ángela eligió un japonés y se complació observando que entre las múltiples habilidades del director de marketing estaba el saber utilizar con solvencia los palillos. Conocía el modo en que debe comerse el sushi, no hizo bromas detestables acerca del pescado crudo ni trató de probar el wasabi en cuanto lo vio, creyendo que era aguacate. De algún modo, la comida japonesa es un test de idoneidad para sus amantes. Alberto pasó la prueba con nota, desde la toallita húmeda del principio hasta la taza de sake caliente del final, y sin dárselas de enterado ni quedar como un gilipollas.

La conversación hubiera podido servir para revelarse mutuamente algunas verdades y para echar abajo el andamiaje de lugares comunes si ella no hubiera llevado las riendas también en eso. Junto con la toallita caliente del preámbulo, Ángela lanzó una afirmación como un anzuelo:

—Debo advertirte, por si estás pensando en algo para después de la cena, que yo defiendo, practico y enseño el sexo tántrico.

Alberto no sabía nada de sexo tántrico. Le sorprendió la firmeza de esas palabras. Por un momento, se preguntó si sería conveniente demostrarle a su interlocutora un desconocimiento demasiado grande. También pensó en Samuel, en si sería esto a lo que se refería.

—¿Lo has probado alguna vez? —preguntó ella.

Negó con la cabeza. Tenía la boca llena de tempura de mariscos.

—Si estás interesado, puedo iniciarte.

La sola palabra le provocó un ardor inmediato bajo el pantalón. Iniciarle. Iniciarse. Dejarse iniciar. Pensó en la conveniencia de ser cauto antes de responder:

—No sé si estaré a la altura.

Ángela sonrió, feliz ante la respuesta.

—Acabas de demostrarme que sí. No comas mucho, no es bueno para el tantra.

Se hubiera comportado como un colegial si no hubiera debido representar el papel del hombre moderado y sensible. Adivinaba que esos eran sus pasaportes hacia aquella terra incógnita que se había extendido ante él de pronto. Ángela pidió una botella del vino tinto más caro de la carta con la excusa de que era un brebaje tántrico que contribuiría a ponerles en contacto con la madre naturaleza. Él le daba la razón en todo, emocionado, enajenado de ilusión, incrédulo de ansiedad. Llevaba unos ocho meses de forzada castidad y aquella hipótesis, con tantra o sin él, era un regalo que no estaba dispuesto a descartar. Mientras tanto, Ángela procedía, alternando las lecciones con bocados de sashimi, a las primeras enseñanzas básicas:

—Lo primero tiene que ser la preparación de la mente y del cuerpo. El sexo tántrico es un ritual muy minucioso, que puede durar hasta ocho horas. Empezaremos por una sesión no muy larga, aunque con el tiempo y la práctica cualquier amante tántrico suele perfeccionarse. Lo saludable es practicar el tantra una vez al día.

Alberto escuchaba, feliz y muy de acuerdo en todo. De pronto, otra sorpresa:

—Es mejor que no nos demoremos más. Paga la cuenta y vamos a mi casa. Es mejor allí, porque tengo todo lo necesario. Vivo muy cerca.

Caminaron por la acera sin dejar de hablar del asunto, cada uno con las manos en sus respectivos bolsillos, como si regresaran de una convención de la empresa y hubiera puntos del orden del día que se extendían más allá de los postres.

—Lo importante en el tantra —siempre según Ángela— es lograr la unión de nuestros siete chakras o centros, algo que muy pocos amantes son capaces de conseguir ni siquiera una sola vez en su vida. Para eso hay que ser un verdadero maestro. Aunque la unión de uno solo, o incluso de dos de los centros, te conduce directamente a un gozo sexual que muy pocos experimentan alguna vez.

Ángela se quedó en silencio y Alberto sintió que debía decir algo. Rebuscó con rapidez en su intuición de hombre capaz de hablar de casi cualquier cosa y observó:

—Las religiones orientales están llenas de sabiduría.

Lo cual le dio pie a su compañera a explicarle que el tantra, aunque persigue el objetivo final de la comunión absoluta con dios, no puede considerarse una sola religión, ni tampoco una práctica emplazada dentro de cualquiera de las más conocidas religiones monoteístas, sino que es una creencia, un conjunto de prácticas, un camino de sabiduría —Ángela elegía sus palabras con cuidado y les daba un eco de grandilocuencia— que puede considerarse suprarreligiosa, panreligiosa, o incluso metareligiosa.

—No sé. Es muy fuerte —resumió, a modo de colofón para no iniciados.

—Ajá —apostilló él, de nuevo necesitado de réplica—, qué interesante. Me va a encantar.

Ella continuaba:

—Yo he tenido orgasmos de ocho horas. Incluso una vez, conseguí tal grado de excitación que al terminar mis piernas no me sostenían. Y era mejor así, porque sólo con juntar un poco los muslos, alcanzaba otro orgasmo. Esta deliciosa situación duró veinticuatro horas.

—Es increíble —se maravilló él, que en verdad estaba maravillado—, estoy deseando que me inicies. Aunque no sé si podré soportarlo.

Para Alberto, la curiosidad era más palpable que nunca bajo la cremallera de su pantalón, y desde hacía un buen rato. Sin embargo, intentaba disfrazarla bajo una mirada de concentración y ligeros asentimientos, como si asistiera a una clase magistral.

El piso de Ángela era un lugar pequeño, repleto de alfombras y almohadones, donde la luz era siempre indirecta y tenue.

—Desnúdate —dijo ella, nada más despojarse del abrigo—, vamos a prepararnos para el acto.

Entraron en una angosta habitación donde había más alfombras, más almohadones, algunas lámparas cuya finalidad última no parecía ser iluminar nada, una docena de velas, un par de incensarios y un colchón cubierto por una sábana de seda.

—Me gusta dormir en contacto con la tierra, por eso descarto las camas occidentales.

Alberto se desnudó mientras ella encendía un par de velas, ponía incienso de sándalo a quemar y conectaba un pequeño equipo de música. Empezó a sonar una cadencia apagada, más zumbido que música, que ella definió como «música tántrica capaz de llevarte al éxtasis por sí sola». Él continuaba muy atento, pero sin experimentar nada en especial.

Ángela entró en el cuarto de baño para salir dos escasos minutos más tarde cubierta por una túnica transparente de color dorado. Se la veía desnuda como si no llevara vestimenta alguna, pero era mucho más sugerente. A Alberto le entraban ganas de subirle la túnica, tumbarla sobre el colchón y penetrarla allí mismo sin miramientos, tal vez mientras le chuperreteaba una oreja; pero un sexto sentido, tántrico o no, le advertía que no era eso lo que ella esperaba de él en aquel preciso instante. Y tenía la edad y la experiencia suficientes para saber que tratar de adivinar lo que ellas esperan pero no dicen jamás salvo que puedan reprocharlo es buena parte del éxito en las relaciones con el otro sexo.

Ángela se había sentado en el suelo frente a una palmatoria encendida.

—Ven conmigo —invitó— empezaremos con unos sencillos ejercicios de preparación mental.

Alberto tomó asiento frente a ella, cruzando las piernas sobre la alfombra. En su desnudez, era imposible disimular el estado en que se encontraba.

—Deberías concentrarte en evitar *eso* —las pupilas acusadoras de Ángela señalaban su erección.

Sonrió un poco bobinamente y pergeñó una excusa disfrazada de galantería:

—Va a ser difícil mientras te tenga delante y me mires de esa forma.

—Concéntrate en la llama oscilante y sensual de la vela —resolvió ella— y olvídate de que estoy aquí. Tienes que sentir tu respiración, tu corazón, tu sangre fluyendo por tus arterias...

—Toda mi sangre está ahora concentrada en un punto, creo que se nota —se le escapó una carcajada mientras observaba la rubicundez de su miembro y le asaltaba una cierta nostalgia por aquellos buenos tiempos en los que solía verle así—. Si supieras cuánto hacía que no tenía una erección como ésta.

—Deja que se vayan con el aire todos tus pensamientos vulgares, por favor. No los verbalices. Estás a punto de trascenderte a ti mismo. No pienses en tus genitales. Piensa en Dios. Piensa en tus centros, en tus fluidos, en lo que vamos a compartir.

Alberto fruncía el ceño y se concentraba con todas sus fuerzas. Pero no lo estaba haciendo del modo adecuado y ella tuvo que amonestarle.

—Relájate. Tienes que destensar los músculos, empezando por los de la cara.

Destensar. Relajarse. Concentrarse en la llama y en todo ese lío de los fluidos trascendentes: algo tan complicado para él en este momento como dejar de respirar durante una hora. Sin embargo, era tan grande la expectativa que aquella mujer le estaba creando que se había convertido en el alumno más aplicado del mundo, aunque también fuera el más torpe. Poco a poco, iba logrando algunos cometidos. Por ejemplo, ya no se le ponía cara de gañán al observar las oscilaciones de la llamita. Con la erección, sin embargo, no había nada que hacer. Era tenaz, la condenada. Y no podía extrañarle: después de tanto tiempo de inactividad, su pene se regodeaba en la felicidad de una ocasión. Media hora más tarde, los efectos de la música átona y la llama bailarina le habían provocado somnolencia. Su erección, sin embargo, no se resentía.

—Tu *lingam* está más concentrado que tú.

—¿Mi qué?

—Tu *lingam* —señaló ella hacia su pene contento.

—Qué bueno. *Lingam*. Nunca lo había oído.

Por fin llegó el momento de pasar a otra cosa. No hubiera soportado cinco minutos más de mirar la llamita sin caer rendido de sueño sobre la alfombra.

—Ahora tienes que bañarte.

La mayoría de las personas se ponen a la defensiva ante algo tan inesperado. Es una reacción natural. Alberto no fue menos:

—Me he duchado esta mañana. Y yo apenas sudo.

Pero ella se mostró, también en esto, imperturbable:

—Es parte del ritual. Acompáñame.

Ángela llenó la bañera con agua caliente y esparció en el agua sales de baño con olor a vainilla. Luego le pidió que entrara lentamente, sintiendo poco a poco el poder tonificador y relajante del agua. Él sintió todo eso y algo más: era como bañarse en crema catalana.

—Ahora recuéstate y extiende tu mano derecha.

En el cuenco de su mano vertió ella un gel amarillo y cremoso de olor dulzón.

—Tienes que masajearte todo el cuerpo. El *lingam* lo dejarás para el final y antes de salir le ofrecerás un masaje de diez minutos. Lo más importante es sentir tu cuerpo, tomar conciencia del carácter sagrado de tus genitales, a los que a partir de ahora adorarás porque son fuente de vida. Te dejo solo para que puedas meditar mejor.

Ángela corrió la cortina y subió la música. Durante unos quince o veinte minutos, Alberto se quedó solo con su bienestar y su estupefacción en el pequeño receptáculo de la bañera. Se cuestionó la necesidad de hacerle caso o no a su anfitriona, ya que por una vez no estaba vigilándole y al fin optó por masajearse el *lingam,* aunque no exactamente del modo en que Ángela le había dicho. En aquel momento era un pobre varón encerrado en una bañera apestosa sin otro objetivo en la vida que eyacular de una vez. Aunque empezaba a sospechar que no iba a ser tarea fácil.

Estaba cerca de conseguirlo, en mitad de las olas de vainilla que sus movimientos generaban, cuando su respiración agitada le delató. Y eso que procuró no armar ruido, pero el oído tántrico de Ángela era como el ojo que todo lo ve. Lástima: ella abrió la cortina y le regañó como una madre que acaba de descubrir a su hijo en su primera polución.

—¿Estás haciendo lo que me parece que estás haciendo? —inquirió.

—No. Bueno, sí. El masaje que me has dicho —trató de disimular él.

Ella frunció los labios en una mueca de contrariedad y benevolencia. Ahora era como la madre que sabe disculpar las pulsiones naturales de su hijo favorito.

—Ya puedes salir del agua —dijo.

El primero en salir fue el *lingam,* tan preparado para la acción y tan ávido de aventura como no lo estaba desde hacía años. Por eso resultó tan complicado y hasta penoso tumbarse sobre el vientre en la sábana de seda. El acomodo del *lingam* requirió algunas maniobras difíciles pero de felices resultados, que le permitieron disfrutar del siguiente paso. Ángela apareció en su horizontal campo de visión portando, con gracia de abanderada, una larga pluma de pavo real. En la otra mano llevaba un pañuelo de seda estrecho y largo, con el que le vendó los ojos. La sensación siguiente fue una cosquilla que iba y venía de sus pies a su nuca. La sentía entre los omoplatos y a continuación la reconocía en el tobillo derecho, en los muslos o en la nuca. Y así hasta que llegó una nueva orden: la de darse la vuelta. Y el masaje plumil prolongó el placer por su anverso apestoso a vainilla, deteniéndose en sus pezones, en su nuez, en sus rodillas y en sus testículos. Ignoró el *lingam,* tal vez porque a su vez el *lingam* ignoraba las reglas del tantra y se empecinaba en permanecer enhiesto y orgulloso, a punto de estallar y muy dispuesto al desacato.

—Lo siento —musitó Alberto, avergonzándose de los rubores de su glande y de la tirantez de su piel.

Entonces ella se despojó del camisón dorado y empezó a embadurnarse con aceite de almendras. Lo hizo después de arrebatarle la venda de los ojos, sentada a horcajadas sobre sus piernas y entreteniéndose en cada curva de su cuerpo, manoseando sus redondeces sin ninguna misericordia hacia él, el pobrecito observador en los segundos previos a la explosión, a punto de mandar a la mierda las técnicas orientales y revolcarla sobre el colchón del modo más occidental posible. Lo habría hecho si ella no hubiera dado por concluido el espectáculo para avanzar un poco en el ritual. Ahora lamía en círculo sus testículos y miraba el glande intercambiando desafíos. Empezaba a subir desde la base del pene, y Alberto empezaba a sentirse como una lata de cerveza recién agitada que alguien intenta abrir.

En ese instante tan delicado sonó el teléfono.

No el de ella, porque Ángela se cuidaba de desconectar cualquier cosa que pudiera perturbar la paz del tantra antes de empezar una sesión. Era el de él, el móvil que dormía en uno de los bolsillos de su chaqueta, colgada en el respaldo de una silla del salón.

—Mi teléfono —exclamó, haciendo esfuerzos por abrir los ojos.

—Déjalo, no es el momento —continuó ella.

—Es Mónica, no puedo dejarla.

Acompañó estas palabras de un movimiento en tres tiempos que le permitió levantarse. Pese a la somnolencia, la excitación y el efecto narcótico de la vainilla y el incienso, aún se conservaba ágil.

—¿Cómo sabes quién es?

—Por la música. Programo canciones para cada uno de mis amigos.

La polifonía del teléfono reproducía con absoluta fidelidad los acordes de *Pretty Woman*. En tres zancadas alcanzó el aparato y respondió a la llamada de la amiga. La voz de Mónica sonaba firme y grave. Ni rastro de la dulzura de siempre que tanto le gustaba. Como casi todo en ella, por otra parte.

—Alberto, soy Mónica. Ya sé que es tarde, no te llamaría a estas horas si no tuviera una razón de peso para hacerlo.

A su espalda, el frufrú de la túnica dorada de Ángela le advirtió de la presencia de testigos. Las palabras de Mónica acababan de provocar lo que no había conseguido en toda la noche: que su pene recuperara la flaccidez habitual. El corazón le latía al galope. Cualquiera que hubiera observado estos síntomas sin conocer las causas habría asegurado que Alberto acababa de correrse.

Nada más colgar el teléfono, aún aturdido por la noticia de la muerte de Samuel, tropezó con los ojos y el tono inquisidor de Ángela.

—¿Le has dicho que te estabas tirando a tu secretaria?

—Mujer, era un modo de desdramatizar el momento. Sólo quería que se riera. Lo necesita.

—¿Y lo has conseguido?

—Sí.

—Está bien.

Alberto respiró profundamente y miró a su compañera y a su pene, por este orden.

—Para arreglar esto vas a necesitar de nuevo el masaje y la pluma —bromeó.

—Hoy ya no puede ser —zanjó ella.

Hablaba en serio: sólo entonces se dio cuenta de que ya no sonaba la música, y al entrar en la habitación descubrió que ya no ardían velas, ni se quemaba incienso y que en lugar de todo ello había en el ambiente una humareda baja, como de preámbulo de tormenta.

—Jamás se debe interrumpir una sesión una vez se ha comenzado —explicó ella, abriendo la ventana para despejar un poco el ambiente—, es una de las reglas de oro del sexo tántrico. Nada debe interrumpir el ritual.

Le pareció inútil preguntar si, dadas las circunstancias, no contemplaba la posibilidad de un revolcón convencional, sin esencias, aceites ni plumas de aves exóticas, sin camino del éxtasis ni siete centros en conjunción. Un aquí-te-pillo-aquí-te-mato vulgar y rapidito. Conocía la respuesta y, además, para qué intentar nada, si el optimismo de su *lingam* parecía cosa del pasado. De pronto la vio salir del cuarto de baño envuelta en un albornoz azul que le quedaba grande y que de ningún modo permitía adivinar lo que escondía. Se tumbó sobre el colchón y le preguntó por Mónica.

—¿Qué le ha pasado a tu amiga?

—Su marido ha muerto de un paro cardiaco mientras se beneficiaba a su secretaria.

Ángela arrugó la nariz y cerró los ojos.

—*Beneficiaba*, qué expresión más atroz. ¿No podéis decirlo de una manera menos… masculina, menos ofensiva?

Alberto meditó diez segundos sobre el carácter ofensivo de los verbos transitivos, sin llegar a ninguna conclusión. La voz de Ángela interrumpió sus cavilaciones:

—Pobrecita, debe de estar hecha polvo. ¿Sabía que su marido le era infiel?

—Supongo que sí. Samuel ha sido infiel desde que se encontró el pito.

—¿Samuel? ¿El Samuel que yo conozco? ¿El editor? —preguntó ella, alarmada.

—El mismo.

—Pobrecita… —repitió Ángela, que de pronto se sentía invadida por esa pena corporativista tan legítimamente femenina.

—Ahora que está muerto ya puedo decirte que no entiendo cómo podías ser amigo de alguien así.

Se puede ser amigo de todo tipo de personas. Seguro que Hitler tenía amigos, que Francisco Franco tuvo amigos en algún momento de su vida. Incluso el monstruo de Frankenstein tuvo algún amigo. Samuel se parecía a todos ellos.

—El agravio mayor que una persona puede hacerle a otra es el engaño —dijo ella, con la mirada extraviada hacia donde antes había fluctuado la llama de la palmatoria.

Alberto se sentía cansado. Tras una rápida consulta a su reloj descubrió una de las causas de su lamentable estado: eran más de las cuatro de la mañana. Las cuatro de la mañana y él en vela, sin follar y sin correrse, tres circunstancias que le servían para resumir el sino de su existencia.

—No te hablo de infidelidad. Todos podemos y hasta debemos ser infieles. Yo creo en el efecto terapéutico de la infidelidad. Quiero decir que, si está bien entendida, siempre redunda en beneficio de la pareja estable. En ese sentido, resulta saludable una conducta… ¿cómo la definiríamos?, moderadamente promiscua, diría yo. Otra cosa es el mariposeo constante, eso no puede admitirse. Hay que alternar etapas de dedicación a la pareja con otras de búsqueda de nuevas sensaciones que puedan enriquecer tu relación. En realidad, todo lo haces por el mismo hombre, aunque tengas experiencias íntimas con otros varones. Yo soy una defensora entusiasta de la libertad personal. La libertad es el camino que nos conduce a todas las cosas buenas que podemos experimentar en la vida. ¿No estás de acuerdo? ¿No crees que la libertad es importante?

—Sí, claro.

—Y no sólo importante —añadió ella, con un renovado entusiasmo, sentándose en la cama y alzando un dedo parlamentario—, es necesaria para todos nuestros actos, los conscientes y los inconscientes. Tomemos el ejemplo de tu amiga Mónica y su difunto. Si ella conocía los escarceos de su marido, sentiré vergüenza de todo lo malo que he pensado de él. Si ella no sabía nada y además pensaba que él le era fiel, entonces me reafirmo en que un hombre como ese no merece tener ni un solo amigo, ni un solo éxito en la vida. ¿Qué va a hacer ella ahora?

Le llama la atención que Ángela no haga referencia al importante detalle de que no hace tanto que ella misma fue uno de los escarceos de Samuel.

—Enterrarle, creo.

—Me refiero a qué va a hacer con su vida a partir de este momento.

—Ni idea.

—Debería encontrar otra pareja. Después de la lógica etapa de duelo, pero lo antes posible. ¿Se le conocen amantes?

—No sé.

—Es imprescindible que los busque antes de que su autoestima se venga abajo. Especialmente si ha sido engañada. Que rastree primero en la esfera de amistades que frecuentaba su marido, a poder ser. Lo primero que necesita tu amiga Mónica es un buen amante. Yo lo veo muy claro, podría darle consejos que la ayudarían mucho, si quisiera. Hasta tú mismo podrías ayudarla. ¿Te atrae, sexualmente?

Le incomoda lo directo de la pregunta y teme ser sincero.

—Nunca lo he pensado —miente.

—Vaya. Iba a pedirte que hicieras el esfuerzo, pero si no te atrae no hay nada que hacer.

—Yo no digo que no me atraiga —se corrige.

—Deberías echarle los trastos. Cortejarla. Averiguar lo que le gusta y lanzarte. Esta noche has aprendido algunas cosas, creo. Ponlas en práctica y se volverá loca. No hay que dejar pasar el tiempo, ni la oportunidad, tal vez ella no tenga ganas de aventura más adelante. A muchas mujeres les pasa. De hecho, no conozco a ninguna que no enloquezca con la idea de ponerle cuernos a su legítimo. La experiencia las divide luego en dos grupos: las que alguna vez tuvieron la oportunidad y las que jamás conocieron tal suerte. Puede que Mónica siempre haya deseado una aventura, que en su vida haya tenido otro sueño.

Al fin, la palabra llama a la cosa, y Alberto cae rendido sobre las sábanas de seda, invadido por las imágenes de la mujer, ahora viuda, de su mejor amigo, y también por las del finado, a quien si no llega a ser por estas ingratas circunstancia mañana habría pedido explicaciones por pasarle esta patata caliente en forma de amante rarita. Seguro que él ya se había cansado de tanto rollito místico y había decidido librarse de Ángela haciendo que se la follara otro, muy bonito, y nadie mejor que su mejor amigo el necesitado, el desgraciado en la cama, el abandonado por la única mujer a la que ha amado de verdad en su vida. Todo esto piensa Alberto mientras se siente caer en una duermevela dulce, ya por fin hermanado con su pene, para quien empieza en este momento a imaginar momentos de gloria que no tarden demasiado en llegar.

MAIKA:
LA GENTE CAMBIA TANTO COMO LA VIDA
O AL REVÉS

Maika Espín empezó en el periodismo a los veinte años, cuando consiguió que un periódico deportivo le encargara el primer artículo de su carrera: la crónica de un partido de fútbol-sala femenino.

—Te dedicarás a los deportes femeninos y cobrarás a tanto la pieza —dijo el redactor jefe, colmando de pronto todas sus aspiraciones y mirándole las tetas.

Desde los doce años, edad a la que su cuerpo experimentó una metamorfosis digna de un batracio, Maika Espín estaba acostumbrada a que todos los hombres le miraran las tetas. Había superado ya las fases de estupefacción y encono propias de los inicios y a los veinte se encontraba en los últimos coletazos de una etapa acomplejada que la llevaba a afirmar entre su grupo de amistades, con toda la contundencia con que ella solía decir las cosas:

—Con el primer dinero que gane me operaré las tetas. Me han dicho que pueden quitarme hasta medio quilo de cada una.

Entre los perplejos oyentes estaba Samuel Martínez Febles, amigo de Maika desde la infancia, casi desde la inconsciencia, y en aquellos años compañero de manifestaciones, de drogas blandas, de sesiones de cine de arte y ensayo y de reflexiones sesudas sobre ciertas libertades individuales como, por ejemplo, el derecho a follarse al prójimo (y a dejar que el prójimo te folle a ti, en correspondencia). Sin embargo, Maika y Samuel compartían también una particularidad que les hacía singulares: nunca jamás se habían acostado juntos. Ni siquiera lo habían intentado. Tenían su amistad en un pedestal y la exhibían como una bandera. O tal vez era que ambos temían que el otro les rechazara si intentaban una aproximación. Desde luego, si alguien le hubiera preguntado, Samuel hubiera ponderado las tetas de Maika del mismo modo en que lo habría hecho cualquiera de sus compañeros. Y puede que hasta hubiera babeado un poco. Aunque de inmediato hubiera recuperado la compostura para decir que Maika era su mejor amiga y que no le interesaba su cuerpo, sino su mente y su alma. En aquellos momentos, tal vez las izquierdas no estaban aún en condiciones de admitir que ciertas cosas se ven igual desde todos los bandos y una teta siempre será una de ellas.

Maika Espín y Samuel Martínez se afiliaron al mismo tiempo al Partido Comunista y leyeron a Marx con devoción de recién convertidos. Durante unos pocos años en que sus biografías discurrieron sin sobresaltos, se entregaron a las ideologías con fervor: feminismo, sindicalismo, ecologismo, laicismo, naturismo, incluso atravesaron una etapa vegetariana. Solían verse por las noches.

Ella siempre llegaba de un partido de baloncesto juvenil, de una exhibición regional de gimnasia o de un entrenamiento para las finales femeninas de algún deporte que practicaban en todo el mundo dos docenas de personas. Él cargaba con sus gruesos volúmenes de derecho y con alguna novela aún prohibida que le había prestado un compañero de facultad. Hablaban de política, de sexo, de mujeres y hombres, de cine, bebían vino barato y fumaban canutos. Eran deliciosamente típicos, utópicos, ingenuos, frutos de su momento y de su candidez.

Así siguieron hasta los primeros cambios. A ella le ofrecieron un contrato en el periódico. Ya no cobraría a tanto la pieza, ya no sería la mercenaria del fútbol de tercera, la abanderada de los deportes minoritarios: tendría un puesto fijo y la llave de los cajones de su mesa. Era la única mujer en una sección masculina, la única redactora en un oficio donde las mujeres sólo servían para teclistas, telefonistas o secretarias del director. Claro, por eso informaba de deportes femeninos, y la pobre incauta seguía sin darse cuenta.

Samuel, mientras tanto, se enfrentó a algo mucho peor: una novia, reclutada de entre las filas de la facultad de Derecho, la mayor concentración de niños de papá y de progres del mundo. Aunque un sexto sentido advirtió pronto a Maika que ésta era diferente a las muchas que habían ido jalonando la experiencia sexual de su mejor amigo. Samuel hablaba de ella con respeto, no se refería a sus atributos en público ni le dedicaba expresiones groseras. Ni siquiera le había dicho si se había acostado con ella. Un inédito secreto envolvía sus actividades, que por primera vez no llegaban a sus tertulias vespertinas. El segundo síntoma de que todo había cambiado, no sabía por cuánto tiempo, fue que desde la aparición de esa nueva chica misteriosa, Samuel dejó de hablar de otras. Suspendió toda promiscuidad. Se hizo monógamo. En su habitual perspicacia, Maika comprendió cuál era desde ese momento la estrategia a seguir: si quería conservar a su amigo, debía primero ganarse a su novia.

No fue tarea difícil, pese a los muchos prejuicios con que Maika acudió a la primera cita, una cena en un restaurante italiano, su favorito, situado en el corazón de un barrio céntrico pero al borde de la ruina arquitectónica y humana. De Mónica pensaba sin conocerla que sería una niña pija de larga melena negra, uñas perfectas y ropa de marca que se pasaría la cena disertando y enseñando canalillo. No se equivocó en casi nada, excepto en el detalle de que, además de todo eso, Mónica desbordaba encanto, ternura y simpatía. Era una seductora nata y ningún ser vivo de la tierra hubiera permanecido indiferente a sus encantos, que iban mucho más allá de lo físico. También constató Maika que Samuel estaba completamente rendido a sus pies, idiotizado y baboso, que Mónica podía hacer con él lo que le diera la gana, incluso lo más cruel, porque él estaría dispuesto a aceptar cualquier cosa. Y exactamente eso estaba dispuesta a hacer: actuar sin piedad. Durante la cena, siempre en boca de Mónica, escuchó un par de veces la palabra «matrimonio». Maika miraba horrorizada a su amigo, que asentía como un autómata, con la boca llena de pizza cuatro estaciones y una sonrisa estúpida en los labios, mientras se preguntaba qué habría sido de su ateísmo militante, sus convicciones acerca del amor sin papeles o las macetas de marihuana que cultivaba en su cuarto. Sólo le faltaba por oír la siguiente frase, también en la dulce voz de Mónica, para comprender que su amigo ya era, a todos los efectos, un pequeñoburgués:

—Nos encantaría que fueras uno de los testigos de la ceremonia religiosa —llegado este punto, ella agarró una de las manos de la perpleja Maika y bajó un poco la voz para añadir—: A partir de este momento, a mí también me gustaría que fueras mi mejor amiga.

Ya le hubiera gustado a Maika descubrir dónde rayos se impartían cursillos para ser tan asquerosamente encantadora. Ella no lo conseguiría ni aunque practicara toda su vida.

Han transcurrido veinticinco años desde aquella cena. La pizzería ya no existe. El barrio ya no es humilde y ruinoso; ahora es un lugar de moda, plagado de tiendas de marca y de bares de diseño. Con las ideologías ha pasado más o menos igual: han dejado de ser auténticas para convertirse en sofisticadas y concurridas. Lo mismo que ellos, irreconocibles en sus gustos y sus costumbres. Sólo las tetas de Maika siguen siendo las mismas, aunque un poco más caídas, y aún son el centro de casi todas las miradas. Como era de esperar, nunca se las operó. A sus distintos hombres —ha habido más de quince a lo largo de este tiempo— siempre le han parecido de proporciones satisfactorias, y ella perdió la urgencia por restarle esos mil gramos a su anatomía hace mucho tiempo. Vive en pareja desde los veintidós, pero sus hombres fluctúan y mudan como las estaciones: lo máximo que le ha durado una relación han sido tres años. Con Ramón apenas lleva dos y ya se aburre como una ostra.

Mónica tampoco es la de entonces: ahora es esa mujer enlutada que observa con entereza cómo un par de operarios sellan la tumba de su marido ante un rebaño de curiosos que parecen estar de más. Maika se acerca a ella para abrazarla y le susurra al oído unas pocas palabras que el nudo de su garganta obstaculiza:

—Ya sabes dónde estoy para todo lo que necesites.

Mónica asiente y le estrecha la mano con fuerza, igual que hizo veinticinco años antes, cuando se acababan de conocer.

—Te agradezco tanto que hayas venido, con lo solicitada que estás.

Luego la comitiva se disgrega, incluyendo a la rubia joven que no ha dejado de hipar, como si la viuda fuera ella. Cuando todos se han ido, Maika agradece el silencio y la ausencia de miradas. Desde que sale en televisión no es fácil escapar de ellas y en ocasiones como ésta resulta odioso comprobar la empatía que establece la gente con los personajes televisivos, como si el mero hecho de mostrarte ante las cámaras te hiciera mejor persona, o como si ser popular en un país en que la popularidad está al alcance de cualquier memo fuera un mérito. La tumba queda en silencio y ella se sienta frente a las letras cromadas a leer una y otra vez el nombre del amigo muerto. De camino a casa lo hará varias veces más, esta vez en la esquela que recibieron los asistentes al funeral católico, un rectángulo de cartulina blanca doblado en dos. Cuatro caras cargadas de símbolos y palabras que nada tienen que ver con el recuerdo que guarda de Samuel, mucho menos con ella misma. Una cruz negra a modo de cubierta. Una oración por el eterno descanso de su alma, unos escasos datos que de ningún modo hablan de quién fue, y una fecha, la de hoy.

Durante la misa, el cura ha hablado de la resurrección y de la vida eterna, dos monsergas que no podrían aceptarse ni que fueran reales. A quién iba a apetecerle resucitar en un mundo como éste, después de algo tan trabajoso como morirse. La muerte no puede experimentarse a cada rato, no sería serio afirmar, por ejemplo:

—Eso fue la primera vez que me morí, porque en cambio la segunda…

Ni siquiera el intransitivo suena bien. Y respecto a la vida eterna, mucho peor. ¿Realmente alguien cuerdo puede desear tal cosa? ¿Vivir cien años, dos cientos, mil, acudir a programas de televisión como testigo presencial de las cruzadas, como examante del Cid Campeador, como primera cristiana que se benefició a Abderramán? Uno de los dramas de la iglesia católica es que está empeñada en ofrecer cosas que no desea nadie. Un fracaso absoluto de la ley de la oferta y la demanda. Y luego todo eso de las puertas de Jerusalén, ha dicho el capellán, donde no sé cuántos ejércitos celestiales acudirán a recibir a Samuel. Alguien debería decirle a este señor que Jerusalén no es ahora un lugar ideal al que acudir, ni siquiera de paso y en compañía de las hordas celestes. La gente se persignaba durante la ceremonia, repetía las letanías de la misa, cooperaba. Maika no siente suyos esos movimientos, esas palabras, es incapaz de reproducirlas ni siquiera por respeto al amigo muerto, que dejó por escrito que esa era su última voluntad: un funeral que permitiera al cura decir esas cosas tan poco verosímiles.

Hoy está sola en casa. Ramón está de viaje de trabajo, o por lo menos eso le ha dicho. En lugar de cenar, por la noche Maika se entrega al zapping televisivo, sin recordar que hoy se emite, como cada semana, el debate en el que ella participa. Los años de redactora de deportes han quedado muy atrás. Lo suyo ya no son las chicas del jóquei, la gimnasia, el balonbolea o el tenis. Ya hace tiempo que cambió los campos de juego por las arenas de un ruedo más encarnizado: el de las sesiones parlamentarias. La visión de género se mantuvo, sin embargo. Ahora no informa de los logros femeninos en las canchas, sino que persigue cruzadas colectivas frente a una oposición aficionada a los trajes de chaqueta, a las procesiones de semana santa y al trato fraternal con banqueros y obispos. No es que las izquierdas hayan permanecido fieles a sus panas y sus coderas de antaño. No: los tiempos andan muy convulsos para cierto tipo de fidelidades. Sólo han imprimido un cierto donaire a sus gustos más antiguos, y hoy las chicas rojas son las únicas que se atreven, pongamos por caso, a ir sin sujetador a una boda real o a colgarse del cuello el pedrusco que un expresidente ha diseñado para ellas en las dulces horas de su retiro.

Maika dedica la noche a observar sus defectos por televisión. Y eso que una buena amiga periodista le recomendó una vez que nunca jamás quisiera verse en la caja tonta, a menos que estuviera muy segura de sí misma. No es el caso, desde luego, y mientras se observa discutir con vehemencia sobre la conveniencia de ampliar la ley del aborto frente a cuatro contertulios más, dos de ellos pertenecientes a los estamentos eclesiásticos, siente una extraña e incómoda extrañeza: como si no fuera ella la de las imágenes, como si de pronto todo lo que defendió con tanto calor hace apenas unos días, durante la grabación del programa, fuera ahora relativo como la vida o la muerte. Como si los curitas que también se empeñan en mantener su postura antediluviana no le parecieran de pronto tan de otro mundo.

Habla ahora el presidente de la Asociación de Familias Católicas. Es un hombre grande y gordo. Presume que de bonachón no tiene más que el aspecto. La postura que mantiene con vehemencia sospechosa le parece una inmoralidad: los preservativos van en contra de las leyes divinas y, desde luego, de las humanas que dicta la iglesia; el aborto es moralmente inadmisible, nadie tiene derecho a decidir sobre la vida o la muerte de ninguna criatura; lo único que tenemos para enfrentarnos a la lacra del sida y de los embarazos no deseados es la castidad, una virtud del alma, una gracia de Dios, quien ve con buenos y omniscientes ojos el fastidio de la privación.

¿Privación en esta época de consumismo salvaje y políticas del bienestar? Ja. Maika no puede evitar una sonrisa malintencionada, la misma que se descubre en la pantalla cuando las cámaras la enfocan de nuevo.

Recuerda al hombre grande y gordo cuando terminó la grabación. Desaparecieron la sonrisa beatífica y las palabras pausadas. Cuando se encontraron en maquillaje para limpiarse un poco la cara antes de salir de nuevo al mundo real, no le dirigió la palabra, el muy cretino, aunque ella tuvo la decencia de despedirse de él, como del resto de invitados. Sólo el representante de las Familias Católicas puede tener la osadía de un desplante así y, por supuesto, lejos de las cámaras, fuera de las miradas de aquellos que, como ella, estarían en su casa predispuestos a decantarse por una de las opiniones expuestas con tanto impudor en el debate.

Maika recuerda ahora esa anécdota, ocurrida hace cuatro días, porque en realidad lleva rato no queriendo pensar en lo que de verdad la atormenta. Ha sido casual pero revelador que fuera hoy, precisamente, el día de la emisión del programa, como un azote de un dios vengador que encuentra placer en ver sufrir a sus criaturas, especialmente a las que reniegan de él y sus enseñanzas. Llevaba un escote generoso la tarde de la grabación. Al contrario de lo que algunos creen, no perseguía que, como otras veces, alguien bromeara sobre la bondad de su delantera, incluso en algún medio de comunicación nacional. Tampoco perseguía desorientar a los estamentos eclesiásticos presentes en el plató, aunque esa consecuencia le divertía más. Durante el tiempo que duró el debate observó cómo el representante de las Familias Católicas mantenía una lucha encarnizada consigo mismo para no dejarse llevar por el magnetismo de sus tetas. Sin embargo, el escote de esa tarde tenía otro receptor, mucho más concreto, mucho más deseado: Samuel, quien le estaba esperando a la salida para invitarla a cenar.

La culpa es lo único que le queda de toda la herencia judeo-cristiana que, como tantas de su generación, mamó desde el parvulario. La misma que la hizo sentir sucia la primera vez que hizo el amor con un compañero de clase. La misma que ahora la mantiene en vela, incapaz de cualquier actividad consciente, meditando acerca de la fugacidad del paso del tiempo y de la capacidad de las cosas para cambiar a velocidad supersónica. El día del debate televisivo estrenó aquella blusa negra con el escote más generoso que había llevado últimamente sólo porque Samuel iba a recogerla. Hoy, en cambio, la blusa negra de aquel día continúa tendida en el lavadero, y ha rescatado de su armario otra, negra también aunque más recatada, para acudir a su entierro, donde ha estrechado la mano de Mónica y se ha ofrecido para cuanto necesite, y todo con absoluta sinceridad. No puede creer que haya sido tan cínica. Ha sentido lástima por Mónica, deseos de consolarla, de abrazarla con la fuerza de una redención que en realidad está necesitando ella misma. Dárselas de buena amiga cuando sabe que no es eso. Hoy habrá aparecido a los ojos de todos como algo que ya no podrá ser nunca más. También ante los ojos de Mónica, quien le ha agradecido con tanta sinceridad sus desvelos. Maika ha asentido con gravedad, como si le diera la razón. Y no hace ni cuatro noches, se estaba tirando a su marido.

Nora:
El egoísmo masculino no estimula la líbido

Nora se coloca las gafas sobre la nariz y observa el engrudo con interés científico. El color es un poco más claro de lo que cabría esperar, pero está dentro de lo aceptable. Apesta del modo habitual y con la intensidad de siempre. En cuanto a la textura —arruga la frente, entrecierra los ojos— no acaba de estar segura. Por eso intenta un cambio de perspectiva, estruja un poco el envoltorio con la finalidad de observar los hilillos que se van formando. Tamaña exploración no la deja del todo tranquila. No siente que sea suficiente. Por eso se dirige al armario botiquín y toma un bastoncito de los de los oídos con el que pretende revolver la masa hasta detectar posibles irregularidades. Para ello deposita el pañal sobre el cambiador, se ajusta las gafas y dobla el espinazo en un gesto de aproximación a la mierda que su miopía hace necesario. En ese instante, aparece Valentín.

—¿Qué coño haces? Huele fatal.

—No, el olor es normal. El color me despista un poco. Lo que sin duda no está bien es la textura.

El marido suspira de resignación. Cada día el mismo ritual. Su mujer se empeña en observar la caca del bebé con rigor científico. Sentadito en su cuna, encantado con el rayo de sol que entra por la ventana, Luis aguarda a que su madre termine para que le lleve de paseo, como todos los días. En cuanto ve a su padre se siente salvado, y extiende sus brazos hacia él tanto como puede.

Ella ha encontrado algo:

—Míralo, aquí está, como un bultito.

—No sé cómo tienes estómago para hacer eso. Y después de tomarte el café, además.

—Yo por mi hijo hago lo que sea necesario.

Lo ha dicho con esa convicción de madre abnegada que últimamente es constante en ella. No lo soporta.

Los dos varones de la casa dejan a Nora entretenida en sus pesquisas escatológicas y se van al salón. Valentín pone la tele y se sienta en el sofá junto a su hijo. El niño se distrae con los anuncios y los dibujos animados de primera hora y él tiene diez minutos antes de empezar la carrera frenética de cada mañana. No sabría decir si en este momento pueden más las ganas de disfrutar a su hijo, a quien apenas ve, o de librarle durante un rato del influjo de su controladora madre. Luis celebra los anuncios con alegres palmadas. Sin embargo, Valentín no ha descansado bien esta noche, o será el efecto de tanto cansancio acumulado, viajes, reuniones, aguantar a superiores idiotas, no sabe bien, pero hace tiempo que viene necesitando un respiro. Por eso no puede evitar dar una cabezada en el sofá, de la que le despierta su mujer con un graznido histérico.

—¿Te has dormido con el niño encima? Por Dios, no me puedo creer que seas tan irresponsable.

Le arrebata a Luis como quien recupera una pieza robada y le lleva de nuevo a su habitación.

—No quiero que el niño vea tanta tele —dice, mientras se aleja—, tenemos que enseñarle que puede divertirse con cosas más educativas.

No le hace demasiado caso. Si pudiera, estrujaría a Luis. Sin hacerle daño. De hecho, ya ni escucha a su mujer. Valentín cae de nuevo en la duermevela. Sí, sí, le estrujaría despacito, suavemente, para reducir un poco su tamaño. Tampoco tanto, el tocólogo siempre dijo que Nora tenía buenas caderas, que era buena para ser madre. Si él supiera, piensa ahora, con una mueca de tristeza, los ojos cerrados, la cabeza caída hacia un lado. Eso es: estrujaría a Luis con sumo cuidado hasta que tuviera sólo un tercio de su tamaño y la piel rosadita y transparente de los neonatos. Así era la primera vez que le vio, que le vieron, que le tomaron en sus brazos y firmaron la sentencia de muerte de su vida en pareja.

Y si fuera posible una vuelta atrás hacia aquella vida envidiable en la que un buen día decidieron poner un bebé. Retroceder hasta el útero materno, el camino de vuelta que nadie ha recorrido. La vulva generosa de Nora engulliría cuanto se le pusiera por delante. Y él ayudaría, por descontado. Los pies, lo primero. Esta parte sería la más fácil. Tal vez habría que apretar un poquito al niño desde la cabeza, pero acabaría por entrar. Por sus huevos que entraría. Cómo disfrutaría viendo regresar a su origen las pequeñas rodillas blandas, los muslos lechoncetes, el pene casi inexistente, las caderas. Y luego el pecho —la expresión desencajada y un poco ausente de Nora durante la expulsión se repetiría ahora en sentido inverso—, los hombros y, al fin, la cabeza. Empuja, empuja un poco más, le diría el médico a él, al marido, que sudaría por el esfuerzo y sonreiría de ilusión. Ya casi está, diría la comadrona cuando ya sólo asomara la pelusa de la coronilla, ya sólo se le ve el pelito. Después también eso desaparecería. Sería borrado, engullido. Todo se cerraría, adquiriría de nuevo su consistencia prieta de siempre, su naturaleza de paso estrecho al que sólo él tiene acceso. Los labios vaginales recuperarían su paralelismo, la oclusión causada por el niño en pleno proceso de venir al mundo cesaría y llegaría el momento en que ellos podrían marcharse a casa a sentir cómo las contracciones aminoran, igual que el dolor y el malestar de las últimas noches. Nueve meses de espera bien merecerían la pena si luego todo volvía a ser como antes, pensaba Luis en su dulce ensoñación. Nueve meses de observar cómo aquellas pequeñas y molestas estrías desaparecían del vientre de Nora, y con ellas el pudor repentino de su mujer a mostrarse desnuda. Nueve meses en que la piel se destensaría, se borrarían esas sombras de pelo que últimamente la habían afeado y regresaría a su condición de pequeño montículo en el que apenas empieza a adivinarse la presencia de una vida nueva, se va diluyendo en la caverna uterina igual que un terrón de azúcar en un vaso de agua caliente. Podría juguetear con sus tetas sin que ella respondiera con esa mueca de dolor,

ese revulsivo casi inmediato, que le había hecho sentir
como si sus manos o su lengua transmitieran corrientes
eléctricas. Sería el momento de recordar las náuseas ma-
tutinas y de volver a la actividad sexual nocturna, cada
vez más intensa a fuerza que no quedara rastro de Luis.
Hasta alcanzar la noche en que las dos células causantes
de tal estropicio se dividirían en el transcurso de una jornada amorosa casi sin precedentes. Placer, tranquilidad y
tiempo para ellos mismos. Noches de sueño y orgasmos.
Cenas hasta las tantas. Teatro, cine, conciertos, discote-
cas. El cuerpo de Nora como era antes de todo. La dispo-
nibilidad de Nora en casi cualquier momento, la intensidad con que se entregaba al juego sexual, su manera de
disfrutar.

Qué fácil es dejarse caer hacia tales fantasías. De
pronto la imagina a ella en su oficina, un viernes de aquel
último verano sin Luis, apenas cubierta con un vestido
ligero que muestra sus brazos, parte de su espalda y sus
piernas bronceadas y perfectas. La ha invitado a cenar y
pasa a recogerla a las nueve. Ella arroja el maletín en el
asiento de atrás. Siempre se lleva trabajo a casa, pero
siempre tiene tiempo para él. Es una supermujer, capaz
de enloquecer al hombre que duerme con ella desde hace
cinco años.

—Qué calor —dice ella, recogiéndose el pelo en una
coleta.

Con movimientos rápidos, inconfundibles, se quita
las bragas. Una de sus aficiones favoritas es calentarle, ponerle en situaciones difíciles. Deja la mínima prenda
—roja— sobre el cuadro de mandos. Constata los efectos

de las causas: Valentín va a romper los pantalones. Tras un rápido tanteo por encima de la ropa, suelta una risita de conejo. Casi están llegando al restaurante.

—¿Cómo quieres que vaya así? —pregunta Valentín, desolado, observándose el bulto.

—Ah, yo no sé.

Nadie imaginaría lo que eran capaces de hacer en la mesa de un restaurante y sin apenas perder la compostura. Aquel vestido facilitaba mucho las cosas, por eso le pedía tan a menudo que se lo pusiera. Las manos de él no dejaban de buscarla en toda la noche. Sentían su calor, su humedad, exploraban su vagina, un par de dedos se hundían en ella y otro jugueteaba con su clítoris. Nora era capaz de correrse mirando fijamente un carpaccio de buey con rúcula y parmesano —o, de hecho, cualquier otro plato—, algo que muchas mujeres no serían capaces ni de imaginar. A veces les interrumpía el camarero en lo mejor, para preguntar si todo era de su gusto. Una vez, Nora soltó:

—Sí, esto es un gusto.

Y eso eran sólo los preliminares. Solían regalarse un entremés sexual en el lavabo antes de abandonar el local, en el que ella se subía la falda y él la abordaba por detrás, ciñendo sus caderas, cerrando los ojos, pensando que era afortunado por tener al lado a una hembra como ella y maldiciendo a la vez el tamaño de su pene, que en esa postura estaba en inferioridad de condiciones (aunque sólo él se empeñaba en recordarlo). Luego la fiesta continuaba en el coche, en el aparcamiento, en el ascensor, en el rellano, en el pasillo camino de la habitación y, por fin, en la cama. Eran dos máquinas de follar. Ella decía que tanto ejercicio la mantenía en forma y le permitía darse algún capricho en la mesa. Él se sentía el hombre más feliz del mundo. El único de su grupo de amigos que no lloriqueaba cada vez que se hablaba de sexo. Llegaba cada día eufórico a la oficina, le daba igual casi cualquier estupidez que pudieran decirle los jefes, el tiempo que hacía o la cantidad de trabajo pendiente. Sus balances cuadraban, su agenda era liviana como una pluma, las semanas se sucedían sin dejar huella y hasta las secretarias parecían más simpáticos.

Todo eso hasta el día que ella formuló la pregunta fatídica:

—¿Qué te parece si tenemos un hijo?

Aquel fue el punto de inflexión. El preciso instante en que dejó de ser un hombre ufano y risueño y empezó a transformarse en un infeliz.

Los párpados le pesan como si fueran de hormigón.

—¿Me estás oyendo, Valentín?

Abre los ojos. Nora sujeta algo apestoso y pequeño entre el índice y el pulgar:

—¡Es una canica! ¿Cuándo coño le has dado una canica al niño? —le increpa ella.

—¿Yo? A mí qué me cuentas —mira el reloj, un movimiento de rutina que hoy viene seguido de un respingo—: Mierda, se me ha hecho tarde.

Dejar a Nora con la palabra en la boca, o sin la respuesta que está reclamando es una temeridad. En otra época no se habría atrevido a hacerlo. Ahora, en cambio, es capaz de casi cualquier cosa.

La transformación interior empezó con aquella faja. Nora había llegado casi al quinto mes de embarazo, y decidió renovar su lencería. Desterró tangas, braguitas-bikini y sujetadores de balconcillo, siempre transparentes o de colores oscuros, como el burdeos, el morado o el negro, y empezó a comprarse bragas hasta la cintura, sujetadores en cuya copa habría cabido su cabeza y fajas especiales para embarazadas, todo en un práctico color blanco. Al principio, lo entendió. O, más bien, no tuvo más remedio que resignarse. La veía salir de la ducha, concentrada en la aplicación correcta de sus cremas anti estrías y temía el momento de verla embutida en su nueva ropa interior acorazada. Con aquellas prendas, pensar en alcanzar la vulva de su mujer sin valerse de las tijeras o de algún otro objeto cortante era del todo imposible. De día y de noche, porque también llegó la hora en que Nora no se quitaba la faja ni para dormir, alegando dolores musculares e incomodidades de toda índole. Por aquel entonces, ella aún no había perdido del todo la memoria respecto a lo que el sexo la había hecho disfrutar sólo unos meses antes, y de vez en cuando, al observar el compungimiento de su marido, articulaba una disculpa:

—Serán sólo unos meses, mi amor, hasta que termine el embarazo.

Valentín, en aquella época, todavía la creía. No podía ni sospechar lo que se le venía encima.

La última vez que tuvieron sexo ella estaba de menos de tres meses. Fue un típico encontronazo rápido de antes de dormir: tres lametones, cuatro caricias, mucho besuqueo y enseguida estaban metidos en harina. Por lo menos, él. Ella no reaccionaba como siempre y, aunque no decía nada, su pasividad resignada, su cierto aire de mártir del sexo conyugal, le hacía sentirse incómodo. Puso reparos a las posturas de siempre y, después de varios intentos, decidieron que sería él quien se pondría encima.

—Pero no me aprietes la tripa —le pidió, en tono lastimero.

Era como hacer flexiones, un ejercicio agotador que dio por bien empleado. Consiguió evadirse un poco después de que ella le asegurara que todo iba bien y que le gustaba «bastante», un adjetivo desolador, dadas las circunstancias. Estaba a punto de eyacular cuando un chillido de Nora le hizo erguirse de un salto. De inmediato pensó que le había hecho daño, que llevado por la euforia del desenlace tal vez se había dejado caer sin darse cuenta.

—Creo que se está moviendo —dijo ella, con los ojos muy abiertos y la mano sobre el abdomen—. No sé si debería notarlo ya. Tal vez sea el intestino. No sé.

Valentín se sentó en la cama, jadeando, sin palabras que añadir a aquel portento biológico que acababa de joderle el final.

—Seguro que no es bueno que se mueva así siendo tan pequeño —sentenció Nora—. Lo lamento mucho, Valentín, pero hasta que nazca el bebé creo que deberíamos plantearnos no tener relaciones.

Luchó todo lo que pudo. Una guerra de guerrillas en la que buscó complicidades. Todos los libros sobre el embarazo —a los que Nora se hizo adicta— recomendaban la práctica del sexo durante la gestación y aseguraban que el orgasmo estimulaba el riego sanguíneo del útero y era bueno para el feto. En sus visitas al ginecólogo, nunca dejó de buscar la varonil complicidad del médico preguntándole por el particular —«¿es bueno que mantenga relaciones sexuales en su estado, doctor?»— y siempre obtuvo la misma respuesta afirmativa y despreocupada. Incluso en los últimos días, cuando ya la tripa era monumental, apoteósica, y ella pasaba el día consumida en un puro lamento y un puro deseo de terminar de una vez con aquello, encontró un párrafo esperanzador en la revista *Parecer padres,* a la que Nora se había suscrito: en un artículo firmado por un conocido tocólogo se aseguraba que las hormonas masculinas del semen puestas en contacto con el útero pueden provocar contracciones y, en consecuencia, adelantar el parto en una mujer que se encuentre más allá de la semana 35 de embarazo. Estaban terminando la semana 39, de modo que le pareció muy oportuna la idea de verificar empíricamente la solvencia de tal afirmación. Pero cuando se lo dijo a su mujer topó con la reacción más virulenta y menos esperada por su parte:

—Eres un degenerado. ¿No has visto cómo estoy? ¿Tú te tiras a cualquier cosa o qué?

Con gusto hubiera contestado a esa pregunta, pero prefirió callar, no fuera a ser que, con la suerte que tenía, Nora tuviera un disgusto de esos con moco y baba a los que era tan propensa últimamente y el parto se le adelantara, pero por causas mucho menos felices. Se resignó, una vez más, a masturbarse en la ducha imaginando a

Nora, la Nora de antes, la de siempre, la que se quitaba las bragas para él en cualquier parte.

En aquellos días, su mujer sólo limpiaba la casa y ordenaba ropita diminuta. A él le sorprendía tanta actividad en alguien que apenas puede moverse.

—Es el síndrome de nido —explicaba ella, siempre tan documentada—, significa que nuestro bebé ya viene.

Sin embargo, Luis no se decidía. Tal vez sospechaba lo que le aguardaba fuera: un padre desesperado que le culpaba por los seis meses que llevaba sin catar a su mujer y a una madre enferma de maternidad. Hubo que provocar el parto. Nora se pasó la tarde anterior desquiciada de felicidad, llamando por teléfono a sus amigas. La primera, a Mónica, que a estas alturas ya podía considerarse segunda madre de Luis por todo lo que había aguantado.

Tras el parto, siguieron superando etapas. El puerperio fue respetado con convencida resignación. Veía a Nora amamantando a Luis y no podía evitar un pensamiento ruin:

«Le gusta más como le chupa él».

El día en que ella anunció solemnemente que había dejado de sangrar, clausurando de forma más o menos oficial la cuarentena, Valentín intentó una aproximación.

—No tengo ganas. Además, aún no estoy bien —fue todo lo que escuchó como respuesta.

Se durmió en postura fetal y con una erección de caballo. No le quedaban ni ánimos para masturbarse.

En las semanas siguientes no experimentó mejorías. Luis continuaba mamando y Nora encontró una nueva excusa:

—La prolactina inhibe el deseo sexual. Mientras el bebé succione, mi líbido no mejorará.

Una campaña a favor de la lactancia artificial no hubiera funcionado en una mujer tan entregada a la maternidad como Nora. Pensó que era mejor no intentarlo y atacar por otros bandos:

—¿Y no podrías volver a ponerte tu ropa interior en lugar de eso tan feo?

La respuesta de ella, un triste presagio, como todo lo demás:

—Debes dejar de pensar que mi cuerpo te pertenece en exclusiva. Luis me necesita más que tú y es menos egoísta.

Cinco meses después, la cosa había empeorado. Nora no recuperaba su silueta de antes del parto. Ya nunca se mostraba ante él sin sus bragas de cuello alto, su faja posparto y su sujetador especialmente concebido para la lactancia (y para nada más, ni siquiera la observación). Llevaba ropa ancha y había abandonado cualquier atisbo de coquetería: incluso se cortó la melena y dejó de usar maquillaje. Ya no era una mujer, sino una matrona. Ya no era su chica, ahora era, en exclusiva y a jornada completa, la madre de Luis.

Lo demostraba constantemente. Cuando terminó su baja maternal, intentó negociar una excedencia en el trabajo. Su jefe no consintió, argumentando que aquella era una solución inviable desde el punto de vista legal. Nora no lo pensó dos veces: presentó la dimisión. Se despidió, una profesional de su calibre, una mujer que había luchado como una leona por ascender en el escalafón de un entorno profesional difícil y competitivo. Menos mal que era lo bastante buena, y tenía tan buena fama, que cuando la vio tan resuelta, su superior, que la trataba como a la hija lista que le hubiera gustado tener, encontró una solución para su cabezonería. Le concedían las vacaciones, los días de libre disposición y unos meses de sueldo si aceptaba trabajar desde casa como asesora. Era una solución intermedia que satisfacía a todos: la empresa se cuidaba de que la competencia no le echara el guante a una de sus mejores creativas y ella recibía algo a cambio de contestar al teléfono. Aceptó, claro. Nora no le temía al teléfono: después de Luis, era a lo que dedicaba más horas de su tiempo.

La llamaban sus amigas para preguntarle cómo estaba y ella se deshacía en explicaciones:

—Es lo más bonito que me ha pasado en la vida. Te recomiendo esta experiencia por encima de todo. No hay nada mejor en el mundo que ser mamá.

Algunas de sus incautas interlocutoras le recordaban que estaba sacrificando su carrera por el bebé.

—Mi carrera no tiene tanta importancia —decía ella—. Nada que no sea mi bebé la tiene, ya.

Algunas de sus amigas también eran mamás recientes. Todas se admiraban de su estado de ánimo. Le preguntaban si no añoraba la vida de pareja con Valentín.

—Prefiero la vida familiar con Luis.

Si no echaba de menos el sexo tranquilo de antes.

—En la vida hay prioridades...

Si no añoraba dormir de un tirón por las noches.

—No me importa levantarme, así no tengo que esperar a que llegue la mañana para ver a mi niño.

Si no estaba un poco cansada de cambiar pañales y preparar biberones.

—Para mí es como un juego. ¿Tú no tenías muñecas, de pequeña?

Si cargar todo el día con Luis no le resultaba a veces un poco latoso.

—En absoluto, no iría a ninguna parte a donde él no pudiera acompañarme.

Por lo demás, hablaba de pomadas para el culo, jarabes para la fiebre, diferentes marcas de pañales, todas las texturas imaginables de la caca y otros temas lamentables con absoluta autoridad. Hubiera podido dictar clases, si se lo hubieran propuesto. Y algo parecido empezó a hacer, porque una gran parte de sus amigas embarazadas o madres recientes empezaron a llamarla a todas horas para pedirle consejo. Ya no era nada raro encontrarla cómodamente apoltronada en la butaca, con el niño plácidamente dormido en su cuna y el teléfono en la oreja, ejerciendo de consejera cualificada:

—¿Has probado a darle una leche con efecto bífidus, especial para niños estreñidos? Ay, chica, pues me temo que no te va a quedar otro remedio que extraerle la bola de caca manualmente. ¿Sabes cómo hacerlo o quieres que me pase por tu casa?

De vez en cuando, entre esas llamadas se colaba alguna del trabajo. Se la reconocía por el tipo de respuesta:

—Ya recuerdo esa campaña que dices, la de sujetadores. Impresentable, desde luego. No tenía ni idea de que hubieran vuelto a contratar a aquel tipo. Debéis estar alerta, tiene ideas de bombero y estoy convencida de que nos odia. No, a la agencia no. A quien odia es a las mujeres. Y así nos trata. Es un miserable. No dejes de avisarme si pasa cualquier cosa, yo mientras tanto iré pensando una estrategia.

El jueves siguiente al hallazgo de la canica, aún sin aclarar el misterio de cómo había llegado aquel objeto al pañal de Luis —o, más bien, a su boca, porque lo otro estaba bastante claro—, fue una jornada para el olvido. Discutieron desde por la mañana. Nora consideraba perniciosa la educación que Valentín pensaba darle a Luis. No quería para él ni televisión, ni fútbol, ni comentarios que tuvieran que ver con su sexo, ni actividades extraescolares, ni excursiones, ni parques de atracciones los fines de semana. No quería que ingiriera azúcar y no le dejaba dormir con chupete. Pretendía que aprendiera a beber en vaso con seis meses y no estaba dispuesta a que pasara ni medio minuto en su parque, considerando que jugar solos convierte a los niños en seres antisociales.

Harto de discutir con su mujer, Valentín se marchó al gimnasio, dejó toda su energía y gran parte de su mala leche en la sala de musculación y regresó a la hora de comer. Luis ya había almorzado, y Nora y él estaban dormidos sobre la cama de matrimonio. Se acercó a su mujer y a su hijo y trató de hacerse un hueco sobre las sábanas. En una duermevela que no le impedía ser cortante como el filo de una catana, Nora murmuró:

—Vete al sofá. No quiero que el niño tenga celos de ti.

Nora tenía una teta fuera, tal vez porque había estado dándole el pecho al bebé, y no pudo evitar quedarse embelesado mirándola. Hacía tanto que no la veía que había olvidado su tersura, su perfección, su redondez, el color rosado del pezón y otros detalles. Constató, sin embargo, que pese a los estragos sufridos en los últimos tiempos, aquella teta seguía siendo una buena pieza, la mejor que había conocido.

—¿Qué miras, Vale? —preguntó ella, cubriéndose—, ¿ya vuelves a estar pensando en lo mismo de siempre?

Se fue al salón de muy mal humor. En el vestidor tropezó con una caja de las que Nora utilizaba para guardar ropa en los altillos del armario. A través de la rendija que dejaba la tapa sin ajustar le pareció reconocer alguna prenda. No pudo evitar curiosear un poco. Eran los sujetadores de balconcillo, los tangas, ligueros, braguitas-bikini, medias, corpiños, todo en insinuantes transparencias de color burdeos, violeta, negro. Fue una reacción instintiva. Tomó una prenda, la primera que cayó en su mano al azar, y se la llevó a la nariz y a la boca. Inhaló con todas sus fuerzas. Le llegó una bocanada con olor a suavizante mezclado con aquel aroma dulzón que emanaba el cuerpo de Nora meses atrás. El olor de su deseo, de sus ganas renovadas. El culpable de la erección que empezaba a resultar indisimulable. Pensó que, ya que nadie atendía sus erecciones, él mismo debería hacerlo. De modo que allí mismo, de rodillas frente al cofre de los tesoros, decidió darse un festín.

Precisamente en ese instante apareció Nora, con su teléfono móvil en la mano y expresión ausente. Él se detuvo al verse descubierto, y ella se llevó las manos a las mejillas al comprender lo que estaba sucediendo en el vestidor. Sin embargo, igual que el día de la canica entre la mierda, el mensaje que salió de sus bocas no tuvo nada que ver con las emociones que ambos estaban experimentando.

Valentín, para disimular, formuló la primera pregunta que acudió a su mente:

—¿Has dejado al niño solo?

Nora dejó escapar una lágrima al decir:

—Era Mónica. Samuel ha muerto.

De inmediato le dio la espalda para volver con el bebé. Mientras se alejaba, Valentín la oyó refunfuñar:

—Desde luego, siempre estás igual.

MÓNICA:
VIUDEZ RECIÉN ESTRENADA EN SEIS ASALTOS

MUCHOS AÑOS DESPUÉS, FRENTE AL PELOTÓN DE admiradores y curiosos, la abogada Mónica Oliveira habría de recordar aquel día remoto en que su difunto e infiel marido la llevó a conocer su nueva vida. Una nueva vida a la que habría de contribuir mucho, como a nadie extrañará, la póliza que el difunto Samuel había contratado a favor de su esposa una par de años antes de palmarla, y que la convertía en beneficiaria nada menos que de un millón de euros. Cómo iban a pensar los de la compañía aseguradora que un hombre tan saludable, no fumador, deportista, en su peso ideal y sin antecedentes patológicos moriría de forma tan repentina a los 45 años. Ese capital, sumado a lo que iba a sacar por vender el Mercedes, la segunda residencia y algunas otras menudencias, se convertiría en una suma nada desdeñable gracias a la cual Mónica podría concentrarse en lo único que en aquel momento deseaba hacer: transformarse en una perfecta hija de puta.

Primer asalto: Exfoliación

Aquella transformación no se operó de la noche a la mañana. El primer día de su viudez, Mónica despertó con resaca de muchos años, pero más lúcida que nunca. Por supuesto que las infidelidades de su marido no habían supuesto ninguna sorpresa: en términos generales —los únicos términos aceptables en este caso— ya las conocía. Si no hurgaba en los detalles era porque éstos no le interesaban lo más mínimo. Sin embargo, no era por Samuel aquel pesar. Su difunto marido hacía mucho tiempo que había dejado de importarle, que se había convertido para ella en una presencia molesta que dormía en su misma cama y dejaba las cosas en su mismo ropero. Alguien con quien, salvo los asuntos que concernían a la economía familiar, no compartía nada más. De esta lucidez extraña, y esta molesta conciencia con que se inauguraba su etapa de viuda sólo ella era responsable. Por primera vez en su vida tenía la plena certeza de haber sido una imbécil, de haber permitido que abusaran de su buena fe y hasta de su paciencia y de haber mirado hacia otra parte mientras su marido y alguna de sus amiguitas se burlaban de ella en sus propias narices sin ningún reparo.

La primera manifestación externa de tanta rabia contenida fue un ataque de llanto. Hacía tiempo que no lloraba así, a berridos. Escogió para ello su lugar favorito: la ducha, bajo un chorro de agua muy caliente. Lo hizo nada más regresar del entierro, para no postergar lo importante. Estos rituales de purificación daban resultado cuando era adolescente y fue gratificante comprobar que seguían funcionando veinticinco años después. Como era una mujer práctica, no desaprovechó la ocasión para lavarse el pelo con su champú especial antidescamación y para aplicarse una buena dosis de gel exfoliante por todo el cuerpo. Salió de aquella sesión de higiene terapéutica como nueva: con la piel, el pelo y el alma limpios de impurezas.

Mientras se desenredaba la melena frente al espejo, completamente desnuda, empezó la transformación real. Era una mujer madura, libre y rica de la noche a la mañana. Muchas quinceañeras podían envidiar la rigidez de su culo y sus tetas. Sus proporciones seguían siendo estupendas. Llegó pronto a la conclusión de que las lágrimas no eran la terapia que estaba necesitando. Había sido durante tanto tiempo una buena chica, una esposa resignada a llevar los cuernos con estilo, una buena profesional que nunca comete un error ni nunca demuestra una emoción —sobre todo si eso va a dejarla en una situación de debilidad— y, en suma, una mujer que finge ser inmejorable, que ahora le apetecía, precisamente, jugar a ser todo lo contrario, mudar de piel para entrar en otra que no sabía cómo se adaptaría a su silueta. Le venía en gana darle una temporada de excedencia a Doña Perfecta. Exactamente eso fue lo que hizo aquella mañana, en la ducha: dejar que la Mónica que había sido hasta ese día se fuera por el sumidero. Nunca un gel exfoliante había dado para tanto.

Aún estaba en albornoz, pensando en cuál iba a ser su siguiente jugada, cuando el timbre del telefonillo perturbó el silencio pasmado de la casa. Esperando bajo la lluvia, frente al portal, estaba Valentín. Y tan bien armado

de secretos que necesitaba compartir, amén de otras avie-
sas intenciones, que le evitó a Mónica tener que pensar en
su futuro más inmediato.

Segundo asalto: Genciana

Nora apareció a media tarde empujando el carrito de
Luis.

—Te he traído esencia de genciana. Te hará bien.
Cada vez que te sientas triste y desesperanzada, te echas
tres gotitas de esto bajo la lengua.

Mónica observó el frasco con escepticismo. Contenía una especie de jarabe de color pajizo.

—¿Qué lleva?

—No te preocupes, no engorda. La base es un tipo
de alcohol, no me preguntes cuál. El resto es natural. Flores.

—¿Y no terminaría antes tomándome un par de
güisquis?

—Vamos, Mónica, no seas descreída. Las flores de
Bach han ayudado a mucha gente en todo el mundo. Inténtalo por lo menos. No puede hacerte daño.

«Si alguien hiciera un inventario con todas las cosas
naturales que han causado estragos», se dice.

—Yo no necesito flores, Nora… —susurró, distraí-
da, jugando con el frasquito.

—Ya, no me lo digas: tú necesitas una vida nueva, ya
lo sé. No puedes hacerte la tía dura eternamente. Aunque
hasta hoy no te hubieras dado cuenta, necesitabas a Samuel

mucho más de lo que crees. Es natural. En el fondo, aunque no queramos aceptarlo, somos androdependientes. Los pobrecitos, no nos sirven de mucho, pero cuando no están les echamos de menos, como a las mascotas. Tú lo que debes hacer ahora es sobreponerte, buscar otras cosas, pensar en ti y darte algún capricho, algo que lleves mucho tiempo deseando. Ya sabes que puedes contar conmigo para lo que sea. Y no te olvides de tomar esto —dijo la amiga, propinando un empujón al pequeño frasco y sacando su teta derecha del sujetador en un movimiento rápido—. Vamos, Luisito de mi alma, hora de comer.

—Bueno —Mónica desenroscó el tapón del frasquito y olisqueó su interior—. ¿Qué se te ocurre a ti que podríamos hacer para que yo me animara?

—Mmmm —Luisito succionaba ostensiblemente—, no lo sé. ¿Sabes de qué tengo ganas desde hace mucho tiempo? —dejó escapar una risita de conejo—, no te lo vas a creer.

—Dispara.

—De ir a uno de esos espectáculos de estriptís masculino. Conozco un lugar de cena con espectáculo que está bien —añadió la amiga—, si quieres reservo para esta misma noche, mesa para dos.

—Tú estás loca —Mónica soltó una carcajada y, acto seguido, dejó caer tres gotas de esencia de genciana bajo su lengua—, pero por mí, adelante. Eso sí, que sea para tres. Voy a invitar a otra persona, si no te importa.

En aquel momento, Nora debió de adivinar que el brillo como de reptil que había percibido en la mirada de Mónica no se correspondía con el de alguien que necesita

esencia de genciana. Pero estaba demasiado ocupada observando los carrillos regordetes de Luis y calculando el
tiempo que faltaba hasta el cambio de teta.

Tercer asalto: Información (1)

¿Para qué se lleva al tinte la chaqueta de un muerto? Tal vez
para tener una última excusa para revisarle los bolsillos.

En uno de ellos, junto con el juego de llaves que esperaba encontrar, Mónica tropezó con una tarjeta de memoria, uno de esos dispositivos que tanto puede haber salido
de un pequeño ordenador portátil como de una cámara de
fotos digital, y que encaja a la perfección en una de las ra-
nuras de su ordenador de sobremesa, como desea comprobar en cuanto tenga cinco minutos de soledad. No esperaba, sin embargo, que el pequeño archivo contuviera secretos
interesantes, más bien lo imaginaba lleno de documentos
de la empresa, de memorándums tediosos y hojas de cálculo con cifras y más cifras que no revisten interés alguno.
Esa noche, la anterior al velatorio, dejó la tarjeta sobre el
microondas y aplazó las sorpresas para una ocasión más
festiva, que sin duda habría de llegar.

Cuarto asalto: Caracola

Que ella sepa, sólo hay un juego de llaves y Samuel siempre lo llevaba encima. Hasta hoy, nunca había estado en
este lugar al que su marido llamaba «una inversión», tal

gargonnig

vez porque llamarlo «el picadero» hubiera resultado algo tosco en un hombre tan dado a presumir de modales refinados, como él. Y si ahora está aquí es gracias a cierta información interesada que le ha llegado, sorprendentemente, de un informador igualmente interesado: Valentín.

El llavín gira en la cerradura y la puerta se abre en un recibidor que huele a polvo. El piso se encuentra en una zona nueva de la ciudad, una de esas periferias que ha crecido de pronto al abrigo de un centro comercial. Desde el salón se obtiene una desoladora vista sobre el aparcamiento a rebosar, las grúas de las construcciones que aún crecen y una de las puertas laterales del complejo, por la que incesantemente entran y salen familias enteras que parecen felices hasta el paroxismo. Claro que las ventanas están protegidas por tupidos cortinajes que aíslan el lugar de cualquier cosa que venga del exterior. Las paredes desnudas del pasillo conducen al salón, sólo decorado con una alfombra y un tresillo, ambos verdes. De ahí a la cocina hay un salto. Le sorprende encontrarla tan equipada: lavavajillas, lavadora, microondas y nevera. En esta última, languidecen un paquete de salmón ahumado y una botella abierta de champán francés. La mayoría de los estantes no parecen haberse estrenado. En el espacio que cualquier mente ordenada reservaría para los huevos, descubre un pequeño frasquito de plástico blanco en cuya etiqueta lee: «Lubricante natural con sabor a rosas».

En el dormitorio principal hay una cama de gran tamaño vestida con sábanas de seda negras, muy del gusto de Samuel, tan dado a la ambientación escenográfica. Curiosea en el armario. Reconoce las pocas prendas de ropa que cuelgan en sus perchas, como fantasmas abandonados a su suerte por alguien que ya no los necesita: un par de camisas y una americana. Un poco más abajo, en los cajones, encuentra algunos calcetines, un cinturón, un paquete de preservativos y todo un arsenal de material pornográfico. Hay un consolador negro de treinta centímetros, un par de vibradores —uno metálico, de tres velocidades; el otro, una reproducción sumamente realista del pene portentoso de Nacho Vidal, el actor porno—, un set de estimulación anal que incluye artefactos de cinco tamaños en tres texturas y cuatro colores distintos, un artilugio en forma de alacrán conectado a una batería que se acciona mediante un interruptor y que sirve para estimular clítoris, algunos preservativos de colores y sabores distintos, un juego de esposas forradas de peluche de imitación leopardo, unas bragas de mujer con abertura, una peluca rubia y larga, un juego de uñas postizas. En el último cajón hay otro juego de sábanas, idéntico al anterior, y un par de fundas ajustables de plástico, como las que se ponen sobre los colchones de los niños cuando aún no han aprendido a dormir sin pañal.

Llega Mónica algo decepcionada a las mesillas de noche. Esperaba que el pasado golfo de Samuel le deparara más sorpresas. En el único cajón de una de ellas, sólo encuentra pañuelos de papel. Si no fuera tan sistemática tal vez no se interesaría ahora por los cajones de la otra mesilla. Sin embargo, lo hace. Lo abre con la misma curiosidad que ha demostrado en el resto de su exploración. Y, por fin, su celo se ve sobradamente recompensado.

Ahora parece muy lejana aquella época, pero no hace tantos años que Mónica y Nora compartían con frecuencia habitaciones de hotel. Fue tiempo de mucho trabajo, de obligaciones fuera de casa, de aprender el arte de coordinar sus agendas para tener la ocasión de coincidir en Madrid, Sevilla, Bilbao, Valencia o cualquier otro sitio. Elegían un buen restaurante para cenar y comenzaban el ritual de risas y confidencias. Nora recién casada era aficionada a alardear de vida sexual y a hacer cómplice a su amiga de sus últimas ocurrencias para impresionar a Valentín. Mónica estaba tan absorbida por su trabajo que apenas tenía tiempo para reparar en su desinflada vida marital, y la conversación se le iba en el recuento de anécdotas disparatadas sobre casuística judicial en las que había tomado parte. Antes de acostarse, por turnos, se daban una ducha. Se mostraban desnudas la una frente a la otra con naturalidad infantil. Luego, la conversación continuaba hasta altas horas, con la luz apagada. Había algo en todo aquello que a ambas les recordaba las excursiones colegiales, los primeros misterios de la amistad entre adolescentes, los descubrimientos compartidos de los primeros años realmente fundamentales de la vida. Se dormían extenuadas y al día siguiente las dos acusaban un cansancio del que tenían sobrados motivos para sentirse orgullosas.

Fue en Córdoba, un par de horas antes de salir hacia Madrid, donde Mónica vio la pequeña caracola de plata, apenas una chuchería de las que le gustaba regalarle a la amiga, en uno de los muchos escaparates de un gran centro comercial. La compró para ella y se la entregó durante la cena, aquella noche. Nora salió del restaurante luciendo sobre su escote el nuevo colgante, la prueba de una amistad alimentada de pequeños detalles. Ninguno de los hombres de su vida la había sorprendido ni una sola vez con algo parecido. Por eso apreciaba tanto aquel regalo, que no habría de quitarse durante mucho tiempo.

Ahora Mónica sujeta el colgante en forma de caracola sobre la palma de su mano. No hay duda de que es la misma, su caracola, la que ella compró en Córdoba pensando en su mejor amiga y que ahora ha aparecido en el cajón de la segunda mesilla de noche, evidencia de algo que no consigue comprender del todo. No porque no estuviera ya sobre aviso, que lo estaba (Valentín se ha encargado de eso). Simplemente porque le parece una traición imperdonable que, desde luego, no está dispuesta a perdonar.

Quinto asalto: Poder

Ser objeto de deseo es ostentar el poder. Cuando una mujer realiza maniobras de aproximación alrededor de un hombre receptivo a sus encantos, en realidad está trazando las primeras directrices de una situación de dominio que se prolongará tanto como ella desee o él se deje.

Mónica conoce la teoría, pero tiene ganas de experimentar. Por eso, en cuanto Nora telefonea para anunciarle el lugar y la hora de la cena con estriptís, marca el número del móvil de Alberto y le invita a acompañarlas.

—¿Estriptís masculino? —se extraña él—, ¿sólo tíos en cueros?

—Eso creo —dice ella—, es una locura de Nora, que tiene cada cosa. Cree que eso me animará. Aunque yo, la verdad, preferiría no ir sola a un lugar como este. Siempre y cuando no tengas nada mejor que hacer, claro.

Alberto, como era esperable, asegura con gran convencimiento no tener nada más importante que hacer que acudir con las dos amigas a ver tíos en pelotas. Se ofrece, además, a pasar a recogerla una media hora antes. Su amabilidad llega incluso a ofrecer sus servicios para recoger a Nora:

—No hace falta —responde ella, que lo ha previsto todo—, Nora va a ir en su coche, con Luis.

—¿Va a llevar a su hijo a un espectáculo de estriptís? —se sorprende Alberto—. No me lo puedo creer.

Que Nora acuda acompañada de su hijo beneficia a sus planes, piensa Mónica. Los niños se ponen insoportables cuando menos te lo esperas, y propician las huidas de sus madres más que ninguna otra cosa.

Y eso es exactamente lo que más desea: librarse de Nora. A poder ser, para siempre. Llegará el momento de decírselo, pero no es hoy.

Esa tarde, dedica casi tres horas a prepararse para la cita. Un ritual que no practicaba desde la adolescencia y que incluye baño de sales y puesta a punto general. No hay centímetro que quede sin revisar, porque, en una noche como la que se avecina, no hay centímetro que no sea susceptible de ser explorado. «La vida es cíclica», piensa

Mónica mientras su cuerpo está sumergido en el agua caliente y su mente vagabundea entre el pasado y el futuro, «antes o después, todo termina por regresar».

Los siguientes puntos en el orden del día se cumplen sin sorpresas. Alberto llega con la puntualidad acostumbrada y ella percibe al momento los efectos que su atuendo causa en su acompañante. Él no le quita ojo de encima. Antes de entrar al local donde Nora les está esperando, le dice por primera vez lo guapa que está.

—Como siempre, por otra parte —añade.

Mónica siente que ha llegado el momento de empezar a utilizar sus mejores armas:

—Sin embargo, hoy hay una diferencia sustancial.

—¿Ah, sí? ¿Y cuál es? ¿Se puede confesar? —pregunta él, inocente.

—Se puede, aunque no se deba: hoy me he vestido para ti.

Alberto azorado es un Alberto inédito, que en este momento empieza a debatirse entre la conveniencia o no de liarse con la viuda de su mejor amigo apenas veinticuatro horas después de enterrarle. Si existe algo parecido a la venganza de los cornudos muertos, no alberga ninguna duda de que Samuel le estará esperando en la puerta de su casa para partirle las piernas. Lo cual no es, en sí mismo, motivo suficiente para resistirse a los evidentes, y por otra parte tanto tiempo deseados encantos de Mónica. Si Samuel regresa de la tumba para partirle las piernas significará que se ha acostado con Mónica. Y Mónica, desde luego, bien merece algunos huesos partidos. De modo que, tras estas deliberaciones, Alberto resuelve no hacer oídos sordos a lo que ella acaba de decirle. Aunque, a falta de algo mejor, sólo musita:

—Caray, qué honor.

Nora degusta una limonada sentada a la mesa. Luis duerme en su cochecito a escaso medio metro de su madre. Cuando ve aparecer a Alberto parece que los ojos de la amiga vayan a salirse de las órbitas. Frunce el ceño y cabecea, en un gesto sólo destinado a Mónica que significa: «Esto tienes que explicármelo». Aunque habría que ser ciega para no entender que su amiga va vestida para matar y que él está rendido a sus pies, como era esperable. La conclusión a la que llega es obvia: Desde luego, Mónica está mucho peor de lo que ella imaginaba; en su deseo de ubicarse cuanto antes en su nueva vida ha optado por la opción más fácil: liarse con el hombre más parecido a Samuel de cuantos giran en su órbita. Tal vez ese sea el único modo que se le ocurre de seguir cerca de su difunto, pobrecita.

Una mirada de conmiseración acompaña al saludo de bienvenida que Nora les otorga. Se acomodan, Mónica y Alberto uno al lado del otro, como una pareja recién formada, y Nora enfrentada a ellos y vigilante del carrito donde descansa su bebé.

—Es un pedazo de pan —observa Mónica, refiriéndose a Luis—, ¿por qué no le has dejado con Valentín? ¿No será este lugar demasiado ruidoso para él?

—En ninguna parte estará mejor que con su madre, con o sin ruido —zanja Nora.

Mónica nunca le lleva la contraria a Nora en los asuntos relacionados con la obstetricia o la puericultura.

Desde el principio de su carrera aprendió a callar en aquellas cuestiones en las que no puede competir o en las que se enfrenta a un rival mucho más cualificado que ella.

Enseguida los camareros empiezan a servir la cena. Lo primero, el vino y el pan, depositado con cuidado en los platos individuales que cada uno de ellos tiene a su derecha. Alberto observa con atención y un cierto desconcierto el panecillo que acaban de traerle.

—¿Soy yo o el pan parece lo que parece?

Nora ríe.

—Era una de las sorpresas que le reservaba a Mónica. He elegido la cena erótica. ¿No es divertido? Y el pan es una teta, qué original. Echadle un vistazo al menú.

Mónica y Alberto comparten la cartulina donde, como en una boda, se enumeran los platos que van a degustar. Sólo que éstos son diferentes a cuantos puedan haber probado en su vida. Por lo menos, en lo que respecta a su denominación: «Orgía de langostinos», «Huevos cachondos», «Pechuga esparragada» y, de postre, lo mejor, «Higos aromáticos en sopa lechosa».

Después de los langostinos sale al escenario el primer bailarín. Es un hombretón de casi dos metros, vestido con una gabardina, un sombrero y unas botas. Mientras los camareros cumplen con su trabajo de retirar la vajilla vacía y servir los huevos, el chico se va despojando de las prendas a ritmo de una música frenética. Su desnudo integral coincide con la apoteosis de la música y el regreso de la normalidad al ambiente del salón, donde los señores comensales pueden empezar el segundo plato.

En ese momento, Nora se pone filosófica e inicia un debate acerca de la belleza del cuerpo femenino en comparación con la del masculino. Según ella, la mujer es muy superior al hombre en ese sentido.

—Somos una de las pocas especies animales en las que la hembra es más vistosa que el macho.

Alberto está de acuerdo con ella en todo punto y sólo apostilla la lástima de no poder comprobarlo esta misma noche. Mónica, en cambio, prefiere los cuerpos varoniles.

—Coño, y yo, no te fastidia —dice Nora—, pero eso no significa que no tenga dos ojos en la cara y la capacidad de superponer lo que es objetivo a mis gustos personales.

Demasiado profundo para una noche loca como esta, piensa Mónica. A pesar de ello, pretende zanjar la discusión con una frase conciliadora:

—La belleza es relativa, Nora. Por fortuna, no hay cánones estéticos que funcionen para todos.

Nora, discutidora profesional, tampoco está de acuerdo con esa afirmación.

—Puedo rebatirte eso también. Lo que sucede en el mundo de la publicidad vale como ejemplo. No hay diversidad de opiniones. Todos los clientes saben cuál es el canon de belleza. Y, te lo puedo asegurar, tampoco hay relativismo ni disparidad de opiniones. Tenemos tanto que aprender aún en ese sentido.

Por suerte, la música las rescata de la discusión. Otro boy ameniza el fin del segundo plato y la transición hacia el tercero. Es negro, tiene unos músculos imponentes y su taparrabos esconde la erección que Alberto querría para sí, aunque tampoco se avergüenza de la suya.

Cuando sirven los higos, la cosa está al rojo vivo. El espectáculo se ha hecho más complejo: ahora son tres los bailarines que a ritmo de la música coordinan sus movimientos para librarse de la ropa. La última prenda es un tanga dorado, tan diminuto que cuesta distinguirlo entre las prominencias cárnicas. En ese momento, cesa la música, se encienden los focos de la sala y en las manos de los tres chicos aparecen tres micrófonos.

—Nos gustaría contar con la presencia de tres voluntarios para rematar este número —dice el que está en el centro.

—Estos cierres son tan complicados… —se lamenta, con amaneramiento y no poca coquetería, el de la derecha, observando el triángulo dorado que aún lleva puesto.

De un grupo de mujeres jóvenes ataviadas con coronas de flores surgen las primeras voluntarias. Se adivina con facilidad que el grupo celebra una despedida de soltera y que la mano que levantan entre tres o cuatro es la de la pobrecita cuyas horas de libertad están contadas.

Desde el escenario, el muchacho de la izquierda niega con la cabeza antes de decir:

—No, no, no nos hemos explicado bien. Hemos dicho *voluntarios*, queridas. Queremos hombres. Varones. Machos. Hay unos cuantos en la sala. Necesitamos vuestra ayuda, guapos.

La mayoría de los señores presentes siente de pronto un súbito interés por los higos frescos en crema lechosa que aguardan aún en el plato, mientras las mujeres que se sientan a su mesa experimentan un estallido de emoción y decibelios y les animan a subir al escenario. La mesa de Alberto no es una excepción.

—Vamos, valiente, sube a desabrocharle el tanga a uno de ellos —insta Nora, que en estos momentos apura su segunda copa de cava.

Alberto se ruboriza. Por dentro está pensando: no haría tal cosa ni por todo el oro del mundo. Por fuera, esconde su incomodidad tras una sonrisa elegante.

Mónica siente el cosquilleo del poder subiéndole por la columna vertebral. Bebe un sorbo de vino y acerca sus labios a la oreja de él. Sólo una frase y conseguirá que Alberto pierda el culo por desnudar a cualquiera de los tres bailarines, o a los tres si es necesario. Nunca había estado tan segura de algo, pero siente ganas de comprobarlo de todos modos. El vello de Alberto se eriza con sólo sentir el cosquilleo del aliento de Mónica junto a su oído. Hay unas décimas de segundo en que sus dos pares de pupilas se encuentran y se miden las fuerzas. Una mueca en los labios de él, ni siquiera la sombra de una sonrisa, acompañado de un achinar los ojos que significa: «No puede ser que me estés haciendo esto» y acto seguido, se limpia los labios con la servilleta, se retira un poco de la mesa procurando salvaguardar los faldones de su chaqueta y dirige a Mónica una mirada desafiante antes de levantar la mano y ofrecerse voluntario.

En el escenario, los chicos prorrumpen en exclamaciones de júbilo:

—Allí tenemos al primero. El caballero, el valiente señor de la mesa del fondo. Nuestro primer voluntario, un aplauso para él, chicos. Adelante, guapo, acércate sin miedo. Aunque, viendo tu compañía de esta noche, pillín, ya entiendo que este ofrecimiento no podemos tomarlo en serio. Menudo par de señoras vienen contigo, dos mejor que una. No os hagáis ilusiones, chicos, no hay nada que hacer con él, ¿habéis visto que mujeres tan estupendas? ¿Cómo nos buscas a nosotros teniendo tan a mano dos bellezas semejantes? Otro aplauso para ellas, por favor. Gracias, chicas. Os lo devolveremos sano y salvo.

Hay aplausos, risas, vítores. Desde el escenario, los muchachos lanzan besos hacia la mesa donde Nora y Mónica son enfocadas por un potente haz de luz. Pronto se animará alguno más de entre los presentes. Pero antes de que el número empiece y Alberto se vea abocado a su destino inmediato, Nora le pregunta a su amiga:

—Si no lo veo, no lo creo. ¿Qué coño le has dicho?

Mónica paladea la situación antes de responder:

—Que si sube al escenario me acuesto con él esta noche.

—Qué bruta. Pues lo ha hecho. ¿Qué piensas hacer ahora?

—Acostarme con él, naturalmente. Siempre cumplo lo que prometo.

Nora niega con la cabeza, concentrada en sus pensamientos. Parece estar meditando que las flores de Bach no son suficientes para Mónica. Tendrá que pensar en algo más fuerte.

Desde el otro lado de la mesa, la amiga disfruta del espectáculo. Los voluntarios agarran a los tres chicos casi desnudos por la cintura, y bailan al ritmo de la música moviendo las caderas. A una consigna de uno de ellos deben tirar con fuerza de la tela de los tangas y dejarles desnudos. Lo hacen casi a la vez, tan coordinados que quienes no les conozcan podrían pensar que su participación en el número estaba preparada. Bailan tres acordes más, antes del redoble final, para que la gente aprecie lo ridículos que están tres hombres desnudos y tres hombres trajeados bailando juntos al son de una música carnavalera. Cuando regresa a la mesa, también Alberto lleva preparada una frase para la ocasión:

—Esto no me lo pagas con un trabajito de aliño, preciosa.

Sexto asalto: Información (2)

Mónica llega a casa después del amanecer, con resaca y dolor en todo el cuerpo. Le disgusta comprobar que ya no tiene la edad más propicia a la conducta disoluta. A modo de desayuno, se toma una bebida isotónica y un analgésico. Lo único que piensa hacer antes de bajar la persiana de su habitación y acostarse será escuchar los mensajes del contestador. Tiene un mensaje nuevo. Una voz familiar que al principio no identifica —ni se identifica— va tomando la forma de una dulce casualidad. El mensaje dice así:

—Hola, Mónica, perdona que vuelva a molestarte, ya imagino que estás pasando una de las peores épocas de tu vida y que, además, yo soy una de las culpables de que sea así. Te aseguro que no te llamaría si no fuera muy importante, pero tengo que pedirte algo que dejé olvidado... Ah, por cierto, soy Paulina, por si no me has reconocido. Bueno, no sé dónde lo dejé, Samuel lo traía para entregármelo. Supongo que estará en su maletín, o en algún bolsillo de su chaqueta, tal vez. Las chaquetas de caballero tienen tantos bolsillos, ¿verdad? Me da mucha vergüenza pedirte esto, de verdad que es muy importante, casi un asunto de vida o muerte para Grupo Empata. Bueno —risitas, interpreta Mónica que nerviosas—, tal vez estoy exagerando un poco, pero el trabajo de mucha gente depende de ello. Si pudieras mirar si lo tienes, yo volvería a llamarte. Ay, qué cabeza, si creo que no te he dicho lo que es. Soy un desastre. Lo que se me perdió es una cosa de esas para el ordenador, un archivo de memoria, es cuadradito y azul, de plástico. Te llamo más tarde, por si lo has encontrado, ¿de acuerdo? No te quiero molestar, de verdad. Perdóname si lo he hecho.

Mónica desconecta el teléfono y se va a la cama pensando en lo propicias que están resultando las circunstancias a su nueva vida de hija de puta.

II: UNA TIPOLOGÍA DE LA INFIDELIDAD FEMENINA

PAULINA

Principales causas del adulterio femenino según el Informe Anual de la Organización de Médicos Católicos (febrero 2002):

1) Falta de adecuada orientación moral desde la infancia
2) Indiferencia a las convicciones católicas
3) Falta de realización personal
4) Inseguridad o desequilibrio emocional (muy frecuente en el sexo femenino)
5) Falta de hijos
6) Imitación de la conducta infiel de sus amigas (sabido es que la influencia de las amistades femeninas puede ser en la mujer claramente perniciosa)

La musa de la sexta (1)

En el último momento, los dedos finos y de manicura impecable de Paulina detienen las puertas del ascensor, que retroceden para dejar paso a la flamígera musa de la planta sexta. Hoy deleita a sus admiradores con una pequeña franja de cuero negro que le comprime las nalgas y una desfallecida blusa sin mangas, sin cuello y casi sin tela que realza un espléndido canalillo, ribeteado con los encajes color burdeos del sujetador. Paulina se sitúa junto a Alberto y susurra sólo para él:

—Quiero hablar con usted desde que le vi en el entierro de Samuel Martínez. ¿Podría ser?

A esta hora, el ascensor se vacía en la planta segunda, que es donde está el restaurante de la empresa. Platos combinados a precios módicos y un bufet libre que se asemeja a una cadena de montaje: cada empleado con una bandeja metálica guardando su sitio en la cola hasta llegar al par de manos regordetas que dispensan ensaladas, helados, muslos de pollo, botellines de agua o sobres de mostaza.

—¿De qué se trata? —pregunta Alberto en cuanto se quedan solos.

—Es un asunto un poco incómodo —Paulina utiliza las palabras que ha planeado con todo detalle durante los últimos días— y preferiría tratarlo fuera de la editorial. Yo era la secretaria personal de Samuel.

—Lo sé —se adelanta Alberto. Y repite, dando a entender todo lo que sabe mientras mira a Paulina de arriba abajo—: Lo sé.

Las puertas se abren en el vestíbulo principal. Pasan junto al mostrador de seguridad y salen a una acera soleada y vacía. Sobre sus cabezas, el rótulo cromado de Grupo Empata tienen un cierto aire de amenaza inminente.

—¿Te corre mucha prisa? —pregunta él.

—Muchísima.

—Podemos tomar una copa esta noche. ¿Te vendría bien a las ocho y media?

Paulina no puede negarse y Alberto lo intuye. Sin embargo, está dispuesta a mucho más de lo que él sospecha y también eso forma parte de su plan.

—Donde usted diga.

—En el *Miramelindo*. ¿Lo conoces?

—Sí. A las ocho y media, entonces.

—Ah, una cosa más, Paulina. Tu nombre es Paulina, ¿verdad?

—Prefiero Pau.

—Muy bien, Pau. Una cosa más. Tutéame, hazme el favor. No me acostumbro a que me llamen como a mi padre.

Pau sonríe, se despide brevemente hasta la noche y se dirige a la parada del autobús. En diez minutos habrá llegado a casa, donde su novio la estará esperando comiendo gominolas y viendo cualquier caca en la tele.

Hoy, por fin, algo ha avanzado. Veinte minutos camuflada tras los helechos artificiales del pasillo hasta ver a Alberto entrar en el ascensor. Un plan trazado con todo detalle durante más de siete días de indecisión. Aunque sigue dudando. En un principio pensó que sería fácil recuperar la tarjeta de memoria, pero ha dejado ya más de una docena de mensajes en el contestador de Mónica sin obtener respuesta alguna. Por eso ha decidido intentar una estrategia nueva, un abordaje en el ascensor al nuevo director de marketing, alguien muy cercano a Mónica y, por tanto, al objetivo que le urge recuperar. Lo siguiente será intentar llegar a la cama de Alberto, pero puede que una sola cita no sea suficiente: hay hombres que disfrutan haciéndose los difíciles y tiene la intuición de que el director de marketing es uno de ellos.

Por ahora, prepara el terreno:

—Esta noche tengo una cena de trabajo —le dice al Comegominolas mientras se quita los zapatos en el dormitorio.

—No hay problema. Echan la quinta reposición consecutiva de *Texas Ranger* y tengo ganas de verla. Cinco capítulos seguidos. Yupi.

Paulina se alegra de tener un plan alternativo a semejante orgía de basura televisiva. Cinco horas de Chuk Norris pueden resultar letales. Prosigue:

—Y puede que esta semana tenga una o dos más. Hay que hablar de un proyecto muy importante y en la oficina nunca tenemos tiempo —miente.

Él ni siquiera le permite terminar.

—¿Sabes ya los días?

—Aún no.

—Bueno, algo echarán —zanja, despreocupado, en la evidencia de que, en efecto, *algo* echan siempre.

Mientras tanto, ella ha entrado en la cocina y hace tintinear los platos del almuerzo, que estará listo en —calcula—

poco más de diez minutos. Perfecto, lo que falta para que termine el capítulo que está mirando.

El Comegominolas (1)

Hay hombres que merecen que les pongan los cuernos, se dice Paulina, mientras saborea las primeras cerezas de la temporada y piensa, una vez más, que más temprano que tarde deberá tomar una decisión sobre ese poco convincente aspecto de su vida. Una se echa pareja de hoy a mañana, sin meditar siquiera la trascendencia de su decisión, cuando apenas ha cumplido los diecisiete y de pronto la vida empieza a cambiar, te encarrila contra tu voluntad como a los productos manufacturados de una cadena de montaje industrial y de pronto te encuentras en la calle, perfectamente etiquetada y lista para ser consumida, acompañada *in aeternum* por un gilipollas de quien te enamoraste cuando apenas tenías capacidad de discernimiento.

Luego están los motivos. Por descontado, las causas por las cuales te enamoras a los diecisiete difieren mucho de las causas que te mantienen enamorada a los veintidós y no digamos a los treinta y cinco. En descargo de los y las gilipollas de todas las latitudes cabría decir que la prueba del tiempo es tan dura que pocas son las parejas que de verdad la resisten. Por eso es preferible ir sustituyendo a tu pareja por un espécimen más apropiado, más moderno, más preparado o más afín a tus gustos y necesidades a medida que se produzca en ti la mutación que en todo ser humano suele ser natural. No importa si necesitas varias sustituciones a lo largo de tu vida. Lo importante —como ocurre con los electrodomésticos— es no quedarse nunca con un ejemplar inútil. Eso implica librarse cada cierto tiempo de las rémoras amorosas del pasado. Es muy saludable. Lo que no lo es en absoluto es permanecer junto a ellas. Pau y el Comegominolas son un claro exponente de lo que nunca debería tomarse como una práctica normal.

Además de no tener la menor idea de qué cadena de errores le llevó a emparejarse con él, ni por qué motivos, Pau tampoco sabría precisar si él fue siempre así o si, por el contrario, se fue transformando poco a poco —a ese ritmo lento pero imparable en que ocurren las grandes catástrofes en la tierra— en el anodino, inapetente y guarro varón que es hoy. Como si quisiera ilustrar con toda exactitud sus pensamientos, en este instante él se introduce un índice en la oreja, lo sacude en espasmos vagamente circulares para a continuación extraerlo y observarse la yema del dedo con interés de entomólogo. O tal vez sería más exacto apuntar que observa los sedimentos anaranjados que han quedado adheridos a la yema de su dedo.

Ella se sospecha culpable de un enamoramiento cegador que en el pasado le impidió ver las cosas como eran en realidad. Le impidió ver, por ejemplo, que el hombre que tiene copia de la llave de su casa se lava los dientes una vez a la semana o se ducha a días alternos incluso en verano; y que su interés por el sexo, incluido el más insípido, es similar al que sienten las medusas por los logaritmos neperianos. Dicho de otro modo: suponiendo que él ya fuera así cuando le conoció, ella no habría sido capaz de darse cuenta a causa de ese trastorno mental transitorio que la mayoría coincide en llamar amor, pero en este momento es consciente hasta la náusea de todo ello (a veces la lucidez puede resultar muy dolorosa). Como lo es, por otra parte, de sus propios cambios, de su metamorfosis personal, alimentada por su ambición y sus ganas de conocer otros de los mundos que están en éste.

Cuando le conoció, el comegominolas era un estudiante de químicas más o menos aplicado. Se veían una vez a la semana, de modo que el sexo, en sus encuentros, era casi obligatorio y más o menos festivo (lo cual no lo convertía siempre en satisfactorio). Al terminar la carrera él se transformó en un comercial que recorría miles de quilómetros vendiendo recubrimientos para latas. Refrescos, anchoas o pimientos de piquillo, el rey de las conservas iba y venía en un coche de la empresa soñando con la paga de incentivos —que cobraría sólo en el caso de que hubiera sabido mentir lo suficiente como para robarle a la competencia los clientes necesarios— y con los fines de semana en que haría del sofá y el tarro de las chucherías su modo de vida. Ya apenas hablaban de sexo y si lo practicaban era sin salirse jamás de la cuadrícula de la rutina, hasta conseguir una consumación tan triste como los balances trimestrales de la empresa para la que recorría el país.

—Con él se me está olvidando que todavía soy joven —solía decir ella, cuando se detenía a analizar la situación.

Pau meditaba a menudo acerca de las razones por las cuales continuaba a su lado. La conclusión la llevaba a afirmar que eran las mismas por las cuales no abandonaría jamás a un perrito o a una tortuga de agua: se sentía responsable de su alimentación, de su aseo y hasta de su escasa vida social. Sin ella, el Comegominolas se convertiría también en el Tragapizzas, el Devoramierdatelevisiva, el Piojosoanacoreta y el Criahongos, y sin remedio. Y ella estaba resignada a que todo eso ocurriera, pero no bajo su responsabilidad.

Lo que de verdad querría hacer es del todo imposible, pero le gusta fantasear con ello. Buscar una publicación apropiada. Una de esas revistas donde la gente compra, vende y cambia de todo y mandar insertar un anuncio.

> Por cambio de temporada urge regalar, permutar o vender (barato) hombre en buen estado, con nula vida interior, escaso apetito sexual, aficionado a la comida basura y la telecaca.

Aunque sería más práctico dejarle abandonado a su suerte y barrer para casa:

> Mujer joven, culta, de buen ver, muy necesitada de sexo y de la compañía de un ser pensante (varón) se ofrece para lo que sea a tiempo parcial o con dedicación exclusiva. Mediocres e idiotas abstenerse, por amor de Dios.

Sería divertido. No lo descarta. Termina las cerezas, apila los platos, echa una última mirada a su novio, se lava los dientes, se pone los zapatos, recoge sus bártulos —sobre todo, el libro de Ken Follet, que leerá a ratos hurtados a otras cosas— y sale en dirección a la parada del autobús y a una nueva tarde de trabajo.

Edmundo de Blas

Los fenómenos editoriales son como las tormentas de verano: ocurren, sencillamente. Nadie es capaz de predecirlos y, desde luego, nadie se atreve a buscarles explicación. Se soportan o se disfrutan —según afecten a la empresa de uno o a la competencia— mientras duran. Y luego, como todo lo fatuo, se olvidan.

Samuel Martínez conoció a Edmundo de Blas cuando era un señor anónimo que escribía en su casa mientras su mujer trabajaba por él. Como todos los escritores, era un ser bastante desequilibrado, con un superego deseoso de manifestarse y unas ansias desmedidas de ser adorado por el resto de la humanidad y, muy especialmente, por un editor solvente. El original —cuatrocientas páginas de repeticiones y tópicos— llegó a su mesa después de quedar entre los cuatro finalistas de uno de los premios de la casa. No había ganado los cien mil euros del galardón, pero había logrado llamar la atención del jurado, cuyo informe de lectura había sido lo bastante positivo como para no entregar el original a la trituradora de papel. Después, vagó por los despachos durante algunos meses —una nimiedad, según se mide el tiempo en el mundo editorial, especialmente si eres un autor desconocido— hasta recalar, con una nota del director literario, en la mesa de Samuel Martínez Febles. No gran cosa: uno de esos papelitos amarillos y adhesivos sobre el nombre del autor conteniendo la letra picuda del jefe solicitando *por favor* que le echara un vistazo y, si consideraba que tenía méritos suficientes, le hiciera un hueco en su catálogo durante los próximos años. La cosa atufaba a compromiso de alguien y, como solía ocurrir, era él quien cargaba con el enchufado que nadie sabe dónde colocar. Dicho con elegancia sería más o menos así: «Lo ecléctico del catálogo de *Suma de cosas* permite apostar en firme por las nuevas voces de nuestra literatura». O sin elegancia, con la verdad por delante: «*Suma de cosas* acaba por ser el vertedero donde todos los sellos prestigiosos del grupo arrojan los desperdicios. Es decir, los compromisos».

Al retirar la nota adhesiva del director literario Samuel descubrió el nombre del autor al que se estaba enfrentando: Edmundo de Blas. No le decía nada. Llamó a una de las secretarias que trabajaban para las alturas y se informó.

—Con un libro de versos que escribió a los diecinueve años ganó las Justas Poéticas de Laguna de Duero. Con posterioridad, ha escrito dos libros de autoayuda, la biografía de un político del PP y un guión de cine porno.

Triste currículo que, vertido en la solapa de un libro, quedaría como sigue:

> Edmundo de Blas nació en Barcelona en 1962. A lo largo de su ya dilatada carrera ha cultivado la poesía, el ensayo divulgativo y el guión

cinematográfico. Con esta novela entra con paso firme en la narrativa de ficción en español.

El título de la novela era *La risa del clavicordio*. Habría que cambiarlo, por supuesto, por uno que resultara más comercial, que tuviera más garra y, desde luego, que no mencionara la palabra «clavicordio», un término que, incrustado de ese modo en un título, nada más serviría para ahuyentar al 75 por ciento de los posibles compradores. Leyó la primera línea en busca de algo que no sabía concretar: «Una madrugada me di cuenta de que toda mi vida cabía en la letra de un tango». Ya lo tenía: un título: *El tango de la vida*. Lo anotó en el papel adhesivo, bajo la letra picuda. Fue directamente a la última página y leyó la línea final: «Mañana volvemos a casa». A continuación escribió un nombre bajo el título y llamó a Paulina, su secretaria.

—Por favor, Pau, haz el favor de telefonear a Ramón Andrés y decirle que tenemos aquí trabajo para él.

Ramón Andrés era su mejor lector. Un informador justo, rápido y con ojo de lince. Cuando Ramón decía que un libro funcionaría, jamás se equivocaba. Además, no andaba siempre en busca del *Ulyses* de Joyce, despotricando de los autores que no saben escribir o no frecuentan los altos vuelos literarios, como suelen hacer la mayoría de los lectores profesionales, sino que sabía comprender que un original era muchas veces sólo el borrador de un número uno en ventas y que la literatura de altos vuelos era una ruina casi siempre, además de algo que casi nadie comprende y muy pocos saben apreciar. En esta ocasión tampoco se equivocó:

—Tiene posibilidades, pero necesita una reescritura a fondo —sentenció—. ¿Conoces al autor?

—Aún no.

—Yo sólo lo publicaría si está dispuesto a hacer cambios importantes.

La ambición de Edmundo de Blas era inversamente proporcional a su talento literario. Como conocía de sobra sus debes y sus haberes y que fuera un pésimo novelista no excusaba que fuera un hombre inteligente, escuchó los consejos de quien pronto sería su editor. La revisión a fondo de *La risa del clavicordio,* ya convertido para los restos en *El tango de la vida,* además de las imprescindibles adaptaciones de su ortografía y su sintaxis a las del común de los hispanohablantes alfabetizados, incluía la supresión de unas ochenta páginas —por descriptivas y tediosas—, la aniquilación de tres personajes de los antes tenidos por principales, la creación de un par de docenas de escenas nuevas —en una de ellas se asesinaba a la protagonista de una manera cruel—, la incorporación de un par de folletinescos misterios y, por supuesto, un desenlace distinto al que él había previsto en un principio.

—Ya estamos —había opinado Ramón—. Es que ya no quedan escritores en este país que sepan terminar las cosas, mecachis.

Samuel le encomendó a Ramón Andrés la ardua labor de supervisar las correcciones y aún de efectuar otro barrido sobre el original antes de entregárselo para su lectura definitiva. Cuando lo hizo, *El tango de la vida* era otra novela, y también un posible pelotazo para el siguiente curso editorial. Con toda justicia, el nombre de Ramón Andrés apareció en el último lugar en la página de agradecimientos, justo después de la mujer del autor. Fue un detalle por su parte: la mayoría de los escritores de su calaña no lo habrían hecho. El lanzamiento que previó Samuel fue discreto, a principios de septiembre, el mes que los editores prefieren para añadir nombres que nadie conoce a sus catálogos. La prensa respondió bien desde el principio. La novela tuvo críticas positivas un mes después de llegar a las librerías y estuvo bien situada durante la campaña de navidad. Luego, inexplicablemente, no desapareció de los mostradores y conoció una segunda oleada de ventas discretas. Ése fue el momento que aprovechó Samuel para organizar una presentación en la que uno de los autores consagrados de la casa —una cacatúa octogenaria que llevaba cuarenta y cinco años viviendo de las rentas de su extinguido talento— le dedicó elogios exagerados. A partir de ahí, la cosa se les escapó de las manos, el calabobos se convirtió en tormenta de verano y hasta en ciclón tropical. Se corrió la voz, funcionó el boca-oreja, surgieron las primeras traducciones, el libro entró en las listas de más vendidos en un discreto décimo puesto y ya no habría de abandonarlas hasta más de sesenta semanas después. Y, mientras tanto, Samuel recibía los informes mensuales de su distribuidor y al ver las cifras de ventas se frotaba las manos y encargaba nuevas reediciones. La portada de la novela era una presencia frecuente en los escaparates, y no sólo en los nacionales. Edmundo de Blas se convirtió en el nuevo descubrimiento de la joven narrativa en español. Y Samuel, en el editor que descubrió a Edmundo de Blas, un mérito del que a partir de ese momento no dejaría de enorgullecerse ni un solo día. El sueño de todo editor: una muesca en su culata.

Dos años después, Edmundo de Blas tenía una cuenta corriente acolchada, novela nueva y una agente literaria misteriosa de la cual no quería desvelar el nombre.

—Ya habrá tiempo para hablar de dinero. De momento, me interesa conocer tu opinión profesional y la de tu informador —le había dicho Edmundo a su editor. Y había subrayado: —Sobre todo, la de Ramón.

—Jodido analfabeto —soltó el editor cuando Ramón apareció para recoger el original, depositado en las tripas minúsculas de una tarjeta de memoria—, no sabe ni conjugar bien los verbos y ya nos perdona la vida.

Ramón Andrés hizo su trabajo con la excelencia acostumbrada. Marcó, sugirió, emborronó, reescribió, censuró y llenó el archivo de texto de comentarios que, una vez digeridos y procesados por el autor del mamotreto, darían lugar a otro éxito de crítica y público. El título, esta vez, no hizo falta tocarlo. Era sugerente y no incluía clavicordios: *El síndrome Bovary*. También era una crítica feroz contra la condición femenina, un monumento a la misoginia como jamás había visto. Treinta días después, la tarjeta de memoria estaba de regreso sobre la mesa del editor y Ramón cabeceaba explicando que Edmundo de Blas, pese a su nueva vida de autor de éxito, no se había vuelto más imbécil de lo que era antes y seguía obedeciendo sus consignas al pie de la letra. Tras los grandes cambios sólo fueron necesarios algunos pequeños retoques y la novela quedó lista para la última lectura, que debía efectuar Samuel antes de entrar en la selva de la negociación con la misteriosa agente literaria del autor estrella de su catálogo.

—Es todavía peor que la anterior, pero venderá tanto o más —sentenció Ramón, cuando dejó sobre la mesa del editor el pequeño rectángulo azul que contenía el archivo.

—¿Por qué lo crees? —preguntó Samuel.

—Por el tema. Los cuernos venden. Si los ponen las mujeres, más. Aunque te advierto que se lo comerán. Lo devorarán como pirañas. Por machista. Por políticamente incorrecto.

—Estupendo. El escándalo también vende. Y si se quema, mejor. Así nos deja en paz.

Samuel, por supuesto, estuvo de acuerdo. Recogió la tarjeta, la dejó sobre su agenda y pensó que se la llevaría a casa para revisar con calma los cambios. Se levantó para despedir a Ramón, no sin antes entregarle otro original, mucho menos comprometido y seguramente mucho mejor que el que acababan de despachar. Le estrechó la mano frente a la puerta abierta de su despacho y aprovechó los tres segundos posteriores para indicarle a Paulina con un gesto que acudiera a su despacho.

Paulina llegó enseguida, con un cuaderno en las manos, a modo de coartada. Llevaba los vaqueros más ajustados que Samuel había visto en su vida y un par de tacones de aguja.

—Si tienes la noche libre, me gustaría invitarte a cenar donde la otra vez.

Cinco minutos más tarde, Paulina estaba hablando con su novio quien, para variar, se encontraba en el sofá entregado a la masticación incontrolada de gominolas.

—Hoy llegaré tarde. Tengo que quedarme a revisar unas pruebas.

—No te preocupes —fue la respuesta, no exenta de entusiasmo—. Me gusta pensar que vivo en un piso de soltero. Lo que siempre quise tener.

Un par de horas después Pau entraba con Samuel en el hotel donde ya la conocían y la saludaban por su nombre. Sabía exactamente todo lo que iba a ocurrir —incluido el menú del servicio de habitaciones— durante los próximos doscientos minutos, aproximadamente.

Sólo que esta vez el desenlace iba a ser muy diferente al de las otras ocasiones.

La musa de la sexta (2)

A las ocho y veinte Paulina entra en el *Miramelindo*, vestida para la ocasión y con el libro de Follet bajo el brazo. Una mirada circular le basta para saber que Alberto no ha llegado. Busca un lugar tranquilo desde el que no perder de vista la puerta y pide al camarero un gintonic. Abre la novela, cruza las piernas, deja caer un largo mechón de su melena sobre uno de sus hombros y se hace la interesante. Alberto llega con diez minutos de retraso y echándole la culpa al tráfico. Se quita la chaqueta, se acomoda, duda un momento al ver al camarero pero al instante dice:

—Póngame lo mismo que a ella.

Y le dirige una mirada entre la curiosidad por saber qué se le ofrece y las ganas de revolcarla sobre las baldosas del suelo.

—Perdona que te haya hecho venir —comienza Pau.

—¿Ocurre algo?

—En realidad, sí, aunque todo esto me resulta muy violento. No lo haría si no estuviera realmente desesperada.

—No me asustes. ¿Tan grave es?

—Es sobre la nueva novela de Edmundo de Blas.

El director de marketing tiene las horas de vuelo suficientes para saber que cualquier cosa que incumba al autor que más vende del grupo es un asunto realmente grave.

—Tú dirás en qué puedo ayudarte.

—El jefe cree que ya estamos trabajando en la novela. Incluso ha programado su lanzamiento, a lo grande.

—Lo sé. El asunto está sobre mi mesa. El presupuesto, también. A lo grande.

—Bien. Pues si no la recupero, no habrá novela.

Descruza las piernas, en un movimiento premeditado que recuerda al de un ventilador flexible y como pintado por Dalí, y las cruza hacia el otro lado. Durante tres segundos, le muestra a Alberto un triángulo negro que él toma por sus bragas.

—¿Si no la recuperas? ¿Y quién la tiene?

De pronto Alberto piensa que puede que no sean sus bragas. Pau tiene todo el aspecto de una de esas mujeres que sale a la calle sin ellas. Se siente turbado. Una ola de calor generada por sus propio pensamientos le agarra por sorpresa.

—Mónica. Quiero decir, la señora de Martínez, la viuda de Samuel.

Alberto medita que alguien con el pelo tan rubio no puede tener un bello púbico tan negro, aunque su experiencia le ha enseñado que en esto de las coloraciones, las féminas esconden verdaderas sorpresas. El cabello de Paulina bien podría ser teñido, se dice mientras la mira con atención. Sabe desde hace poco, además, que en algunas peluquerías es posible teñirse el vello corporal, de modo que las posibilidades son casi infinitas. Imagina a Paulina en el momento de ser sometida a una operación de teñido de vello púbico y se pregunta qué postura debería adoptar para ello. En ese momento se da cuenta de que ella está esperando una respuesta acerca de algo.

—¿Perdona? —reacciona.

—Hoy por hoy, la novela la tiene la viuda de Samuel Martínez —repite.

Alberto pestañea y encoge los hombros. No entiende qué tiene que ver Mónica con la novela de Edmundo de Blas. En este momento, Pau siente que es la hora de atacar. Se adelanta hacia su interlocutor, que hasta entonces conseguía mantener cierta actitud relajada de hombre de negocios de vuelta de todo, con las piernas cruzadas y el brazo apoyado en el brazo del sillón de mimbre, se abalanza hacia él de modo que sus tetas parezcan querer salir de su escote a la vez que le envuelve levemente en su perfume carísimo y le susurra las palabras que vienen a continuación:

—Supongo que no te sorprendo si te cuento que mi relación con Samuel iba bastante más allá de lo profesional.

Alberto descruza las piernas, junta las rodillas durante escasos segundos y responde sin pestañear:

—Algo sabía.

—No te preocupes, no me importa. Nadie debe avergonzarse de lo hecho, si le salió del corazón, ¿no crees?

—Desde luego —responde él, haciendo esfuerzos por no mirar directamente al corazón de Paula.

—Yo quería mucho a Samuel, y para mí su muerte fue un golpe terrible —prosigue ella—. Más aún en las circunstancias en que se produjo. Imagino que ya sabes que se me murió, como quien dice, en los brazos.

—Me ha llegado algo, sí.

—Me impresionó mucho, por cierto, tu versión de los hechos, la que contabas en el entierro. Todo eso del partido de pádel y el golpe contra la red. Casi me lo creo y todo —ríe—. Muy profesional.

—Gracias —encaja el halago Alberto, disimulando su confusión.

—Bueno, pues ya te podrás imaginar cómo estoy —prosigue ella—. No te preocupes, no voy a insistir en esto. Sé que erais buenos amigos y que para ti también resulta difícil. Sólo te lo he contado para que entiendas lo que ocurrió. La noche de lo de Samuel, la novela de Edmundo de Blas estaba en uno de los bolsillos de su americana.

Nueva mueca de extrañeza de Alberto, que de nuevo requiere de las explicaciones de la chica:

—En una tarjeta de esas de memoria.

—Ah, ya.

—Yo debía entregarla a edición al día siguiente, para que empezaran a componer el libro, pero con todo lo que pasó, la tarjeta se quedó donde estaba. Ahora la tiene Mónica, claro, pero no responde a mis llamadas telefónicas. Tal vez no le funciona el teléfono. O tal vez se ha ido de viaje. Después de lo que le ha ocurrido, sería comprensible.

—No se ha ido de viaje —explica él—, pero tienes que entender que no sienta deseos de hablar contigo.

—Lo entiendo, pero estoy en un callejón sin salida. De que yo recupere ese archivo dependen gran parte de los beneficios del grupo del año que viene.

Tal vez sea un poco exagerado afirmarlo así, pero desde luego, no le falta razón, piensa el director de marketing.

—¿Y si le pides el original al autor? ¿No sería más fácil?

—Hay varios motivos para no hacerlo —responde ella, regresando a su posición—. Por una parte, eso sería como reconocer nuestra ineficacia. Daríamos una imagen de escasa seriedad. Además, esa versión estaba corregida por Ramón Andrés, el lector de confianza de Edmundo y revisada por el propio Samuel. Podríamos decir que es única e insustituible. Y, si me permites ser un poco malvada, muy superior al original de Edmundo.

—Comprendo —responde, cabeceando y recuperando su postura distendida de antes—. ¿Tan bueno es el Ramón éste?

—Buenísimo. Si supieras cuántos autores de la casa tienen todo que agradecerle…

—Bueno —concluye Alberto—. Déjame hablar con Mónica. Seguro que lo entenderá. No te preocupes.

—No sabes cuánto te lo agradezco. Este asunto lleva días quitándome el sueño. Me haces un gran favor —Pau acompaña estas palabras con un gesto de resultados garantizados: una de sus manos se posa en la de él que yace sobre el sillón y le regala una caricia fugaz, suave y tibia, que sus uñas rematan con suavidad felina sobre el dorso levemente bronceado.

—No puedo decirte que no te entienda —responde Alberto, con una sonrisa.

—Te voy a apuntar mis teléfonos, por si en algún momento me necesitas.

Pau extrae de su bolso una tarjeta de la empresa a la que añade a bolígrafo los nueve dígitos de su móvil y otros tantos del de su casa. Mientras se la entrega le dirige una última ojeada cargada de intención mientras musita:

—Si puedo pagarte de algún modo, el que sea, lo que estás haciendo por mí, me encantará complacerte.

A Alberto se le escapa una risilla estúpida. Hace gesto de guardarse la tarjeta en un bolsillo inexistente, pero regresa a la vida real con otra risotada y un comentario que es una declaración de intenciones:

—No te digo que no, pero déjame primero ver qué puedo hacer por ti.

Dies Irae

Antes de mirar la pantalla sabe quién llama a estas horas y que no puede volver a darle esquinazo. Introduce el llavín en la cerradura y abre con cuidado antes de contestar.

—Hola, Edmundo.

Al otro lado, la voz del autor de *El tango de la vida* suena rabiosa.

—Ya era hora, joder. No te haces una idea de lo que me cabrea que no contesten a mis llamadas. Te juro que si llego a estar más cerca vengo en persona a aporrear la puerta de tu casa. Espero que tengas una explicación convincente para todo esto, y que no sea que no tenías batería, saldo o que el móvil se te ha roto.

—Si me dejas, te lo explico todo —contesta Paulina, manteniendo la calma.

Edmundo hace una pausa de unos tres segundos y enseguida contesta, tanto o más alterado que antes:

—Estoy esperando, joder.

—He tenido un motivo de peso para no preocuparte sin necesidad. Ahora no puedo hablar. Es muy tarde, mi novio está durmiendo, pero si quieres te llamo mañana a primera hora y charlamos con calma. A ti tampoco te vendrá mal estar un poco más tranquilo, pensarás con mayor claridad.

Edmundo ni siquiera la deja terminar:

—Mira, tía, no ejerzas de madre, ¿quieres? Me jode lo rápido que las mujeres nos tomáis por gilipollas. Yo no quiero hablar mañana. Te he llamado ahora y no pienso colgar —y espero por tu bien que no lo hagas tú— hasta que me hayas explicado lo que quiero saber. ¿Qué es lo que iba a preocuparme sin necesidad? Dímelo sin rodeos, que no tengo toda la noche.

Paulina da por perdida la diplomacia y habla claro:

—Tu novela se había extraviado.

Otros tres segundos antes de la perplejidad:

—¿Qué?

—Fue culpa de Samuel. Él tenía tu archivo la noche en que murió. He pasado todos estos días buscándolo. Creo que la tengo localizada.

Paulina suspira aliviada al comprobar que Edmundo se ha tragado la que podríamos considerar versión simplificada de los hechos. Por fortuna, el escritor tiene más motivos para preocuparse de los que ella sospechaba.

—Me cago en la hostia, Paulina, ¿qué significa *creo*? ¿La tienes o no?

—Podríamos decir que estoy en el buen camino. No te preocupes.

—¿Que no me preocupe? ¿Qué coño estás diciendo? ¿Quieres hacer el favor de hablar claro? ¿Qué significa que estás en el buen camino? ¿Tienes la novela o no la tienes?

Paulina, de pie en el cuarto de baño y con la puerta cerrada, se contempla sin verse en el espejo. Se ha quitado los zapatos y los pantys y en este momento se desabrocha la minifalda y se libra de ella con un meneo de sus caderas. El volumen excesivamente alto al que se desarrolla la furia de Edmundo de Blas le obliga a apartar la oreja del auricular del teléfono y a esperar con la paciencia que en ella es habitual a que termine, antes de intentar tranquilizarle.

—Edmundo, por favor. Edmundo, déjame que te cuente. A ver, Edmundo, ¿me escuchas? ¿Puedo hablarte, Edmundo? Por favor.

Por fin, la retahíla iracunda del autor de *El tango de la vida* parece empezar a agotarse. O tal vez sus palabras han logrado neutralizarle un poco. El caso es que el volumen decrece poco a poco hasta convertirse en una espera con bufidos.

—Oye, te lo dije cuando te propuse ser mi representado: voy a poner toda la carne en el asador. Lo apuesto todo por ti y te aseguro que te va a ir muy bien. Soy muy buena negociando, Edmundo, ya te lo advertí. Y tengo mala leche. Sé cómo ser una cabrona, como tú dijiste, ¿te acuerdas?

Un resoplido de asentimiento le confirma que la fiera por fin empieza a amansarse.

—No me hagas darte detalles, por favor. Te aseguro que estoy rota. Sólo te pido que confíes en mí cuarenta y ocho horas más, que son las que necesito para recuperar la tarjeta y empezar a desarrollar nuestros magníficos planes. Lo tengo todo previsto. Deja que yo me preocupe por los dos, que sea yo quien pasa noches en vela pensando en este embrollo con que nos hemos encontrado sin comerlo ni beberlo. Tú no puedes estar pendiente de estas estupideces, Edmundo, ¿no lo ves? Tú en lo único que tienes que pensar es en tu próximo libro. Eres un creador, un artista, las cuestiones mundanas no deben hacerte perder el tiempo. Déjanos estas cosas a la gente ordinaria y tú dedícate sólo a pensar en tus argumentos, en tus personajes, en tus historias. Sólo te pido un voto de confianza y cuarenta y ocho horas. No es tanto. Te prometo que todo saldrá bien. ¿Sigues confiando en mí? ¿Edmundo?

Por un momento, el silencio que escucha al otro lado le hace temer lo peor. Enseguida le llega la voz de él, casi un susurro en el que es imposible reconocer al energúmeno de hace un momento.

—Pues claro que confío en ti, joder. Me pareces muy buena.

—No sabes cuánto te agradezco esas palabras, Edmundo. Ya verás como no te arrepentirás de nada. Déjame hacer.

—Está bien. Infórmame de las novedades, por favor. Y no vuelvas a dejarme colgado al teléfono, no sabes lo que me jode eso.

—Descuida, hombre. Tú también debes pensar que a veces estoy en reuniones importantes y no puedo atender alguna llamada. No te preocupes —se adelanta Pau a la siguiente réplica de su representado—, cuando eso pase, te llamaré en cuanto la reunión termine.

Otros tres segundos de preparación del terreno y Edmundo se da por convencido.

—Está bien. Perdona los insultos y los gritos. Es que estoy muy nervioso. He tenido un accidente informático. Una hecatombe.

—¿Un accidente? —se alarma ella—, ¿qué clase de accidente?

—Precisamente por eso me pone tan nervioso que se haya extraviado la tarjeta. He tenido una infección. Un virus hijo de puta. Se me ha cargado el disco duro. Y la cosa, dice el técnico, no tiene remedio. Lo he perdido todo. La memoria al completo.

—Vaya —dice ella—, ¿y no tenías copias de seguridad de tus documentos?

—Pues no, tía, no me lo preguntes tú también. Todo el mundo me pregunta lo mismo. Te juro que a partir de ahora copiaré hasta mis listas de la compra.

—Ya —Paulina piensa—. Lo cual significa que la copia que yo ando persiguiendo...

La voz de Edmundo sólo confirma sus temores:

—Es la única, sí.

Lo propio, lo ajeno

Paulina lleva aporreando el timbre durante más de diez minutos cuando se abre la puerta del piso de Mónica y aparece una mujer menuda en bata que le pregunta qué desea con un acento dulzón.

—Ver a la señora —responde, intentando que su nerviosismo no resulte muy evidente.

Son las ocho y media de la mañana. Apenas ha pegado ojo desde que Edmundo de Blas la llamara a altas horas. Ha invertido su vigilia en pensar una táctica a seguir para llegar hasta la tarjeta de memoria.

—La señora no está en casa —dice la muchacha.

—No importa, la esperaré —responde Pau, entrando en el piso pese a que la otra intentaba flanquear la entrada.

—No puede quedarse, señorita, yo también debo salir.

—No pienso irme de aquí hasta haber hablado con la viuda de Martínez —responde tan segura de sus palabras y tan rotunda que la joven mucama no encuentra el modo de rebatírselas.

—Está bien, acomódese —dice, señalando una silla en la que Paulina ya se estaba sentando—. Aunque ya le dije que no puede quedarse.

—No importa, esperaré —replica Paulina, como si no hubiera oído lo que la otra ha dicho o su réplica formara parte de otra conversación.

La muchacha sale ahora con paso ligero en dirección al amplio pasillo y Paulina sabe bien a dónde se dirige: a informar de la situación a su señora, que tal vez a estas horas esté tomando una ducha, desayunando o aún no haya salido de la cama.

Escasos minutos después regresa la chica con expresión de haber sido amonestada. No le resulta difícil comprender por qué motivo.

—No me ha dicho a quién debo anunciar —le dice a la joven, que continúa sentada donde la dejó.

—Paulina.

De nuevo la deja sola y de nuevo regresa con expresión avinagrada.

—La señora dice que no tiene nada más que despachar con usted y que no piensa recibirla.

A Paulina se la llevan los demonios, pero trata de reprimir su cólera.

—Dígale a su señora que tiene en su poder algo que me pertenece y que vengo a recuperarlo.

De nuevo la mucama realiza el ingrato camino de ida y vuelta y regresa con el recado de Mónica:

—Mi señora me manda decirle que no tiene nada suyo y que haga el favor de marcharse.

—No me marcharé hasta que me dé lo que ella sabe —insiste Pau.

Otro viaje en ambos sentidos y la emisaria reproduce el mensaje:

—Si no sale inmediatamente de la casa dice la señora que llamará a la policía.

Esta vez, la muchacha decide añadir algo de su cosecha:

—Créame, señorita, es inútil. No la enoje. Mejor será que regrese otro día.

Esta intromisión en tan arduos asuntos por parte de la mucama la desarma un poco, pero enseguida se da cuenta de que puede ser que tenga razón.

—Está bien —dice, levantándose—, regresaré mañana. Dígale a su señora que no me rendiré.

Por parte de la otra, que acude a abrirle la puerta, tan sólo escucha un comentario entre cansino y resignado:

—Bueeeeno.

El confesor

Nadie sabe mejor que Ramón Andrés lo pésimo escritor que es Edmundo de Blas. Aunque lleva tantos años en esto que ya nada le espanta. La literatura de más fácil digestión triunfa sobre la verdaderamente nutritiva, he aquí una realidad contra la que ya ni siquiera se rebela. También la leche pasteurizada y envasada en *tetra brick* acabó imponiéndose a la recién ordeñada. Otra cosa es que a la gente se le atrofie el sentido del gusto y llegue a preferir una cocacola a un buen vaso de tinto de crianza, que es exactamente lo que está pasando. Hace unos años, Ramón Andrés se hubiera definido como un pesimista. Hoy abraza la indiferencia, fe basada en los mismos principios pero mucho más cómoda, sobre todo para quien la padece.

Desde su puesto de trabajo habitual en casa, en pantuflas y calcetines, Ramón ejerce de confesor. El autor que más vende del mayor sello editorial del mundo está nervioso y él, un filólogo que sigue leyendo a Clarín y a Unamuno en sus ratos libres, le atiende con una paciencia que en otros tiempos más propicios al beaterío anónimo se hubiera considerado atributo de santidad. Ramón resuelve un solitario en el ordenador mientras Edmundo le desgrana sus problemas, persiguiendo una actitud lo más paternalista posible, aunque lo que le sale es más bien pura condescendencia.

—Pero, vamos a ver, Edmundo. Si no conocías demasiado a Paulina, ¿cómo se te ocurrió firmar con ella semejante aberración jurídica? ¿Tú sabes a lo que te has comprometido? Aquí dice que le dejas total libertad para firmar en tu nombre cuantos acuerdos crea necesarios, ante cualquier persona. En pocas palabras: puede hacer lo que le salga de los ovarios en cualquier parte del mundo. Creo que nunca había visto nada parecido.

Edmundo bulle de rabia pero trata de justificar su debilidad.

—¿Tú conoces a Paulina?

—Claro, era la secretaria de Martínez —responde Ramón arrastrando un siete de picas sobre el fondo de pantalla verde—. Además, todo el mundo en la empresa conoce a Paulina. No es una mujer que pase inadvertida, precisamente.

—Pues entonces no hará falta que te explique mucho. Salí con ella un par de veces, me pasé con el vodka, la invité a subir...

—Creo que si se lo propone es capaz de convencer a un cadáver —una risotada gruesa atraviesa la conversación—. Uy, a Martínez no le hubiera parecido muy oportuno este comentario. Pobre hombre. Por lo menos para ti la muchachita no ha tenido todavía efectos letales.

El silencio que le llega del otro lado le indica que Edmundo de Blas no tiene ni idea de qué le está hablando. Tierra abonada para un hombre como él, que nunca ha sabido callarse una información como esta y menos cuando atañe a personas que no le merecen el menor respeto. Sin embargo, las preocupaciones de su interlocutor superan en este momento su curiosidad por la casquería sentimental de su fallecido editor.

—He pensado que tú sabrías orientarme hacia alguien que entienda de estos asuntos. Quiero mandar a esa zorra inútil a tomar por culo —afirma el escritor del momento sin entretenerse en metáforas ni dejar lugar a dudas acerca de sus intenciones.

Por desgracia, Ramón es mucho más hábil aniquilando la coma sobrante, permutando el adjetivo inadecuado o haciendo desaparecer sin piedad párrafos que no merecen otra suerte, que aconsejando acerca de abogados y maniobras jurídicas. A pesar de ello, y mientras completa la fila de los corazones y observa con satisfacción cómo en la pantalla parpadean los alineados naipes en señal de victoria, piensa que tiene ante sus ojos la posibilidad de una jugada redonda e inesperada.

—Los abogados no tienen ni idea de derechos de autor, eso ya lo sabes —finge como que piensa—. La mujer que necesitas es Mónica Oliveira. No hay duda.

—¿Una tía? Preferiría un hombre, la verdad. Es que luego me lían y pasa lo que pasa.

—Edmundo, chaval, contrólate un poco. Te aseguro que Mónica te conviene, pero yo no te aconsejaría tirártela por nada del mundo.

—¿Por qué? ¿Es un callo?

—No, no. Es viuda.

—Oye, pero yo no intento tirármelas de buenas a primeras, a ver qué te crees. Es sólo que soy muy reactivo a sus provocaciones.

—Ya. No sabes decir que no.

—Exacto. Creo que a muchos les pasa.

—Tú apunta sus datos y hazme caso. Tengo entendido que como abogada es estupenda. Además, odia a Paulina.

—La hostia, no me digas. ¿Y eso por qué?

—Es la viuda de Martínez.

—¿La abogada que me estás recomendando es la viuda de…? ¿Qué Martínez? ¿No será el difunto?

—Martínez. Tu editor.

—La leche.

—A quien, por cierto, Paulina se estaba tirando la noche en que murió.

Esta vez el silencio de Edmundo de Blas se produce por sobreinformación.

—Bueno, es más exacto decir —añade Ramón, cerrando el programa del solitario— que se lo estaba tirando en el preciso instante en que él la estaba palmando.

—¿De verdad? ¿Murió follando? Qué envidia. Joder, Ramón, ¿y tú cómo sabes estas cosas?

—Ya ves, los confesores es lo que tenemos. ¿Quieres el teléfono o no?

Venganza (1)

Un sujetador negro de encaje en el cajón de los cubiertos sólo puede ser una gilipollez o una provocación. Si quien lo encuentra es la dueña de la casa y le basta una ojeada para descubrir que no le pertenece, tiene más posibilidades de ser lo segundo.

Hoy el Comegominolas no está en casa. Eso le da pie a lanzarse a las labores de rastreo por todo el piso con absoluta libertad. Intenta localizar signos que la pongan sobre aviso de lo que está ocurriendo. Por un lado, le parece poco probable que alguien tan torpe como su novio sea capaz de ponerle los cuernos el mismo día en que emiten dos capítulos seguidos de cualquier serie cuya acción transcurra más allá de nuestro sistema solar. Por otro, le fastidiaría mucho que lo hubiera hecho, y no por los cuernos en sí, sino por el papel de hembra traicionada en el que esto la dejaría. Si algo tiene claro en la vida es que no ha nacido para el papel de víctima, en ninguna de sus variantes.

Tras una primera batida a lo largo y ancho de los cajones del ropero hace inventario de lo encontrado, que no es mucho: una camisa sucia hecha un ovillo en un rincón en la cual distingue, aunque no es fácil entre el fuerte hedor a sudor reconcentrado, el aroma de un perfume femenino. También encuentra unos calzoncillos blancos manchados de carmín en la parte de la bragueta. A partir de este segundo hallazgo decide proceder de otra forma. Ya no más batidas. Trata de aplicar la lógica. En las sábanas revueltas de la cama hay manchurrones de carmín (tras una rápida comprobación está segura de que se trata del mismo color fucsia intenso que el de los calzoncillos) junto a otras excrecencias resecas. Por último, se dispone a registrar el primer cajón de la mesilla de noche del comegominolas. El paquete de preservativos que durante seis meses ha permanecido sin estrenar aparece ahora ante sus ojos desgarrado y abierto. En su interior faltan tres unidades. Tres. Lo sabe al volcar el contenido del envase sobre el colchón y detenerse a contar. Sobre la sábana mancillada hay ahora nueve preservativos por estrenar, que se apresura a devolver a su envase como si del cuerpo del delito se tratara. A estas alturas, Paulina ya tiene muy claro lo que debe hacer con su vida en pareja. Tanto tiempo vacilando y todo se ha resuelto abriendo un par de cajones. Qué cosas.

Regresa a la cocina por si hay más rastros de la dueña de los labios color fucsia. No le hubiera extrañado encontrar restos de carmín en algún vaso o alguna taza, pero pronto se da cuenta de que los apetitos que la forastera vino a saciar a su casa fueron otros. Le falta aún por encontrar la prueba definitiva cuando abre la nevera y echa un trago directamente de la caja del zumo de manzana. Es al cerrar la puerta del electrodoméstico cuando repara en un pequeño rectángulo de cartulina blanca. Una tarjeta de visita, sujeta con uno de los imanes —en este caso, una pequeña torre Eiffeel— que lee con sólo apartar un poco la sujeción que la mantiene a la altura de sus ojos: Mónica Oliveira. Abogada. Y en el reverso, una breve nota escrita a mano con grueso trazo de tinta negra: *Ahora estamos en tablas.*

Pau busca su teléfono y llama a su novio. Necesita insultarle para sentirse mejor. Responde el contestador, en la que una voz átona le ordena que grabe un mensaje. Espera a que suene el tono y dice:

—Eres un hijo de puta. Ni se te ocurra volver a casa.

Está confusa. Hasta que ha aparecido la cartulina blanca se inclinaba a pensar que todos aquellos rastros los había dejado una prostituta. Tal vez atraído por la novedad y el morbo, más que por la necesidad —porque el novio-medusa sólo practica el sexo una o dos veces al año—, había sentido la tentación de marcar uno de esos números que aparecen en las secciones de relax de ciertos periódicos. En sólo segundos se han ido derrumbando las hipótesis recién levantadas y la verdad resultante, la única que se ha mostrado cruda e irrefutable, le resulta la versión más difícil de creer. Un hombre como su novio con una mujer como Mónica Oliveira, qué extraña es la vida. Mientras se lava la cara y se retoca un poco el maquillaje tiene tal lío en la cabeza que siente deseos de vaciar su cerebro sobre el lavamanos, igual que acaba de hacer con el paquete de preservativos, y poner un poco de orden.

A continuación busca su bolso, guarda en él el sujetador negro y sale de casa con la intención de parar un taxi en plena calle y pedir al conductor que la lleve a casa de Mónica.

La mucama no está y Mónica atiende una llamada telefónica que ha respondido por error pero que no le despierta interés alguno.

—Disculpe, no se moleste en volver a explicarme el caso. Lamento mucho lo que le ha sucedido con su novela, pero le repito una vez más que yo no tengo experiencia en asuntos relacionados con derechos de autor y que, aunque la tuviera, no podría ayudarle. Ya le he dicho que me estoy tomando un año de excedencia y que ahora mismo no puedo pensar en nada que tenga que ver con mi trabajo. Por mucho que tuviera usted una excelente relación con mi difunto marido, lo cual celebro en extremo. Aunque me temo que eso no cambia en absoluto las cosas. Lo único que puedo hacer es recomendarle a un compañero muy serio que sin duda estará encantado de…

Sin embargo, al otro lado del hilo no hay nadie dispuesto a escuchar esa recomendación y tampoco a dar su brazo a torcer.

—Le ruego que no me obligue a repetirle todo lo que le he dicho ya —prosigue Mónica, esta vez en un tono más tajante—. Le puedo asegurar que no se trata de dinero. Ahora mismo tengo mucho más dinero del que necesito, se lo garantizo. ¿Ah, usted también? Pues mire, me alegro por los dos. Entonces ya sabe de qué le hablo. Tampoco se trata de nada personal. Es sólo que no me siento con ánimo de defender su caso, estoy en unas circunstancias personales muy especiales y lo único que requiero, de usted y de todo el mundo, es que dejen de incordiarme. Espero que sepa comprenderlo.

En ese instante suena con insistencia el timbre de la puerta.

—Perdóneme un segundo, tengo que abrir.

En el rellano, en actitud desafiante, Paulina se apoya en el marco de la puerta y sostiene en alto un sujetador negro con encajes, lo mismo que haría un pescador con una pieza imponente que acabara de capturar.

—En fin, caballero, lamento tener que dejarle. Hay una encuestadora en mi rellano y debo atenderla como se merece —esto lo dice mirando fijamente a Paulina—. Le ruego que me disculpe. Sólo puedo aconsejarle que busque un buen abogado y que le dé una patada en el culo a esa señorita de la que me ha hablado, que al parecer sólo busca abusar de su confianza. Tenga un buen día.

Cuelga el teléfono y lo guarda en el bolsillo de su bata de seda sin perder de vista a Paulina y su trofeo. En cuanto adivina que la otra va a decir algo, se adelanta:

—No tenías por qué molestarte, Pau. Es una prenda vieja, que ya apenas me ponía. Podías haberla tirado tú misma.

Paulina,
la llamaría
la señora

—En realidad, te lo traigo sólo para proponerte un trueque. Sigues teniendo algo que me pertenece —gruñe, sin soltar el sujetador.

La expresión de incredulidad de Mónica no deja dudas respecto a sus intenciones.

—¿Te pertenece? Yo no diría tanto. Le pertenece a tu empresa, en todo caso, que es quien pagó por ello. Lo tuyo es exceso de celo, guapa. O puede que más cosas. Pero tirarte al editor no te da ningún derecho, ¿lo sabías?

Paulina se siente como una olla a presión a punto de estallar.

—Eso ha sido todo, ¿no? Una venganza. Ley del Talión. Yo me acuesto con tu hombre y tú te acuestas con el mío.

—No te quejes. Creo que es lo mejor que le ha ocurrido en la vida. No puedo decir lo mismo, por desgracia. ¿Quieres entrar? He preparado té frío. O prefieres una tila.

Paulina siente ganas de arañarle la cara a la viuda de su jefe.

—Eres una hija de puta —espeta Paulina.

—Correcto. Buen diagnóstico. Ahora, si no te importa, voy a cerrar la puerta. Es mejor que te marches.

Es mucha rabia la que se acumula en Paulina para que le permita quedarse callada. La docilidad no es su mejor virtud. Y menos ante desafíos como Mónica.

—Al menos, yo me follé antes a tu legítimo. Quien, por cierto, andaba bastante necesitado de emociones.

La puerta, que ya se estaba cerrando, vuelve a abrirse de par en par y de golpe. En los ojos de Mónica se enciende ahora un chispazo de furia. Brilla con intensidad mientras pronuncia la última frase de la conversación.

—Sólo por algo así podría hacer el esfuerzo de dejarme tocar por ese cerdo que vive contigo. Apesta. Es eyaculador precoz. Y encima le falta un huevo, ¿no? O eso me pareció. No me extraña que te folles a todo lo que se mueve, bonita.

La puerta acaba de cerrarse de un golpe seco ante su expresión de perplejidad. El sujetador queda de su lado, y antes de tomar el ascensor para bajar lo deja colgado del pomo dorado, impecable, pulido esta misma mañana por una trabajadora asalariada, en el que se reflejan el rellano y la puerta del vecino, un escenario vacío donde al fin reina la calma total.

Un final o dos (o tres)

Paulina está furiosa porque las cosas no salen como ella había previsto, pero continúa adelante con la misma sutileza de un carro de combate durante una operación especial. Ahora corresponde hacer una llamada. Busca su teléfono y marca el número del director literario de Sintonison Ediciones, la mayor competencia del Grupo Empata en todo el territorio hispanohablante.

Atiende el teléfono una secretaria cortafuegos muy bien entrenada. Nada más oír que alguien pregunta por su jefe, la voz metalizada y neutra de la chica sabe lo que debe responder:

—En estos momentos se encuentra reunido. Me puede decir de qué se trata, si lo desea, y yo le pasaré su recado.

—Soy Paulina Torres, la agente de Edmundo de Blas.

El nombre de su representado es como una ganzúa infalible, y lo sabe. No puede evitar sonreír cuando al otro lado del hilo la voz se humaniza para contestar:

—Aguarde un momento, enseguida le paso.

Al momento, como por arte de magia, el director literario de Sintonison Ediciones ya no está reunido:

—Disculpe que no le llamara ayer, como le prometí —comienza Pau— pero acabo de regresar de viaje. Si le viene bien, podemos vernos para hablar de la nueva novela de mi representado. Sí, la última versión la tengo en mi poder, recién corregida —le tiembla un poco la voz ante la mentira, pero prosigue, con ánimo y ambición de hierro: —Bueno, no sé si mi opinión personal pueda servirle de mucho. Tenga en cuenta que yo soy una gran admiradora de Edmundo —trata de forzar una risa— pero creo que no me equivoco ni falto a la verdad si le digo que es lo mejor que ha escrito. Hasta ahora, claro. En realidad, cuando usted quiera, aunque si su intención es hacer una oferta por la novela, le recomendaría que fuera pronto. Como puede imaginar, tiene algunos novios, todos muy interesados y solventes —nueva risotada—. Muy bien, perfecto. No, al señor de Blas no le será posible acompañarnos. Pero no se preocupe, no soy tan fiera como aparento. Seguro que nos entenderemos, y él tiene fe ciega en mí, descuide ¿Cómo ha dicho que se llama el restaurante?

No lo conozco, pero no es un problema. Lo encontraré. Si me da la dirección, nos vemos allí.

Antes de despedirse, el director literario formula una pregunta extraña, que obliga a Paulina a mentir de nuevo, esta vez con la mayor seguridad que da la reincidencia:

—¿De modo que el original de la novela lo trae usted consigo?

«Me aseguro el tiro y luego me invento algo», piensa ella mientras responde:

—Exacto, así es.

Parece muy satisfecho su interlocutor cuando se despide con la cordialidad acostumbrada en estos casos y traspasa de nuevo la llamada a la secretaria, que no tiene ningún inconveniente en facilitarle a Paulina las señas detalladas del restaurante elegido antes de despedirse con una amabilidad que parecía imposible al principio de esta breve comunicación.

Pau fuerza una postura rocambolesca para apuntar las señas en su agenda. Luego recupera su verticalidad habitual para la escueta despedida:

—Estupendo. Hasta pronto.

La siguiente llamada no va a ser tan amable. El Comegominolas está en una conservera de anchoas, armado con guantes de látex y bata verde, estudiando a conciencia la viscosidad del barniz que recubre el interior de un envase de los de noventa gramos bajo la mirada atenta del director de la planta, cuando suena su móvil. Se quita un guante antes de responder.

—¿Te pillo en mal momento, cabrón de mierda? —saluda Paulina, declarando la guerra.

—Ahora mismo, un poco. Estoy con un cliente. ¿Te llamo yo en media hora?

—En media hora ya no querré hablar contigo, hijo de puta. ¿Pensabas decirme que te habías tirado a Mónica Oliveira o queríais que lo adivinara?

—¿A quién? —muy azorado, se quita las gafas y las deja en cualquier parte.

—Monica Oliveira.

—No conozco a ninguna Mónica. Ah. Ya. Me dijo que se llamaba Vanessa. Era encuestadora.

—¿Encuestadora? ¿Te has tirado a una encuestadora?

—No... Bueno, técnicamente sí, lo reconozco. Pero yo no quería. Fue ella. Parecía tener mucho interés. No puedes imaginar cómo se puso.

El director de la planta observa cómo el responsable que debe supervisar la calidad del acabado de sus envases enrojece y comienza a sudar.

—¿Mucho interés en acostarse contigo, pedazo de impotente?

—Pues eso parecía, aunque ya sé que resulta un poco raro. A·mí también me extrañó, la verdad.

—Ya. ¿Lo siguiente será decirme que te violó o qué?

—Pues más o menos. Oye, ¿no podemos hablar esto en otro momento?

El Comegominolas observa ahora con no poco estupor cómo sus gafas, depositadas en la cadena de montaje de los tarros de cristal de 125 gramos, avanzan hacia la destrucción masiva. En este preciso instante, sin embargo, hacen un alto en el camino para ser rociadas con una generosa dosis de aceite de oliva.

—Pues no, no podemos hablar esto en ningún otro momento —continúa Pau—. No quiero volver a verte en la vida. En cuanto llegue a casa cambiaré la cerradura, cerdo de mierda. Vete a pedirle asilo a tu Vanessa, que en realidad se llama Mónica y es la viuda de mi difunto jefe.

—¿La... la viuda de quién?

El director de planta no puede hacer nada para evitar el estropicio. Las gafas acaban de caer, mezcladas con los botes de cristal, por una cinta transportadora, hasta una especie de tren de lavado en miniatura donde serán sometidas a la presión de un chorro de agua caliente que las dejará, en caso de que algún fragmento sea aún reconocible, completamente desengrasadas. Intenta salvar algún pedazo antes de que entren en la ducha, pero no lo consigue. El técnico, mientras tanto, sigue hablando por teléfono y, a juzgar por su cara, parece tratar un asunto muy serio.

—La viuda de mi jefe, so gilipollas. Para que te enteres, yo me tiraba a Martínez. Yo me tiro a cualquier cosa con tal de no acostarme contigo, asqueroso.

Coincidiendo con una mirada del director de planta, el técnico adopta una actitud muy profesional para decir:

—Si no te importa, quisiera que me aclararas ese último aspecto.

—Guarro —subraya ella.

—No me refería a este aspecto.

Al otro lado, Paulina grita tanto que su novio teme que toda la planta termine por oírla:

—Que no, que no voy a aclararte nada. Que no quiero saber nada más de ti, a ver si te enteras. Vete a la puta mierda, cabrón. Fóllate a todas las encuestadoras que encuentres.

En ese momento reaparecen las gafas —aunque sería más exacto decir lo que queda de ellas— en el túnel de lavado y caen al recipiente de los envases limpios. Precisamente de allí se entretiene el director de planta en rescatar los pedacitos de cristal, las patillas arrancadas de cuajo de la montura, los fragmentos dorados con restos de verdines que es imposible adivinar a dónde pertenecen. A falta de un lugar mejor, resuelve meter los pedazos en una de las latas de 90 gramos que estaban siendo estudiadas.

—Por favor, no te pongas así. Te aseguro que no es buen momento. Déjame llamarte en un rato.

—Aunque para tirarte a más encuestadoras, sobre todo a las que no quieran vengarse de mí porque antes me follé a sus maridos, te recomiendo que te laves un poco y te trates la eyaculación precoz que debes de haber contraído en los últimos seis meses, porque yo ni sabía que la tenías. Vete a la puta mierda, hijo de puta. Que te follen.

Paulina cuelga. Ha llegado a la parada del autobús, donde se detiene y trata de respirar hondo para tranquilizarse y, de paso, permitir que se tranquilicen el par de ancianitos que sin proponérselo acaban de asistir azorados a los últimos y violentos estertores de su relación sentimental.

En la planta de anchoas, el Comegominolas trata de disimular como puede con una última frase pronunciada con la voz más firme que es capaz de emitir, dadas las circunstancias:

—Muy bien, señor Roviralta, en eso quedamos. Entonces, hasta el lunes.

El encargado de planta le entrega la lata con el cadáver triturado de sus gafas. Lo observa con desolación, tratando de recordar. Se las hizo a los catorce años, cuando terminó la primaria. Llevan con él más de media vida. Por lo visto, concluye, hoy es un día propicio para los finales.

Paulina apenas se ha sentado y otea el horizonte. La calle está desierta. Un autobús acaba de llevarse a la pareja de la tercera edad. Apenas unos metros más allá se escucha el trasiego de una de las arterias de esta zona de la ciudad. La línea del autobús que le interesa tomar tiene aquí su origen, pero el vehículo aún no ha llegado. Aprovecha para mirar su agenda y planificar el resto del día. Está buscando el teléfono del cerrajero cuando oye unos pasos apresurados que se acercan. En la lejanía se distingue un autobús, pero no acierta a ver si es el que ella espera o cualquier otro. A partir de este momento, Paulina ya no sabría precisar, ni aunque pudiera hacerlo, cómo han sucedido las cosas. Los pasos retumbando en su oído. Un grito parecido a un aullido que le llega desde alguna ventana. Una voz que en imperativo le dice algo. La sombra esmirriada de alguien que se cubre la cara con un pasamontañas. Un primer golpe en la espalda. Otro más. Y otro. En total, la autopsia revelará siete puñaladas. Los pasos que se alejan. El autobús que se acerca.

La señora de la ventana, una dominicana recién llegada de su país que estaba limpiando unos cristales, reacciona y da el aviso a la señora de la casa que, a su vez, llama a la policía. Alguien avisa a una ambulancia que, sin embargo, llegará tarde. Los pasajeros del autobús se santiguan al ver el cuerpo de Paulina tumbado sobre la acera, la cabeza torcida, la ropa manchada de sangre, la verticalidad definitivamente extraviada y los ojos abiertos de rabia contemplando el tejadillo de la parada de transporte público. Tan bonita y tan joven, dirá alguien. Treinta y dos minutos más tarde, Paulina ingresa cadáver en un hospital. Hasta varios días después no habrá nadie capaz de precisar su nacionalidad, su edad exacta ni su nombre. El cuerpo llegó sin documentación. La dominicana de los cristales le habrá ya contado a la policía que el hombre encapuchado que la apuñaló tan salvajemente se llevó su bolso y la registró a conciencia —incluso le pareció que le metía mano— antes de huir en dirección a la avenida.

ÁNGELA

«Con la edad, todos los gustos se sofistican. También los sexuales. En el momento del descubrimiento del sexo, la penetración en sí misma es todo un mundo. Pero después de mil penetraciones, puede que necesites algo más, ¿verdad? Y no me estoy refiriendo al látigo sino, simplemente, a un poco más de juego. La reiteración lleva a la rutina y la rutina, al aburrimiento. Y yo me resisto a aburrirme en la cama. Lástima que los hombres sean tan básicos y tan poco imaginativos». He aquí un testimonio real que ejemplifica por qué la falta de destreza o de imaginación de los varones es una de las principales causas da la infidelidad y del adulterio femeninos. El mensaje es claro: hombres, no os apoltronéis en el sofá. Las mujeres serán para quienes se las trabajen.

ISIDONIO DO MELO EGÚTZIRRE
Por qué las mujeres se aburren y los hombres no se sacian
Editorial Sinécdoque

Duelo

Esta vez ha elegido Alberto el restaurante. Frente a un plato de lechugas de distintas gamas de verdes, Ángela habla sin descanso:

—Supongo que no sabes, nadie lo sabe, que Paulina y yo éramos amigas desde hacía años. Más que eso: yo fui la primera mujer de su hermano. Un desgraciado del que nunca me he divorciado. Eso hacía que fuéramos todavía cuñadas, aunque sólo legalmente, claro. Pensamos que era mejor mantenerlo en secreto. Ya conoces las normas de la empresa respecto a los familiares de los trabajadores. Nunca la hubieran seleccionado si lo llegan a saber. Fui yo quien le dije que se presentara a las pruebas y quien la recomendó para el puesto. Ya sabes que Samuel escuchaba mis opiniones, que Samuel y yo… en fin, ya sabes —Alberto cabecea, ceñudo—. Me he enterado a primera hora y en el ascensor, cuando estaba llegando a la oficina. Tenía una reunión y se me había hecho tarde, pero alguien estaba hablando de ella, no sé quién. Hoy todos hablaban de ella, de la chica joven y guapa de *Suma de cosas*, de su incomprensible asesinato a plena luz del día y en un buen barrio de la ciudad. Lo primero que he pensado es que no podía ser ella. Me resistía a creerlo. Y, de hecho, no me he convencido del todo hasta después de llamar a su número de extensión y encontrarme con una de esas voces feas que te dice que tienes que dejar un mensaje. Ha sido el mal presagio definitivo, qué tonta, en ese momento he empezado a pensar que no volvería a ver a Pau. Entonces ha sido cuando me he decidido a hablar con esa mujer, su compañera de trabajo. Me lo ha contado todo o, por lo menos, todo lo que ella sabe: que esta mañana ha llamado a la oficina el idiota de su novio para darles la noticia. La mataron la semana pasada, pero al parecer le robaron la documentación y todo lo demás y no fue posible identificarla hasta ayer por la tarde. Se la cargaron a cuchilladas, como en las películas. No quiero imaginarme esa parte. Es una imagen demasiado cargada de energía negativa. Es mejor imaginarla muerta y bonita. También he hablado con el novio, un imbécil integral. No sé qué hacía Paulina con él, aunque si es verdad lo que me ha dicho ya no hacía nada. Le he preguntado cómo fue que no denunció su desaparición y me ha contado que ella le mandó a la mierda el mismo día que la mataron. Le dijo cosas horribles, me contó. No me extraña, debió hacerlo mucho antes. Por lo visto, la última vez que hablaron estaba hecha una fiera. Él esperó a que se calmara y no le extrañó que no regresara a casa por la noche. No puedo decir que le crea plenamente, aunque con alguien tan tonto nunca se sabe... Sólo empezó a sospechar que algo raro estaba pasando cuando llamaron de la empresa para preguntar si a Pau le ocurría algo. Llevaba varios días sin aparecer por la editorial. Entonces, el tonto empezó a buscarla: hospitales, policía…, empezó a dejar en todas partes los datos de ella y los suyos. Hasta que le llamaron del depósito para que fuera a identificar un cuerpo. Y dio al fin con ella, qué horrible. No puedo —Ángela suelta el tenedor en un gesto de impotencia.

—¿No vas a comer nada? —pregunta Alberto, incómodo porque el camarero ya se ha acercado un par de veces a inspeccionar con discreción el plato de Ángela.

Ella mordisquea una hoja de lechuga francesa por la parte de los rizos.

—¿Sabías que la lechuga tiene propiedades tranquilizantes? Va muy bien para tratar el insomnio y aporta mucha vitamina C, aunque para eso tiene que estar recién cortada. Ésta tiene todo el aspecto de llevar horas en la nevera. La he pedido porque pensaba que me haría bien, pero no puedo.

A Alberto el súbito desvío hortícola de la conversación le causa desconcierto. Por suerte, dura poco.

—Me he pasado todo el día como una zombi. Me he encerrado a llorar casi una hora en el cuarto de baño, qué vergüenza. Deben de haberme oído. Soy muy escandalosa para todo. Berreo como un bebé, si la cosa lo merece.

Alberto medita las derivaciones posibles de esta última frase. Ella prosigue:

—He dejado a los de prevención de riesgos plantados. Mi secretaria los ha citado para el miércoles. Nunca había hecho nada parecido. No sé si te lo han dicho, pero tengo fama de cumplidora, incluso demasiado. Luego, viendo que no se me pasaban las ganas de berrear, he decidido venir a verte. Perdona por la intromisión y por la insistencia. Eres la única persona de la empresa en quien puedo confiar. Me pareces tan buena gente, tan comprensivo, tan poco masculino, en ese sentido. No sabes lo que necesitaba esto, un hombro donde apoyar la cabeza y llorar a gusto. Si mi marido no estuviera en uno de sus cursos, tal vez habría pensado en pedirle ayuda, aunque él es poco hábil en estas cuestiones de sentimientos. No hubiera podido soportar pasar sola todas estas horas.

—Te comprendo muy bien… —susurra él.

—Si quieres —prosigue Ángela— luego podemos ir a mi casa. Me vendrá bien relajarme. El sexo actúa como un poderoso antidepresivo, si se sabe utilizar bien.

Como la lechuga, piensa Alberto, mientras dice:

—De acuerdo, pero esta vez, que sea en mi apartamento.

—Desde que te conocí me pareciste tan buena persona, Alberto. Es lo primero que pensé: este tío es un pedazo de pan. No sabes cuánto te agradezco lo que haces por mí. Hoy necesito que me mimen.

El lago de los cisnes, de Chaikovski, interrumpe las palabras de Ángela. Ella mira la pantalla de su móvil e informa:

—Es mi marido. Siempre me llama a esta hora cuando está fuera.

Su intuición no le falla.

—Hola, Epi, cielo —saluda, antes de enfrascarse en una conversación circunstancial—. En un restaurante, cenando con un amigo del trabajo. Ahora nos vamos a su casa. ¿Y tú? ¿Qué tal va el curso?

Alberto no puede evitar que sus pensamientos vuelen mientras la observa. Cómo le gustan estos desdichados maridos que siempre están de viaje. Sólo pensar en la posibilidad de salir de su letargo, su pene experimenta una nueva algarabía. Él pone mucho empeño, atento a cuanto le rodea, en que sus gestos no le delaten. Por dentro está deseando que esta odiosa escena de transición hacia lo realmente bueno termine lo antes posible.

Para qué da Unamuno

El profesor universitario Epicteto Morrón Villanueva, profesor titular del Departamento de Literatura Española de la Universidad Autónoma, se concentra en chupar con arte el pezón de la desconocida que le abordó esta tarde, al terminar su conferencia sobre *Aspectos ornitológicos y volátiles en Miguel de Unamuno* en el curso organizado en Toledo por la Universidad de Castilla-La Mancha.

Ella está desnuda y tumbada en la estrecha cama de la habitación individual del hostalucho donde la organización aloja a los ponentes, paralela a las gruesas cortinas verdes, que han corrido, no por no ser vistos, sino por no ver un paisaje inexistente. El profesor Morrón se arrodilla junto al camastro y observa a la mujer desde abajo, como el creador observaría a la criatura recién terminada, en una actitud que recuerda a la veneración religiosa. Estira el cuello hasta que crujen sus vértebras con el fin de alcanzar el pezón que ella le ofrece.

Si alguien le preguntara en este preciso momento cómo ha ocurrido esto, cómo esta mujer impresionante ha llegado hasta su cama, el profesor afirmaría no tener ni la menor idea. Suele ocurrir que al finalizar cualquier intervención en uno de esos cursos para especialistas que tanto abundan en las universidades españolas se acerquen al agotado conferenciante algunos de los presentes. Lo normal es que expresen su admiración hacia la figura del orador o hacia el tema expuesto, o que le molesten con dudas que podrían haberse manifestado en el turno de preguntas, o con algunas otras impertinencias. No tiene el profesor Morrón muy establecido el prototipo medio de esos pelmazos que no permiten retirarse a quien ya lleva tiempo deseándolo, pero diría que suele tratarse de estudiantes de doctorado, generalmente hembras, o profesores de otras especialidades deseosos de abrir su campo de acción académica. Lo que de ningún modo es habitual es tropezar en estas sesiones con mujeres como Mónica, confesas admiradoras del trabajo de uno, capaces de recorrer varios centenares de quilómetros sólo para sentarse entre los aburridos alumnos de filología hispánica y que, además, no pretenden nada, salvo disfrutar de la conferencia y puede que de los conocimientos de quien la imparte porque hace ya tiempo que decidieron aprovechar de la vida sólo ciertas bondades. Que entre las bondades de la vida se encuentre para alguien como Mónica el manifiesto interés de don Miguel de Unamuno por las criaturas aladas le parece al profesor Morrón, sencillamente, un milagro.

Por eso no lo ha pensado dos veces a la hora de convidarla a tomar un refresco en el bar de la plazuela, lo cual le ha dado pie para rechazar la invitación a cenar de la organización con una mentira piadosa:

—Discúlpeme, profesora —le ha dicho a la directora del curso—, pero la súbita aparición de una vieja amiga me fuerza a cambiar mis planes por esta noche. Les veré por la mañana, para la mesa redonda.

Ya en la plazuela, el profesor Morrón se ha interesado por la historia de su inesperada admiradora:

—¿Y desde cuándo le viene su afición por Unamuno? —le ha preguntado.

La sinceridad de Mónica, a la que acompañaba una sonrisa encantadora, le ha conmovido:

—No hace mucho. Sólo desde que soy viuda puedo dedicarme del todo a mis aficiones. Soy una novata, una analfabeta que sólo aspira a ir aprendiendo de gente como usted.

—Vamos, no se juzgue con excesiva severidad —le ha dicho él, correspondiendo a su sonrisa—. Ni juzgue a los que son como yo con excesiva benevolencia.

Han cenado en un restaurante pequeño, a escasas calles de allí. Carpaccio de reno y tiernos calamares en su tinta, todo regado con un Ribera de Duero exquisito y con los acordes de un hilo musical discreto que reproducía tonadas de The Beatles. Ha sido durante la cesura entre los dos platos cuando Epicteto ha vislumbrado por primera vez la ocasión de una noche memorable. Memorable, en su caso, lo es la oportunidad de hacer el amor con una desconocida, algo que no le ocurre desde los años en que era un estudiante, y ni siquiera brillante, de románicas. Y aun así, no tenía mucho mérito, ya que en aquellos tiempos, la mayoría de sus compañeras se encontraban en su misma necesidad, y la carnalidad entre las hordas estudiantiles era algo mucho más frecuente de lo que él jamás sospechó ni supo aprovechar.

Lo de hoy es distinto. No podía esperar en su madurez una oportunidad como ésta, de modo que se esfuerza en unas maneras de seductor que, como tantos, ha aprendido en las pantallas de cine. Sin embargo, ella parece predispuesta y ningún esfuerzo resulta muy necesario. Antes del postre ya le ha preguntado si por casualidad tiene noti-

cia de que haya espacio en el hostal donde sabe que se alo-
jan los ponentes. Con suma diligencia, él llama al hostal y
mantiene un intercambio de preguntas y respuestas más
bien breve con el guardián nocturno, un tosco espécimen
que le comunica lo que ya sospechaba: que en estos días, y
por culpa del curso, se encuentran desbordados.

Fingiendo pesar le comunica la noticia a su compañera, a lo que ella no duda en responder con comentarios
acerca de su mala cabeza y la precipitación con que tomó
la decisión de viajar hasta aquí nada más conocer su presencia en el programa del curso y descubrir que aún quedaban plazas disponibles.

—No importa —añade, resuelta— no será la primera vez que duermo en el coche.

Si Mónica hubiera pronunciado esta frase el día del
entierro de Samuel, o cualquier otro de los últimos diez
años, nadie la habría creído. Su aspecto, sencillamente,
no responde al de una mujer que es capaz a la menor contrariedad de pasar una noche en su coche. Sin embargo,
disfrazada de estudiante, su afirmación resulta verosímil.
Mónica ha llegado hasta aquí enfundada en sus vaqueros
viejos, con calzado deportivo y una camiseta negra algo
más holgada de lo que es necesario. Ha prescindido de
joyas y otras chucherías caras y ha prendido de sus orejas
un par de aros de plata. Esta Mónica sí parece capaz de
pasar una noche en cualquier parte, incluida la habitación
de Epicteto quien, por cierto, está tan dispuesto a propi-
ciar lo segundo como a evitar lo primero:

—No, no, de ningún modo —afirma, con la misma
vehemencia con que antes hablaba del valor eminente-

mente simbólico de lo volátil en ciertos versos del maestro salmantino—, quédese usted en mi cuarto. Yo dormi-
ré en su coche.

Mónica se niega en redondo.

—¿Y dejar que vaya usted mañana a la mesa redonda sin haber descansado lo suficiente? No podría hacer
eso —dice—, qué responsabilidad. Aunque es usted muy
amable.

—Entonces quédese a dormir en mi habitación. Pe-
diremos una cama supletoria y nos turnaremos para usar
la ducha que, le advierto, es sumamente estrecha.

Ante esta nueva propuesta, que tan bien se adapta a
sus propósitos, Mónica no responde y deja que su interlocutor lo haga todo.

—Aunque si lo prefiere, y a pesar de la poca proba-
bilidad de éxito que tenemos a estas horas, siempre podemos intentar encontrar alojamiento para usted en otra
parte. El parador de turismo no está lejos.

—No me lo puedo permitir —afirma ella, mirándole directa a los ojos y agarrándole la mano por primera
vez—. Si para usted no es mucha incomodidad, claro.

—¿Incomodidad? —resopla, alzando una mano
para pedir la cuenta—. Lo que es usted es un regalo, Mónica. Un regalo inesperado.

El primer beso, que parte de Mónica y tiene lugar en
el ascensor, obra ese milagro que ya sólo se ve en algunas
películas de factura clásica: abandonan el trato de respeto
y abrazan el tuteo. Ella pasa al baño, se da una ducha en el
estrecho plato y sale desnuda, oliendo a lavanda y a jazmín.
En todo ello ve el profesor de literatura algunas reminis-

cencias del mundo de ficción al que tantas horas ha dedicado a lo largo de su vida. Corre las cortinas mientras ella se tumba en la cama y se apresura a arrodillarse al lado del cuerpo de la diosa, para adorarla como es debido. Mónica cierra los ojos y paladea esta situación, que se está revelando mucho más placentera de lo que imaginaba mientras la planificaba, en la frialdad de su enorme piso. El profesor no ha resultado ser una momia que apesta a alcanfor, sino un adorable hombrecito con las mismas necesidades que todos los demás pero mucho más tacto a la hora de expresarlas. Cualquiera le consideraría un reprimido, incluida su mujer, pero a ella le inspira una inédita ternura.

Por un momento, mientras con su boca de labios finos el profesor titular de literatura española de los siglos XIX y XX le chupa el pezón derecho, siente piedad de él y llega a pensar en abandonar sus planes. Sin embargo, una sola frase le basta para olvidarse de la piedad y recordar aquello que le ha traído hasta aquí. La frase la pronuncia él antes de la interrupción:

—Perdón, tengo que llamar a mi mujer.

Aquello que la ha traído hasta aquí relampaguea ante sus ojos con furia, aunque ella cierre los ojos y se haga la dormida: Venganza.

Interruptus

—Pobrecito, tiene voz de cansado. Esos cursos tan especializados son terribles —dice Ángela cuando cuelga el teléfono.

Alberto no comprende nada y pone cara de ello.

—Mi marido es profesor universitario. Ahora está en un curso, en Toledo. Jornadas maratonianas. Regresa a casa que no se tiene en pie.

—¿Profesor de qué?

—De Diecinueve y Veinte.

Alberto boquea y se encoge de hombros.

—Perdón. Literatura española de los siglos XIX y XX.

—Joder. ¿Hay gente que estudia eso?

—Ya lo creo. Y no poca. Cada vez hay más alumnos.

Por su expresión, se diría que Alberto está cuestionando los gustos de los estudiantes. Aunque sabe ser discreto.

—Por eso no le queda energía para otras cosas. Lo académico se lo lleva todo.

Asiente Alberto. Ángela mordisquea otra hoja de lechuga.

—¿Nos vamos? —propone ella.

Piden café y la cuenta. Ángela parece animada ante la posibilidad de continuar con las lecciones de erotismo oriental.

—Últimamente he hecho grandes avances —le explica, ya en la calle—. Hace unos días, por ejemplo, tuve un orgasmo de cinco horas sin ningún tipo de estimulación física, mientras veía el programa de Sánchez Dragó en la tele.

La representación de la otra vez comienza nada más traspasar el umbral:

—Necesito prepararme. ¿Dónde está el cuarto de baño?

Al salir del servicio:

—¿Tienes velas?

Al ver la cama:

—¿Te importa si ponemos el colchón en el suelo?

Inspeccionando los discos compactos:

—¿No compras nunca música de relajación?

Antes de desnudarse:

—¿Me prestas alguna prenda holgada y larga?

Al tumbarse:

—¿No tendrás incienso, por casualidad?

Ya tumbada:

—¿Podrías bajar un poco la luz?

Mirando al techo con aire soñador:

—¿No te fumarías un porro?

Tienen que conformarse con un par de tragos largos de ginebra, pero a Ángela no parece importarle. Alberto se desnuda, se tumba junto a ella y aprovecha los efectos que pueda tener el alcohol para proponerle, ni que sea por una noche, una vuelta a la tradición occidental.

—Después de todo, es la nuestra, mujer, y no puede ser tan mala —dice, para convencerla.

—Ni buena —afirma ella, sin demostrar una sola fisura en sus convicciones.

Pero, transcurridos unos pocos minutos, añade:

—Hace mucho que no lo hago. Por una vez no pasará nada.

Alberto no lo piensa más y, antes de permitir que cambie de opinión, se arroja sobre ella. Ángela lanza un pequeño grito de horror que él silencia con un largo beso en los labios. Para retenerla más aún, lleva otra de sus manos a la nuca de ella, donde se enmaraña con su media melena, y desde allí presiona la cabeza de la chica contra la suya. Cualquiera diría que este primer beso, o la ginebra, ha tenido sobre Ángela efectos narcóticos. Lo siguiente es dejarse llevar por él, que la manipula como a una muñeca: le quita la camiseta holgada que antes le dio, le recoge el pelo en una pinza para que no estorbe y la voltea de modo que pueda tener acceso a su espalda y su culo mientras la cabeza se hunde por voluntad propia en la almohada. Le ruega al oído que separe las piernas y ella lo hace sin protestar, aunque murmura algo que él no entiende (en realidad, farfulla, encantada con la situación: «Es todo tan genital...»). La maniobra final de Alberto consiste en separar las nalgas y buscar tesoros donde sabe que podrá encontrarlos. No ha hecho más que rozar el ano con los dedos cuando ella lanza un gemido prolongado y endeble, como de animalito, levanta la cabeza y le mira con ojos soñolientos. Sin embargo, esa mirada entregada dura muy poco, apenas unas décimas de segundo. Enseguida se desvía el interés de Ángela hacia un punto más lejano de la habitación, se abren sus ojos como platos y su gemido animal se transforma en un grito de pánico al que sigue un brinco que la deja sentada en la cama y más despierta que nunca jamás.

—¡Paulina! —exclama.

Alberto se sobresalta también.

—Acabo de ver a Paulina. A través del espejo —dice, visiblemente alterada.

Señala hacia el armario de tres cuerpos, en cuyas lunas se refleja parte de la habitación.

—Estaba en la mecedora. Sonreía —añade.

En ese momento, suena *Pretty Woman* en el teléfono de Alberto.

—Dime, Mónica.

—¿Interrumpo algo?

—No hagas preguntas tontas. ¿Dónde estás?

—En la carretera, a casi trescientos quilómetros de casa. Me aburría y he pensado que podría hablar un rato contigo, si no te molesto.

—Tú no molestas nunca, preciosa.

Venganza (2)

Debería haberlo advertido, piensa Epicteto Morrón en la soledad del cuartucho del hostal toledano. La lógica de las cosas suele ser más compleja, más maquiavélica. Si las mujeres listas y bonitas andaran por ahí acostándose con profesores de literatura, todo el mundo querría ser profesor de literatura. Si acostarse con una mujer como Mónica fuera tan fácil, el mundo sería un lugar más amable, los varones unos seres menos díscolos y la felicidad un bien al alcance de todos los seres humanos. Por desgracia, las cosas no funcionan de ese modo. Epicteto lo sabe, o lo sabía antes de que la presencia de Mónica le deslumbrara por completo y le hiciera creer lo que en su juicio nunca hubiera creído. Ahora, solo en el cuarto, observando las luces que se mueven por el techo como peces en su acuario, siente que ha sufrido un espejismo. Un espejismo hermoso, que mientras ha durado le ha producido un intenso placer, pero del que ha despertado con un dolor agudo como de cólico o flemón.

De la escena amatoria que han protagonizado Epicteto y Mónica sobre el catre de noventa centímetros de ancho por ciento ochenta de largo, no daremos detalles. Sólo quedará apuntado que, de resultas, a Epicteto le queda un ligero escozor en el ano, además de una sensación de bienestar general parecida a la que experimenta un heroinómano durante el efecto de su droga. Para Mónica la cosa habrá sido menos memorable, aunque reconocería, llegado el caso, que no hay amante más agradecido que aquel que lleva demasiado tiempo concentrado en otras cosas, o aquel que se halla en el convencimiento de no ser demasiado brillante en posición horizontal. En Epicteto coinciden ambas circunstancias y ella, como hembra inteligente que es, ha sabido sacar partido de la situación.

Sin embargo, durante la lasitud del post-coitum, en ese momento que la mayoría de la población utiliza para las confidencias, el ronroneo, el cigarrillo o el comentario de la jugada, ella lanza su bomba de relojería:

—¿Sabías que la principal causa de infidelidad femenina es la venganza?

Él la toma en serio, claro, en realidad no tiene motivos para no hacerlo.

—Pues no. Desconocía el dato, francamente. Me parece curioso.

—Aunque técnicamente, yo ya no estoy siendo infiel a mi marido.

—Claro, mujer, tu viudez te exime de toda culpa —argumenta él.

—En realidad no, Epicteto. No soy inocente en absoluto. Quería acostarme contigo desde antes de conocerte.

Esa es la frase que rompe el encantamiento. La que obliga al anodino profesor a reconocer que no han sido sus méritos, ni académicos ni personales, los que han atraído a Mónica hasta la estrechez de su cama. La que le obliga a ver a la mujer real que le acompaña y no a la que él ha querido inventar. Lo cual terminará en hecatombe, porque cuando los hombres se empeñan en ver a las mujeres como son es cuando en realidad empiezan a no verlas en absoluto.

—Lo siento, pero me temo que no comprendo nada —dice él, a media voz, invadido por un repentino desvalimiento.

Mónica consulta la hora y hace sus cálculos. Cumplido su objetivo, puede regresar a casa. Conducir de noche siempre le ha gustado, y si sale ahora puede llegar antes del amanecer. No lo piensa dos veces. Mientras se viste, termina lo que ha empezado y le habla a Epicteto de Samuel, de Ángela, de los supuestos partidos de pádel de su difunto, del apartamento en el que mantenía encuentros fortuitos con hembras de toda calaña —de nuevo deja caer una mención a la señora Morrón— y hasta de los vibradores que descubrió en el armario en su visita reciente. Intenta no olvidar ni un detalle, en el convencimiento de que su oyente está tomando buena nota de ello y que sabrá transmitírselo a la única que de verdad ha estado en su punto de mira desde el principio: Ángela.

—Pues me dejas anodadado, la verdad —es lo único que es capaz de mascullar Epicteto antes de dejar que Mónica se vaya del mismo modo que se permite que los astros se muevan o que transcurran las horas.

No hay beso de despedida porque no tendría sentido. Sólo una frase de consolación antes de cerrar la puerta:

—Me lo he pasado muy bien, Epicteto. Cuando quieras, repetimos.

Suficiente para sentirse moderadamente satisfecho pese a todo.

Manifestaciones

Ángela se halla en pleno arrebato místico junto a la mecedora donde, se supone, acaba de manifestarse el fantasma de Paulina.

—Estaba muy guapa con su minivestido rojo. Creo que es el mismo que llevaba cuando murió. Quiero decir cuando la mataron.

Alberto no encuentra nada que añadir.

—Parecía contenta —continúa ella—. Y muy serena. Sonreía. Le brillaba el pelo, como recién lavado. Y tenía algo en la mano. Algo redondo. Tal vez una naranja —Ángela parece meditar algo con gran dificultad—. Cuando los muertos regresan es porque quieren decirnos algo. Igual Pau se manifiesta para revelarnos el nombre de su asesino.

La última frase la ha pronunciado con un brillo intenso en la mirada. Alberto empieza a pensar que ha sub-

estimado a la directora de recursos humanos: no se trata
de una chica rarita, aficionada a follar complicándose la
vida; se trata de una perfecta desequilibrada, que ve muer-
tas comiendo naranjas en las casas ajenas.

Intenta hacerla entrar en razón:

—La pérdida de Paulina ha sido un duro golpe, pero
no debes dejar que te afecte tanto. Es malísimo para ti.

Ahora Ángela le dirige una mirada vacía, húmeda,
saltona. Una mirada que haría perder la calma a cualquiera. Por fortuna, Alberto no se altera.

—¿No me crees? ¿Crees que no la he visto? ¿Qué
crees que estoy haciendo? ¿Mentirte?

—No, mujer, no saques las cosas de quicio. Sólo te
digo que el dolor puede llegar a desequilibrarnos.

Ha elegido la palabra equivocada. Antes de terminar la frase ya se ha dado cuenta.

—¿Desequilibrarnos? ¿Te parezco desequilibrada?
Estaba ahí, en tu mecedora. Si me atreviera a sentarme en
ella te enseñaría en qué postura. La he visto claramente a
través del espejo del armario. Llevaba su vestido rojo y se
estaba comiendo una naranja. Y se la veía estupenda. ¿Tú
crees que todo eso puede inventarse, así, de una vez?

Hace mucho que Alberto no subestima las posibilidades de la invención femenina, pero no es este el momento de hablar de ello.

—Ángela, me estás hablando de una persona que
murió la semana pasada.

—La asesinaron —puntualiza ella.

—Da lo mismo. Me hablas de una muerta. No
puede estar en mi mecedora a estas horas, y menos co-

miéndose una naranja. ¿No te das cuenta de que es absurdo?

—No me parece tan absurdo. Tal vez tiene algo que decirnos. Y tal vez la naranja simbolice algo. Yo creo en estas cosas. Ya me doy cuenta de que tú no. Lo que no se ve también existe, ¿sabes? Lo que ocurre es que hay muy poca gente preparada para entenderlo.

Sí, claro, piensa Alberto: existe la esquizofrenia, la paranoia, la manía persecutoria, el delirio, la psicosis y hasta el insomnio. Son las pocas cosas invisibles en las que cree. El resto, le parece un empacho de ficción. Y la ficción, sobre todo cuando se confunde con la realidad, puede resultar muy perniciosa.

Ángela, de pie junto al armario, acaricia la mecedora como si estuviera a muchos quilómetros de allí. Piensa en voz alta, susurrando:

—Lo lógico sería que Paulina quisiera darnos a conocer el nombre, y tal vez algún dato, de su asesino, para que podamos vengarla. En un caso como el suyo estaría más que justificado. No sé mucho del asunto, pero parece lo más probable. Mañana llamaré a una amiga médium, para que me dé algún consejo.

Alberto se pregunta por qué pluraliza. Ante su incapacidad para encontrar respuestas, la misma que para hacerse con el control de la situación, decide darse una ducha. Comportarse del mismo modo en que lo haría si Ángela no estuviera allí o fuera un fantasma.

—Tal vez haya alguna manera de invocar a su espíritu para que vuelva… No tengo ni idea de por qué se habrá ido, con lo a gusto que se la veía… A no ser que la llamada la haya ahuyentado. No sé qué tal es la relación entre los espíritus y las nuevas tecnologías —sigue murmurando ella.

Ángela se cubre de nuevo con la camiseta y corre a buscar las velas que Alberto ha rescatado del fondo de un cajón para crear alrededor del tálamo un ambiente adecuado. Las disemina alrededor de la mecedora, convirtiéndola con ese solo gesto en un objeto de culto. Luego se sienta frente al conjunto, en una de esas posiciones que los orientales adoptan para meditar, cierra los ojos y eleva un poco la voz al decir:

—Paulina, si estás aquí, manifiéstate.

Bajo el chorro de agua tibia, lo único que se le manifiesta a Alberto es su pene, arrugado de frustración.

La jungla de Lady Chatterley

El adulterio es una forma muy convencional de elevarse por encima de lo convencional. Lo dijo Vladimir Nabokov, el autor de *Lolita,* al hablar de *Madame Bovary,* de Flaubert.

En la soledad de su cuarto, el profesor Epicteto Morrón medita el caso según la casuística que mejor conoce. La historia de la literatura está sembrada de seres aburridos que empujaron a sus esposas a los brazos de amantes más dispuestos. No debe pensar mucho para recordar los esfuerzos de Flaubert al subirse una vez a la semana a la recién inaugurada línea del ferrocarril que separaba Rouen de París, donde se veía con la adúltera Louise Colet y donde plantaba cara a sus reproches. Ella no tenía suficiente con aquellos encuentros breves y espaciados. Las mujeres, muchas veces, no tienen suficiente. No entiende Epicteto, y sabe que Flaubert le habría dado la razón en secreto, por qué la fama de impetuosos insatisfechos la tienen ellos, los hombres, cuando a menudo la realidad es tan distinta. Recuerda lo mucho que disfrutó preparando una ponencia acerca de cómo la implantación del ferrocarril propició el adulterio entre las clases intelectuales europeas. Dentro de unos años podrá hablarse en idénticos términos de la telefonía.

Sin embargo, cuando repara en su caso en particular, enseguida acude a su mente Constance Chatterley, la chiquilla de veintitrés años, casada con un tullido de guerra, tan necesitada de contacto carnal que lo busca en el fornido guardabosques de la finca de su marido, quien después de proporcionarle varios orgasmos, al parecer, muy satisfactorios, la sodomiza en la oscuridad de su cabaña. Se pregunta ahora Epicteto si su esposa, bastante más joven que él, no habrá sido desde hace tiempo una Lady Chatterley silenciada. Cuanto más piensa en las coincidencias, más se alarma: también Ángela, como la heroína de la novela de Lawrence, se casó con él después de haber conocido el sexo con distintos novios adolescentes y universitarios. Él, el cambio, y pese a que reconocerlo le causaría un rubor inconfesable, llegó virgen al matrimonio, inexperto por completo. En realidad, no lo era por falta de ocasiones, porque si se paraba a pensarlo podía hallar el profesor en su pasado el rastro de alguna fémina con quien no hubiera sido imposible alcanzar el ayuntamiento carnal. Lo suyo era más bien ausencia total de interés. Solía decir, las escasas ocasiones en que meditaba sobre ello en público, que el esfuerzo que cualquier acto físico requería no se compensaba con el beneficio obtenido. Lo mismo, por cierto, que alguna vez había afirmado al analizar el personaje de Geoffrey Chatterley, el marido consentidor y, por tanto, cornudo sin derecho a nada: Chatterley era tullido de guerra, inválido de cintura para abajo, es cierto, pero los especialistas —y él era uno de los mejores— solían coincidir en que su incapacidad era, sobre todo, simbólica, y reforzaban su tesis en algunos artículos escritos por el autor para defender su obra cuando toda la sociedad bienpensante de Inglaterra le acusaba de obsceno y de pornógrafo. Como suele suceder a muchos especialistas en este tipo de cuestiones, el profesor tiene ahora la sensación de conocer mucho mejor a Constance Chatterley que a su propia esposa. Por eso sigue recordando pasajes de la novela para dar un poco de coherencia a su propia historia. Recuerda, por ejemplo, un diálogo breve que sigue a una de las explícitas escenas de sexo en la cabaña del guardabosques. Constance y su fornido amante acaban de experimentar un orgasmo compartido —un prodigio del que Epicteto no tiene noticia más que por ésta y alguna otra novela— y él cree necesario dar una explicación al respecto. Es entonces cuando el guardabosques dice algo que ahora él interpreta como una sentencia: «Mucha gente nunca se corre al mismo tiempo. Se les nota por la cara de amargados.»

Nunca se había detenido Epicteto a analizar su existencia a la luz de una de sus novelas más estudiadas. Ahora que lo hace es como si por primera vez se diera cuenta de sus fallos, aquellos que han empujado a Ángela al adulterio, los mismos que hicieron de lady Chatterley la amante sodomita del guardabosques. A propósito de la sodomización, otra experiencia de la que Epicteto sabe únicamente por los libros, recuerda ahora un pasaje bastante largo de la novela de Lawrence que gusta de citar una y otra vez y que empieza «Fue una noche de pasión sexual». Allí se describe un encuentro amoroso de fogosidad tal que ha conducido a la protagonista «al mismísimo corazón de la jungla de sí misma». Las palabras se agrupan y se confabulan ahora para repetir aquel pasaje de voluptuosidad casi escabrosa en la memoria de Epicteto. Le gustaría saber si Ángela ha sentido alguna vez que llegaba al mismísimo corazón de la jungla de sí misma. Y, ya puestos, le gustaría saber con quién ha experimentado esa sensación, porque lo único que le queda claro al profesor Morrón, y más después de esta noche, es que no ha sido a su lado ni gracias a ninguna de las prácticas eróticas en las que se puede considerar hábil. Él, como Chatterley, tiene conciencia de sus propias limitaciones y hasta asume el adulterio de su mujer como un fallo propio. Otra cosa es que le deje indiferente —y en eso se distancia ostensiblemente del personaje de la novela— o que no esté dispuesto a remediarlo. Él no es un tullido de guerra, no se desplaza en silla de ruedas, ni necesita a Ángela lo mismo que a una asistenta o a un ama de llaves. Él está dispuesto, y toma la resolución mirando al techo y todavía inhalando el perfume de la fugaz Mónica, a hacer algo para remediarlo.

Intenta pensar en algo muy lúbrico, en un objeto, una palabra, lo primero que sea capaz de traer a su mente, con tal de que sea lo más guarro que ha imaginado en su vida. De nuevo acuden las palabras del guardabosques cuando, tumbado al lado de lady Chatterley, le dice cosas de una procacidad fuera de lo común: «Eres un buen coño. El mejor coño que queda en el mundo.» Epicteto no puede pensar en decirle nada parecido a Ángela sin suscitar en ella una carcajada de nerviosismo. Por otra parte, sospecha ahora que antes otros le habrán dicho a su mujer cosas igual de procaces, o puede que más. Debe inventar otra estrategia. Consigue dejar a un lado a Lawrence y recordar las palabras de Mónica cuando le habló del lugar donde Ángela cometió adulterio. Un piso pagado por su amante. Se refirió también a cierta juguetería erótica. Vibradores de varios tamaños y texturas. Se demoró en la breve descripción de algunos de ellos, piensa Epicteto que del mismo modo en que habría hecho Lawrence de haber dispuesto en su tiempo de esa información. Desde luego, el guardabosques de la novela es el perfecto usuario del vibrador tal y como se conoce en nuestros días, y se le antoja que ella, Constante Chatterley, la perfecta beneficiaria. En su imaginación perversa, protegida por la nocturnidad y la búsqueda de soluciones, llega Epicteto a imaginar una cruenta escena de sodomía con aparatos vibrátiles en la cabaña del bosque. Eso hubiera vuelto loca a la heroína de la novela, tan dúctil a la hora de dejarse conducir al placer físico, de dejarse transformar en un objeto pasivo y aquiescente, una esclava física, y de hallar gusto en ello. Mientras piensa en esa escena, transformando a lady Chatterley en Ángela y asumiendo durante unos segundos el papel, demasiado grande para él, del guardabosques, se imagina penetrando a su dulce y adúltera mujercita con uno de esos aparatos que él nunca ha probado, mientras ella chilla de placer y alcanza, por una vez en sus brazos, el mismísimo corazón de la jungla de sí misma.

En el paroxismo de su exaltación literaria y de la otra, llega a estar seguro de que un artilugio igual —vibrátil, de proporciones generosas, acaso escamado de rugosidades— habría hecho mucho bien a la mayoría de heroínas adúlteras del siglo XIX. Cuán distinta, se dice, hubiera sido la soledad de la joven Ana Ozores en la aburrida ciudad de provincias donde su marido fue Regente de la Audiencia, de haber dispuesto de él. Qué alejada de su mala suerte imaginaba a Anna Karénina si hubiera podido distraer su tristeza con las tres velocidades de un aparatito semejante. Ya puestos, llegó a imaginar Epicteto, no le habría venido mal tampoco el portento a Sofía, la despótica esposa del buenazo de Tolstoi, aplacando sus ínfulas de matrona resabiada con el electrodoméstico, cómodamente instalado bajo sus siete faldones.

Y en estas delicias de su ensoñación, imaginando a todas esas ninfas decimonónicas entregadas al jugueteo lúbrico consigo mismas, Epicteto se duerme, mucho más tarde de lo que en él es habitual, sin recordar que debe programar la alarma del teléfono y sin sospechar que mañana llegará tarde a la mesa redonda *La generación del 27 ¿están todos los que son y son todos los que están?,* para la que fue convocado.

La mecedora

También Alberto se acostó tarde, dejando a Paulina en el suelo, frente a la mecedora, rodeada de velas a medio consumir. Antes de cerrar los ojos, se entretuvo en algunas lucubraciones. Rememoró para sí la historia de aquel mueble doméstico, la mecedora, varada junto al armario durante, por lo menos, dos lustros. Conviene puntualizar, lo primero, que la suerte le vino al objeto en cuestión muy determinada por sus escasos méritos. Fabricada en una madera poco noble —pino, haya, quién sabe— y perteneciente a esa generación de mobiliario armable con que la modernidad azota a las nuevas generaciones, la mecedora llegó a la casa como parte del ajuar de Lorena, la novia, quien la había comprado algún tiempo atrás pensando en su habitación de soltera. Ya en el piso, fue barnizada y repintada en un par de ocasiones. En una de esas transformaciones adoptó su color actual, más bien tirando a cerezo, que tanto le gustaba a la futura esposa abandonahogares. De modo que la mecedora es una de las pocas reliquias que recuerdan el paso de ella por el piso, una suerte de testimonio de que alguna vez estuvo allí, piensa el director de márqueting antes de cerrar los ojos, y a la vez un mudo compañero de su mismo destino: el de trasto abandonado, el de objeto que dejó de interesar a su dueña, el de parte del pasado que ya no merece ni el esfuerzo de volverse a mirarlo por última vez. Todo ello son razones más que suficientes para desear con todas sus fuerzas librarse de ella, de la mecedora, y también del recuerdo todavía doloroso, cada vez menos alcohólico y a ratos aún desesperado de su vida con Lorena.

Hay mujeres que desaparecen con todas sus pertenencias. Se llevan hasta la última bola de algodón del baño, hasta la última fotografía en la que aparecen. Sin duda son más caritativas que las otras, porque se esfuman borrando cualquier rastro de su paso por tu vida, y te evitan el trance de tener que enfrentarte a los cadáveres de tu antigua felicidad que surgen de todos los armarios. También las hay que se van sin equipaje o con apenas cuatro objetos imprescindibles y lo dejan todo tras de sí, hasta el vestido de novia, como si en lugar de marcharse hubieran muerto. Por fortuna, Lorena pertenecía al primer grupo. Con la excepción de la mecedora, claro está.

Cuando, a primera hora de la mañana, Ángela formula su pregunta, él no alberga dudas. Sin embargo, la cuestión es tan extraña que le pide que se la repita:

—¿Me regalas la mecedora?

Ni la ducha ni el café consiguen borrar las ojeras de la cara de Ángela.

—¿Has pasado toda la noche ahí?

—Sí, pero no ha habido suerte —dice ella, con expresión de tristeza.

Alberto no sabe de qué le habla.

—Paulina no ha vuelto —aclara ella—. Aunque estoy segura de que todo es cuestión de insistencia y fe. Por eso quiero llevarme la mecedora, para no tener que volver a tu piso cada noche cargada con las velas, el incienso y lo que sea.

Desde luego, Alberto está de acuerdo con ella en todo. Sería muy molesto soportar sus arrebatos de fe todas las noches. Más aún porque esta noche piensa llevar a cenar a Mónica a un buen restaurante, y espera que la velada termine en su piso.

—¿Qué dices? ¿Me la puedo llevar? —Ángela repite la pregunta.

—Claro, mujer. Me haces un favor. Estaba pensando en tirarla.

—La verdad es que no es muy bonita —medita ella, en voz alta—, pero ahora eso ya no importa. Lo que realmente tiene valor es su poder como objeto mediador, es una especie de ouija. Pau se manifiesta a través de ella, aunque todavía no sé por qué. Puede que le gustaran las mecedoras.

Alberto no se siente con fuerzas para proseguir esta conversación. Termina de vestirse y ordena las cosas de su maletín antes de sentarse al borde de la cama para ponerse los zapatos, el último gesto de todos los días antes de salir hacia la oficina.

—¿Hace mucho que vives solo? —pregunta Ángela.

Finge no oír la pregunta. No quiere dar explicaciones. No sobre Lorena y los ocho meses que hace que se largó con otro alegando que entre ellos se había terminado la pasión hacía tiempo y acusándole de insensible por no haberse dado cuenta todavía. Luego supo, por distintos confidentes de borrachera igualmente abandonados por sus legítimas, que esta suerte de argumentación basada en la retroactividad es un escudo que ellas suelen utilizar cuando deciden largarse con otro. Al principio todo resultó insufrible. No porque le pesara la domesticidad o no estuviera acostumbrado a plancharse los pantalones.

Él estaba por encima de todo eso: era un hombre moderno educado en la paridad a quien no le dolían prendas si tenía que empuñar la plancha, el estropajo o la espumadera. Lo suyo era mucho más patético, y hubiera dado varios años de su vida por llevarlo mejor: estaba enamorado de ella hasta el tuétano, tenía planes de futuro mil veces vislumbrados que sin ella perdían todo sentido, ni siquiera el presente tenía valor si Lorena no estaba con él. Sencillamente, aquella deserción de una vida que trazaron juntos y en la que hasta ese momento nunca se había imaginado solo se le hacía indigerible.

Su primera reacción fue una caída en el lugar común: se emborrachó, estrelló lozas y porcelanas por el piso, vertió lágrimas de rabia ante Samuel (en calidad de mejor amigo), renovó su repertorio de insultos contra las mujeres y hasta acarició la idea de un suicidio discreto e indoloro. Luego se le ocurrieron algunas alternativas: vender el piso y marcharse a otro lugar donde no le hirieran los recuerdos. Comprarse un velero y recorrer el mundo. Mudarse a la Selva Negra, al Amazonas, al Tíbet (era la segunda fase de su desconsuelo, caracterizada por un desvarío mucho más festivo). Pasados algunos meses fue capaz de verle las primeras ventajas a su nueva situación: gastaba menos papel higiénico, no tenía que limpiar la gota que siempre moja el retrete al mear, podía deleitarse con la muerte lenta por deshidratación de las plantas (compradas y puestas ahí por Lorena, claro está). Fue el principio de la cicatrización definitiva. Cuando terminó, se dio cuenta de que había aprendido a vivir con su memoria, algo que todas las personas deben hacer, tarde o temprano.

—Si te parece bien, vendré esta noche a recoger la mecedora. Cuando salga de la oficina —dice Ángela.

—Mejor mañana —responde Alberto, pensando en sus planes para hoy—, a la hora que quieras.

—Está bien. Mañana. Pero prométeme que dejarás, al menos, una vela encendida.

Desde la puerta le llega la respuesta. Alberto está haciendo acopio de llaves y el tintineo se confunde con su voz alterada:

—¿Estás loca o qué? ¿Quieres que se me queme la casa?

Por fortuna, él no puede oír el comentario que sigue, y que Ángela realiza con total seguridad:

—No se quemaría nada. Pau protege esta casa.

—Cierra de golpe al salir —es la despedida de él.

Y ella, desde el cuarto de baño:

—Descuida.

Iniciación

Al traspasar la puerta esmerilada de la juguetería para adultos, el profesor Epicteto Morrón siente que penetra en un mundo ignoto, del que ninguna referencia tiene por nada de lo que ha leído jamás. Ante sí, un pasillo sumergido en una semioscuridad azulada y con las paredes cubiertas de objetos que llaman su atención. Al fondo, tras el mostrador, un chaval no muy alto, ataviado con una camiseta negra de tirantes y una gorra con visera. En este momento, no hay ningún otro cliente en el establecimiento, lo cual le ayuda a sentirse algo más tranquilo. Enseguida cree reconocer en uno de los escaparates laterales lo que está buscando. Sin embargo, la variedad y la cantidad con que se encuentra es algo que no había previsto. En sus escasas luces en el asunto, había pensado que su propósito sería sencillo. Llegar, pedir lo que desea y salir con un paquete en las manos. Nada de eso. A la vista de los productos exhibidos tras el cristal, ya no tiene la menor idea de lo que desea. Desde el fondo del local, el muchacho de la gorra le pregunta si le puede ayudar.

—De hecho, sí —responde Epicteto, contemplando confuso la mercancía.

El chico acude, diligente, a su cometido. Le pregunta qué está buscando.

—Un vibrador —responde él.

—¿Cómo lo quieres?

La falta de información le deja sin respuesta. En realidad desconoce las prestaciones de cualquiera de los aparatos que ve. Los reclamos de algunos de los envases llaman su atención, pero es incapaz de decidirse.

—¿Es para un chico o para una chica? —pregunta el vendedor.

—Para mi mujer.

—Perfecto, entonces es más fácil.

Esta primera información parece haber decantado al muchacho hacia una determinada gama de productos. Extrae una llave del bolsillo de su pantalón y abre la vitrina.

—¿Lo quieres en algún tamaño especial? —vuelve a preguntar.

Epicteto se siente enfrentado a un interrogatorio imposible.

—Pues no... No sé... De tamaño normal.

—Uy, en esto no hay normalidad. Dependerá de cómo os guste. ¿Muy duro o más bien blando?

Epicteto siente que la duda le palpita en las sienes, como una fiebre.

—Verá, no tengo mucha experiencia en esto. Tendrá que orientarme —confiesa.

—Muy bien. Entonces, yo te recomendaría uno de estos dos.

Le muestra un par de cajas. El plástico exterior es transparente, de modo que deja ver muy bien lo que contiene. En una de ellas puede leerse: «Fabricado en gelatina. Tacto prácticamente humano». Excepto por el color —un rosa intenso— tiene la apariencia de un pene común y corriente, algo más desarrollado y lozano que el suyo y, por supuesto, en erección. El otro es negro. En el envoltorio se lee: «Motor estanco. Goce total sin límites». El vendedor informa:

—Este negro es de látex. Ambos vienen con pilas alcalinas incluidas.

—¿Y tiene que ser negro? —pregunta Epicteto.

El chaval echa una ojeada rápida:

—Lo siento, pero en color carne se me han terminado. En tres o cuatro días lo recibiré de nuevo.

—No importa, me llevo éste —el profesor se decanta por el rosa.

Con un par de movimientos rápidos, el vendedor devuelve las cosas a su lugar y cierra la vitrina. Ya frente a la caja registradora pregunta si lo envuelve para regalo.

—No. No es necesario.

—¿Necesitas algún lubricante?

Más tarde pensará Epicteto si ha sido su inexperiencia, que salta a la vista, la que ha llevado al chico a formular esa pregunta. Sin embargo, en el momento le parece interesante:

—¿Lo cree usted necesario?

—Son muy prácticos. Yo siempre los uso.

Le intriga la ambigüedad de esta última frase, cuyo contenido le hubiera gustado al profesor desarrollar. De inmediato se decide por un frasco de lubricante natural *Cinco rosas* de un cuarto de litro.

—A mí estos me duran una semana, como mínimo —prosigue administrando información el chico, con toda generosidad—. Claro que eso depende de la frecuencia con que lo uses.

Antes de finalizar la transacción, el vendedor informa de algunas de las necesidades de conservación del producto:

—Cuando terminéis, no te olvides de lavar el vibrador con agua y jabón. Sólo agua y jabón. Siempre intentando no mojar la parte de las pilas, claro.

Le ha impresionado la profesionalidad del chico, sus buenas maneras al mostrarle el funcionamiento del juguete, sus distintas velocidades, la recámara donde van las baterías y todo lo demás. Mientras su tarjeta de crédito es aceptada, Epicteto, ya mucho más cómodo y con su adquisición en una bolsa negra, se entretiene en mirar a su alrededor. A la derecha del lugar donde está, sujeto a una vitrina, se sugiere a la clientela la necesidad de adquirir una práctica bolsa donde guardar el vibrador para poder llevarlo siempre encima, por si surge una necesidad. Está redactado en forma de decálogo y enseguida advierte Epicteto que se dirige a un lector femenino. Se titula *Diez razones para llevarlo siempre contigo*. El profesor lee los distintos apartados con una sonrisa en los labios: 1. No quiere ver el fútbol. 2. La erección le dura lo que tú quieras. 3. No te pide que se la chupes a cambio...

—Jeje, es ingenioso esto... —murmura.

Cuando sale de la tienda, Epicteto siente que lleva en sus manos la solución a todos sus problemas. De algún modo, esta ceremonia de iniciación le ha transformado en otro hombre.

Preliminares

Alberto no lo dice, pero prefiere pasar la noche lejos de la mecedora. Por eso le parece tan acertada la propuesta de Mónica de cenar en algún lugar bonito y caro y luego tomar una copa hasta tarde. Sin embargo, el sitio elegido por la mujer está muy cerca del piso de los encuentros fugaces de Samuel y a ella se le nota demasiado que quiere sacarle información al respecto.

—Supongo que tú ya sabías de la existencia de ese lugar. Samuel debió decirte algo. Eras su mejor amigo.

La verdad es que Samuel no hablaba mucho. No era el típico machito que alardea de sus triunfos con las chicas. Unas pocas pinceladas cuando se hablaba de ellas le permitían a Alberto estar sobre la pista de los últimos nombres incorporados a la lista, que ya era infinita. El gusto de Samuel por las mujeres era casi patológico, y su energía en estos asuntos del sexo y la seducción, más propia de un héroe mitológico que de un ser humano normal. Por eso le gustaba ejercer de tutor de los escarceos ajenos, sobre todo de los de su mejor amigo. No sólo para cederle algunas chicas que a él ya no le interesaban tanto, también para entregarle una copia de la llave de aquel piso clandestino y concederle su bendición para que lo utilizara a su antojo.

—Hay mujeres de todo tipo: de hotel, de piso y de mansión. También las hay de coche y hasta de lavabo público, pero esas ya no me interesan tanto. Digamos que ya pasé esa etapa —solía decir Samuel.

Alberto no tiene una teoría tan formada sobre tipologías femeninas, del mismo modo que sus necesidades son más fáciles de satisfacer que las de su amigo. De hecho, se contenta con una mujer que duerma a su lado y que le ayude a eyacular un par de veces por semana. Todo lo demás es más o menos accesorio.

La repetición de la pregunta saca a Alberto de sus cavilaciones:

—¿Sabías del piso o no?

—Me habló de él, sí —reconoce.

—No hace falta que disimules conmigo. Ya sé con qué tipo de cabrón estuve casada. Ni siquiera me extrañaría que lo hubierais usado alguna vez para practicar el sexo en grupo.

—Nunca llegamos a tanto, pero no voy a negarte que alguna vez estuve allí.

—Me lo imaginaba.

Mónica hace una pausa para saborear el vino. Alberto siente que los movimientos de ella le provocan un efecto similar a la hipnosis. Lo único que le queda claro al observarla como lo hace es que Samuel era un imbécil.

—¿Tú también tienes la teoría de que hay mujeres para cada sitio? —pregunta ella.

Alberto abre mucho los ojos.

—¿Pensabas que no lo sabía? —se le escapa una carcajada a Mónica—. Ya veo que sorprenderte es extremadamente fácil. Yo, por ejemplo. Yo nunca fui chica de coche, ni de baño público, ni de portal. En general, no fui nunca chica de espacios abiertos o con poca intimidad. Como mucho, de hotel y de apartamento, aunque por aquel entonces Sam no tenía picadero.

Toma un bocado y prosigue:

—Paulina, por ejemplo, era diferente. Ella era de hotel. No sé por qué no se la tiraba en el piso. ¿Lo sabes tú?

—Paulina era muy indiscreta.

—Yo diría muy ambiciosa.

—En todo caso, Samuel lo sabía. No era tonto.

Otra carcajada, esta vez cargada de amargura, precede a las palabras de Mónica:

—No, desde luego. En lo que se refiere a mujeres era muy difícil engañarle.

Las pausas de Mónica parecen cargadas de significado. Tanto, que a Alberto le infunden respeto sus ojos esquivos, sus dedos juguetones con las bases de las copas. Es como si esperara a que, de un momento a otro, cualquier cosa fuera a suceder. No está tan equivocado.

—¿Y qué opinas de Ángela? ¿Ella no es indiscreta?

—Ángela es una pelmaza —resopla Alberto.

—Pero a ella sí la llevaba al picadero.

Alberto está pensando que todo tiene su lógica: Ángela necesita un lugar donde desplegar su coreografía de velas, incienso y plumas de avestruz. Sería demasiado trabajoso llevar tanto atrezzo a un hotel. Es mejor cualquier parte donde el tiempo sea un bien del que dispones a tu antojo.

—¿En qué piensas? Ten los huevos de decírmelo.

Alberto, por descontado, no los tiene.

—Estaba pensando que sus razones tendría.

—Esperaba que me las contaras. Tú también te la tirabas, ¿no? O te la tiras, según creo.

De nuevo los ojos de Alberto parecen querer salirse de sus órbitas.

—¿Te sorprende lo informada que estoy?

—Desde luego. Me sorprende mucho. Aunque en este último aspecto no estás tan bien informada como crees. ¿Puedo preguntarte de dónde has sacado este último dato?

—Claro. Me lo explicó ella misma.

—¿Conoces a Ángela?

—Desde hace una semana. Quiso ejercer de hermanita de la caridad. Vino a contarme no sé qué de terapias orientales que me irían bien para superar lo de Sam. No entendí gran cosa, pero creo que la base de todo consistía en follar mucho. Y luego la muy puta me dijo que se acostaba contigo. Y que antes se acostó con Samuel.

Alberto odia hablar a una mujer de otra. Más aún si hay que adentrarse en terrenos tan íntimos como los que están sobre la mesa. Sin embargo, en las actuales circunstancias debe decir algo:

—Ángela es una zumbada que se cree toda la mierda que le cuentan. Nunca se ha acostado conmigo. Como mucho, me ha dejado con las ganas.

Esta vez, Mónica parece sopesar las palabras de Alberto. Tiene una expresión neutra, como de Mona Lisa, pero a la vez parece que una sonrisa pugna por imponerse. De pronto, lanza una pregunta inesperada:

—¿Te gustaría pasar la noche conmigo en el picadero?

—Me gustaría pasar la noche contigo en cualquier parte, ya lo sabes.

—No me refiero a eso.

—Sea lo que sea a lo que te refieres, la respuesta es sí.

—Me encantan los hombres fáciles. Paga la cuenta.

Nocturnidad

Ya en la cama y con la luz apagada, Epicteto inhala el intenso olor a incienso que le llega desde la habitación de invitados. Mezclado con el aroma dulzón a gel de baño que desprende la piel recién lavada de Ángela, siente como si se le subiera a la cabeza. Respira hondo unas cuantas veces, para multiplicar el efecto, mientras permanece boca arriba en la cama, las palmas apoyadas en el colchón, las piernas y los brazos extendidos y la cabeza reclinada en uno de esos almohadones cuadrados que suelen usarse como suplemento a la almohada. Muy abiertos sobre su sonrisa de felicidad, los ojos audaces de Epicteto escrutan una oscuridad que sería absoluta si no fuera por el resplandor de las velas que su mujer ha diseminado antes de acostarse alrededor de una mecedora vieja que jamás había visto.

En realidad llaman habitación de invitados a una estancia que nada más utilizan para almacenar ropa y cachivaches, y sólo porque tras la doble hoja de la puerta acumula polvo una cama plegable sin estrenar, comprada en la hipótesis de que algún día puede presentarse un pariente necesitado de acogida. Por lo demás, ellos nunca invitan a nadie ni tienen la más mínima intención de hacerlo. Para cualquier pareja normal, esa habitación recoleta, a escasos pasos de la suya propia, sería la indicada para el futuro bebé, pero tampoco la descendencia les quita el sueño, por ahora. De modo que, además del perchero, el armario de la ropa blanca, y las estanterías cargadas de zapatos y papel, la habitación no ha conocido hasta hoy otro huésped que esta mecedora de madera de pino, gastada y fea, a cuyo alrededor ha levantado Ángela un altar doméstico.

Epicteto permanece inmóvil durante largo rato, repasando de cabeza su plan. Para llevarlo a cabo debe aguardar a que la respiración de la esposa sea acompasada y profunda. Eso significará que está completamente dormida, y marcará el inicio de su sigiloso ataque por sorpresa. Llegado el momento, Epicteto aparta con cuidado la sábana y la colcha, con pericia de reptil desliza una pierna fuera de la cama, luego la otra, y alcanza las pantuflas que le aguardan, como siempre, alineadas sobre la alfombrilla. Con paso silente se dirige ahora al cuarto de baño, donde se libra del pijama y se acicala convenientemente, echando mano del bote de colonia, del peine y hasta del desodorante en roll-on al que permanece fiel desde hace una veintena de años. Luego regresa a la base de operaciones, para lo cual pasa por delante de la mecedora convertida en objeto de culto, y comprueba que todo sigue en su lugar y las velas no han prendido fuego a las pilas de revistas viejas. El sueño de su mujer también continúa inalterado. Incluso se diría que es ahora más profundo que antes, ya que las largas respiraciones culminan en algo que excede el ronroneo sin llegar al ronquido. Epicteto se da por satisfecho: hasta ahora, todo ha salido según sus meticulosos planes. Se sienta en su lado de la cama y tantea la oscuridad en dirección a la mesita de noche, hasta dar con el tirador del cajón. Mientras tanto, devuelve las pantuflas a su lugar de siempre sobre la alfombrilla, donde espera encontrarlas cuando suene el despertador. Cuando la mano ciega encuentra el vibrador, siente un regocijo inédito, similar al que debe experimentar el soldado al percibir el tacto de su fusil de combate. Lo empuña con firmeza y regresa a su lado del lecho, desde donde se propone ganar posiciones rápidamente.

La mano libre —premeditadamente, la izquierda— avanza ahora hacia el culo de Ángela. Una vez localizado este primer objetivo se propone no perder tiempo en alcanzar la vulva, sorteando y hasta tirando del camisón si fuera necesario. Cuenta con la ventaja de que Ángela prefiere las camisolas no muy largas y que, además, en el natural trajín de la cama, éstas suelen arrugarse y elevarse hasta dejar al descubierto esa parte de la anatomía de su esposa que hasta hoy no le parecía tan apetecible. Es posible que la aproximación sea todavía más fácil si ella ha decidido hoy prescindir de las bragas, algo que —si su corazonada es cierta— no resulta descabellado.

La operación nocturna de Epicteto está siendo un éxito. El culo estaba exactamente donde él había previsto. El descenso hasta la vulva ha sido limpio y rápido. No ha encontrado obstáculos insalvables, más bien todo lo contrario: en efecto, ella había decidido, como casi siempre, dormir sin ropa interior. Por otra parte, la camisola estaba lo suficientemente levantada y las piernas de Ángela lo bastante abiertas —no había contado con esta circunstancia, un error de novato, desde luego— como para facilitar todavía más el alcance del objetivo. Ya sólo queda que el armatoste que lleva en la mano derecha acierte su trayectoria y todo habrá culminado. Es consciente Epicteto de que, precisamente esta última parte es la más delicada de toda la operación: aquella en la que su plan conoce su punto débil y él, por consiguiente, resulta más vulnerable. Lo único que puede hacer para atenuar estos efectos negativos es actuar tan deprisa como sea capaz.

En una primera inspección táctil, los ronroneos de Ángela cesan. No se atreve Epicteto a atacar con el misil rosa, por ahora en reposo, hasta estar seguro de que el objetivo es el que debe ser. Por eso insiste un poco en su tanteo. Es decir, toquetea un poco aquí y allá, salvando las dificultades y ejercitando su imaginación. La respiración plácida del descanso de su mujer se detiene de pronto, y en su lugar hace su aparición un silencio expectante. Epicteto siente sudores y dudas. Agarra con firmeza el vibrador y para infundirse ánimo piensa en su recua de mustias florecillas adúlteras y decimonónicas. En Karenina, en Bovary, en lady Sodomita, en la ibérica Regenta y hasta en la señora Tolstoi, que nada tiene que ver con todas las anteriores, mientras empuña el aparato con ademanes de salvador, de San Jorge moderno, de defensor nocturno de las causas nobles. Su euforia se infla por momentos. Lo cual le ayuda a encontrar nuevos ánimos para proseguir a toda costa con su liberación.

Ángela lanza, al sentirse así abordada, un vagido largo y sonoro, que él percibe como una señal, como un disparo de salida. Por eso no lo piensa más, empuña el arma y embiste con ella con tanta decisión y empuje que logra hundirla a la primera, a la vez que acciona el dispositivo de las velocidades del aparato, para detenerlo en el punto medio. Ahora Ángela sube la voz, casi grita, gira sobre sí misma y palpa la oscuridad con una mano curiosa.

—¿Quién eres? —pregunta ella, todavía en sueños.

—Soy yo, cielo. Tu Epi —balbucea él, con el aliento entrecortado por una excitación inesperada.

Por toda respuesta, ella lanza una carcajada. Es en realidad un sonido raro, a medio camino entre la risa y el jadeo.

Es sólo el principio. En seguida los gemidos empiezan a subir de intensidad. Epicteto comienza a temer por el descanso de los vecinos, y así intenta advertirle a su mujer, pero no consigue hacerlo. Una mano rápida de ella le agarra la nuca y lo atrae hacia sí, para luego derrumbarle sobre el colchón como a un pelele. Enseguida siente Epicteto el cuerpo tibio y perfumado de Ángela invadiendo su terreno, sentándose a horcajadas sobre sus caderas y buscando a tientas su miembro alegre. Luego más gemidos de ella, el calor sobrevenido, el peso de su cuerpo y los movimientos ascendentes y descendentes. En el fragor del momento, no entiende Epicteto donde tiene metido el pene, puesto que el lugar donde cree estar es el mismo en el que, según sus cálculos, debería estar el arma rosa. Sin embargo, estos pensamientos no le despistan de la eyaculación, que llega más bien pronto, aunque no lo sufriente —calcula— para que se le pueda acusar de ninguna patología de la prisa.

—Me voy a correr —anuncia ella, en un tono tan alto que durante unos segundos Epicteto espera la bendición de alguno de los vecinos.

Sin embargo, en este punto las cosas comienzan a suceder según un plan diferente al que él había trazado. De pronto ella arquea la espalda, recorta su silueta contra el resplandor de las velas y se contempla a sí misma en el espejo que hay en el cabecero de la cama. Es entonces, al reparar en la mecedora reflejada en el espejo, cuando puede verla con toda claridad: Paulina, con una naranja en cada mano y la serenidad reflejada en el rostro. Lleva de nuevo su vestido rojo, tiene las piernas cruzadas y el pelo recogido en una cola de caballo. Tal vez esté más pálida de lo que en ella era habitual, pero es lógico, dadas las circunstancias. Sus labios susurran algo que Ángela no logra escuchar. Epicteto, por supuesto, permanece ajeno a semejante visión del otro mundo. Tan sólo le preocupa en este instante no perder fuelle hasta que su mujer haya conseguido cumplir lo anunciado.

—¡Manifiéstate! —grita ella, a medio segundo del orgasmo.

Epicteto trata de complacerla.

—Soy Epi, cariño. ¿Qué quieres que haga?

—Manifiéstate y dime qué esperas de mí —insiste ella, mirando hacia el fantasma de Paulina, que sigue sonriendo y meciéndose, entre llamas e inciensos.

Epicteto guarda silencio. Nunca su mujer se había mostrado tan solícita. Tal vez sin su insistencia no se habría atrevido, pero Ángela repite, confundidas sus palabras con un enorme quejido de placer:

—Haré lo que me ordenes, con tal de satisfacerte.

Así que Epicteto ataca, venciendo el pudor como nunca antes:

—Me gustaría tanto que me pegaras.

Es una lástima, pero Ángela no le escucha. Una voz más poderosa que la de él está llegando a sus oídos: la de Paulina, quien sin dejar de sonreír ni descruzar las piernas, por fin se manifiesta:

—Ramón. Es Ramón. Ramón. Es Ramón…

MAIKA

Síndrome Bovary: Descrito como la búsqueda de un amor romántico tan ideal como inexistente que comporta en las mujeres frustración, resentimiento y, en sus manifestaciones más graves, depresión. Las mujeres que, como Emma Bovary, no se sienten felices («no lo había sido jamás», se nos dice de la adúltera decimonónica) y se pasan la vida en la búsqueda eterna de ese ideal inalcanzable, también tienden a exigirse demasiado y a ser intolerantes consigo mismas al no conseguir lo que quieren. Suelen ser mujeres que, en apariencia, lo tienen todo: dinero, belleza, inteligencia y puede que hasta posición social o un trabajo satisfactorio. Sin embargo, sienten «aquella insuficiencia de la vida, aquel instantáneo derrumbarse de las cosas en las que se apoyaba» (Madame Bovary, Tercera Parte, Cap. VI). Por ello terminan involucradas en relaciones infelices. Esta es también la razón por la que cambien a menudo de pareja y/o de amante, llegando incluso a simultanear varias relaciones.

Enciclopedia de la nueva sexualidad femenina.
Suma de cosas, *2000*

Puntos débiles

—Debí operarme las tetas cuando aún estaba a tiempo —susurra Maika frente al espejo, donde se ha detenido a observarse un momento.

Sus tetas resisten, erguidas, pese al tiempo transcurrido. Por lo menos, más de lo que muchas otras de más razonables proporciones saben hacerlo. Son un par de motivos para estar orgullosa, pero Maika no sabe valorarlas. Le sucede con muchas otras cosas importantes de su vida. Por ejemplo, Ramón. Siempre ha estado orgullosa de su libertad compartida. De un tiempo a esta parte, no le basta. Quiere más. Quiere estar sola.

Además de detenerse frente al espejo, Maika también ha visitado la nevera, ha mirado quince segundos por la ventana, se ha interesado por el estado de sus uñas y se ha sentado en la taza del retrete hasta obtener una micción esmirriada pero placentera. Todo eso forma parte de la excursión por el piso que se ha concedido con la esperanza de encontrar algún motivo de inspiración para el artículo que debe tener listo antes de acostarse. El mismo artículo que ni siquiera ha empezado por la sencilla razón de que no encuentra qué decir.

De regreso a la mesa de trabajo hace otra parada en el refrigerador. La segunda de la noche. Abrir la blanca puerta del electrodoméstico es el gesto que más culpable la hace sentir de cuantos realiza a diario, sólo igualado, aunque en épocas ya pasadas, con el de abrirse de piernas. Husmea un poco en los estantes, despreciando pepinillos y zanahorias, hasta reencontrarse con el queso se-

micurado que compró Ramón en una de esas escapadas a
la charcutería extremeña de la esquina. Sabe que no debería, pero sucumbe. Y de nuevo cae cuando decide cor-
tar un pedazo grande en lugar de pequeño y devorarlo allí
mismo, con el culo apoyado en el cajón de los cubiertos.
El semicurado le sabe tan a gloria que reincide: otro buen
trozo. Un simple cálculo le permite comprender que de la
porción restante saldrían hasta otros cinco pedazos como
los que acaba de comerse. No quiere semejante tentación
tan al alcance de su mano, de modo que arroja sin pensar
lo que queda a la basura y regresa al ordenador más tranquila, con el queso en la mano y las mismas dudas sin resolver acerca del tema de su artículo.

En el sopor de la noche, Maika languidece frente al
ordenador. La blancura de la pantalla hiere sus pupilas
como una verdad que le estuviera siendo revelada: no se
te ocurre nada, no se te ocurre nada... O tal vez: ya lo has
dicho todo, ya lo has dicho todo. Sin embargo, esto no
puede quedar así. Algo se le va a tener que ocurrir porque
mañana tiene un día llenísimo y el periódico de mayor ti-
rada del país espera su artículo sin falta. A estas horas y
con estos ánimos, siente que no va a reaccionar ante cualquier estímulo. Necesita emociones fuertes: mutilación
genital, desigualdad en el trabajo o la última campaña publicitaria de la marca de desodorantes para hombre. Car-
naza. Muy efectiva pero imposible de abordar sin repetirse.
Y es que últimamente se ha prodigado mucho: televisión,
radio, conferencias, congresos, inauguraciones, actos de
entrega y otros festejos. Ha abordado la desigualdad laboral, la falsa paridad, el sexismo en el lenguaje, la publi-

cidad vejatoria —y discriminatoria, y falsa, y tópica, y dictatorial—, el machismo parlamentario, eclesiástico, castrense, médico, sexual; los tópicos de las feministas, de las conductoras y hasta de su entorno más inmediato. Una vez pasada revista, sigue igual que al principio: no sabe qué escribir. Bosteza. Qué aburrimiento.

En ese momento, oye un chasquido en el recibidor y sabe, por el tintinear, el taconeo y el sonido de la puerta al cerrarse, que Ramón está en casa. Responde mecánicamente a su saludo y hace recuento de los inconvenientes de su presencia en el hogar: traerá ropa que lavar, tal vez no haya cenado, pondrá la televisión para combatir su insomnio, llenará el baño con sus botes y sus brochas. Esta noche, cuando se acueste, resuelve Maika frente al albor deslumbrante de la pantalla, meditará sobre la conveniencia de pedirle que se marche. Le gusta llevarse deberes a la almohada: piensa mejor durante la duermevela, es la hora en que más acierta al tomar decisiones drásticas. Aunque esta decisión está prácticamente tomada: es mucho más cómodo estar sola. Después de todo, las prestaciones que ofrece Ramón son fáciles de conseguir en casi cualquier parte.

—¿Qué haces? —pregunta la silueta de su compañero apareciendo de súbito por la puerta.

—Intento encontrar algo sobre lo que escribir.

—¿Y no hay suerte? —se acerca por detrás y la besa en el cuello y en los hombros desnudos.

Qué cabrón, piensa Maika mientras ladea la cabeza, qué bien conoce mis puntos débiles. Aunque sólo los físicos, que son los que han concentrado siempre su interés.

A pesar de su debilidad, propiciada por el cansancio, la lasitud, la nocturnidad y puede que los días de soledad, toma una decisión parecida a la que hace poco ha tomado con el queso: se yergue y procura que sus palabras suenen muy seguras al decir:

—Ahora no. He de terminar esto.

Ramón achina los ojos y mira a la pantalla, como si esperara encontrar algo en ella. La sombra de un párrafo, un par de líneas, ni que sean unas pocas palabras. Pero en la blancura deslumbrante no hay nada.

—¿Esto, el qué? —pregunta.

—No te burles. Estoy rendida.

Ramón se acomoda junto a Maika y asume su papel de amable-ayudante-que-no-persigue-nada-pero-se-sentiría-muy-bien-pagado-con-algo-lo-que-sea-de-sexo.

—¿De qué debe ir la cosa? —pregunta.

—De nada en particular. Lo que yo quiera.

Maika no soporta esta actitud paternalista, de experto dado al altruismo, que tanto le gusta esgrimir a Ramón. Se enfurruña sólo de oír el tono de su voz y empieza a crisparse ante la ráfaga de preguntas que se le viene encima.

—¿Violencia doméstica? Hoy han apuñalado a otra mujer en Albacete. Creo que es la víctima número veintiocho en lo que va de año.

—Veintiséis —responde ella, tensándose como un felino.

—También tenemos la campaña del desodorante ese que te da tanto asco, ¿cómo se llama?

—Hablé de ella en el artículo del mes pasado.

—¿La derecha no ha dicho nada estúpido esta semana?

—Uf, tantas cosas que no sabría por dónde empezar.

Lo que desea Maika en estos momentos no es un consultor sino un hombre solícito que se rebaje a entrar en la cocina y prepare unas sabrosas patatas con pimientos. Ella se devanaría los sesos un rato más hasta pergeñar un artículo cargado de esos argumentos que ha repetido tantas veces mientras a lo lejos escucha el estimulante clinc-clinc de los platos y los cubiertos manipulados por otro. Qué dicha, apagar el ordenador sabiendo que la mesa está puesta y la comida, caliente, esperando. Y tal vez la cama abierta, el vaso con el agua de las urgencias nocturnas preparado sobre el libro, la tele prendida, la luz de la mesita iluminando el espacio dispuesto y ya, el colmo de la fantasía incumplida, un baño caliente y espumoso aguardando a que ella se sumerja en él y se muera de gusto.

Nada de todo eso va a ocurrir. Ramón se da por vencido, se echa hacia atrás en la silla y suelta un bufido animal:

—Pues chica, no tengo ni idea. ¿No tienes ningún texto antiguo que puedas aprovechar?

Sería una idea, pero no se siente bien aprovechando un texto antiguo, cuya restauración tal vez le costaría más trabajo que uno de nuevo cuño, para el periódico que mejor paga de aquellos en los que colabora. Se merecen más que un plato de segunda mesa.

—No te preocupes —dice ella, al fin, con la esperanza de librarse de Ramón y de sus consejos—, algo se me ocurrirá si pienso en ello con calma.

Ha sido muy prudente. Lo que tiene ganas de decirle es: «Algo conseguiré si te largas y me dejas en paz».

Sin embargo, Ramón tiene, como tantos hombres, un sexto sentido para las amenazas veladas y las frases de significado ambiguo, de modo que se levanta, besa a Maika en la mejilla, y anuncia su retirada, si bien de un modo algo inapropiado, dadas las circunstancias:

—¿Qué hay para cenar?

Si esta conversación fuera una competición, Ramón acabaría de perder un punto de la manera más tonta.

—Echa un vistazo en la despensa.

La respuesta de Maika es como uno de esos peloteos largos y elegantes del tenista que no tiene nada que perder. En realidad, no aporta nada. Ni ofensiva ni defensiva: mera circunstancia. Al contrario del siguiente disparo de Ramón:

—¿No hay nada hecho?

Maika remata esta vez con un golpe seco:

—No. ¿Debería?

El contrincante Ramón pierde pie ante tanta agresividad.

—Por supuesto que no, cariño.

Pero pronto recupera terreno:

—Era por saber si quedaban sobras.

Lo que piensa Maika sería, en caso de que se atreviera a decirlo, una derrota definitiva, una retirada obligatoria del rival:

«La única sobra aquí eres tú».

Pero de nuevo se contiene, o se conmueve o se conmina a callar. Lo que dice ni siquiera se parece a ese mazazo:

—Prepárate lo que quieras. Necesito terminar con esto.

El efecto ha sido el mismo. Ramón se retira, y desde el pasillo anuncia:

—Te espero en la cama.

Parecería que la cosa ha terminado en empate si Maika no susurrara la última acotación de este, en apariencia, poco sangriento diálogo:

—Qué asco.

Rebuscando en las carpetas repletas de artículos tropieza con una semblanza de Emma Goldman, una de las primeras luchadoras del feminismo moderno. Es un texto empachado de un romanticismo insoportable, acaso demasiado militante, que debió de escribir hace por lo menos una década, pero servirá. Con unos ligeros retoques, un título y un final a la altura de las circunstancias, consigue terminarlo en menos de una hora y enviarlo al correo electrónico del jefe de sección que lo está esperando.

Cuando entra en la cocina, rendida pero con la sensación del deber cumplido, se encuentra con la desagradable sorpresa de que el queso que ella había sacrificado vuelve a estar en su lugar, en el cajón de frescos del frigorífico. También hay sorpresas por omisión: ni rastro de patatas con pimientos, ni de mesa puesta, ni de vaso de agua o baño caliente. Ni una triste tostada la espera junto a los fogones. Sólo un montón de ropa por lavar y un par de platos sucios. En el cuarto, la tele funciona para nadie velando el sueño de Ramón, que ocupa en diagonal toda la cama y ronca como dicen que roncan los felinos durante el apareamiento, pero a Maika más bien le recuerda a un cerdo.

No puede evitarlo. Cómo le gustaría que la cama estuviera vacía.

(Intermedio: Ramón ante Samuel)

Maika lleva ya una temporada inmersa en su etapa de los grandes descubrimientos. Los más importantes tienen que ver con los hombres y los planes a largo plazo.

Ocurrió durante una comida con Ramón, hace apenas un par de semanas. Él hablaba y hablaba, eufórico, de su futuro profesional. Tras la muerte de Samuel, quedaba vacante un puesto de editor al frente de *Suma de cosas* y no parecía haber nadie más indicado que él para cubrirlo. Era, en cierto modo, lo que siempre había soñado: salir de la marginalidad del mundo editorial y ocupar un sillón mullido tras una mesa repleta de papeles que aún no ha podido leer nadie. Dejar de corregir, de asesorar, de traducir de vez en cuando, de morder el polvo de las moquetas de la industria literaria y convertirse en parte de la industria misma, esa parte que jamás tiene tiempo para nada porque siempre debe atender algo urgentísimo; que viaja a Francfort en octubre, a México en noviembre, a Londres en abril y tal vez a Buenos Aires en mayo y que entre feria y feria cena y almuerza muchas veces con los autores de su catálogo, y hace planes con ellos y también sin ellos, en la soledad de su mullido sillón. A eso aspiraba Ramón Andrés desde el primer día que puso los pies en una editorial, armado con un título de filólogo que sólo le iba a servir para llevarse los mayores desengaños de su vida.

—Aquí no sirve de nada el respeto a la literatura que usted ha aprendido durante cuatro años —le dijo el primer editor de su carrera—. Aquí no sentimos ningún respeto por los autores. Son sólo un eslabón más de la cadena alimenticia, ¿entiende? Un eslabón necesario, además del más molesto. Lo más importante que debe aprender es a torearlos sin que le toreen mientras se preocupa por lo único importante de verdad: las ventas. Las liquidaciones mensuales del distribuidor. A ésos hay que consentirles cualquier cosa. Sin los distribuidores no existiríamos.

Le pareció terrible, pero con los años ha aprendido que era un buen consejo. Los autores son una lata. Siempre tan convencidos de que son imprescindibles, tan celosos de sus cosas, tan poco amigos de dar su brazo a torcer cuando se trata de sus obras, ya sea una novela o un manual de jardinería. Y tan tocapelotas, capaces de parar el proceso de impresión de un libro que lleva dos meses de retraso sólo porque quieren cambiar en la página ochenta y dos la palabra «rinoceronte» por la palabra «perisodáctilo». Es inútil tratar de convencerles de que la mayoría de lectores no se fija en esas cosas o de que, en realidad, esas cosas no son importantes: ellos están convencidos de que la genialidad radica en este tipo de gestos, además de en las veces que sean capaces de llevar a su editor al borde del suicidio.

Ramón ve muy claro, y así se lo dice a Maika, que no hay nadie que pueda hacerle sombra: en *Suma de cosas* sólo hay secretarias y lectores. Ni siquiera tienen su propio responsable de prensa. A nivel empresarial también parece ser el más indicado, puesto que ningún otro lector está en nómina en el grupo, y no hay ninguno que conozca tan bien los intersticios de la empresa y —otro punto a su favor— los de su mejor autor, que es también al que conviene atar más corto. Le brillan los ojos de ambición a Ramón Andrés mientras paladea sus palabras. Y más todavía: la coyuntura también favorece la confianza que en él está depositando el idiota de Edmundo de Blas y que podría derivar en alguna proposición profesional que él debería analizar con calma, ya que Edmundo puede ser ahora mismo el autor más mediocre de cuantos venden libros en nuestro idioma, pero el número de lectores que compran sus bodrios le ha convertido también en el más codiciado y el mejor posicionado de nuestras letras. Una vergüenza. De modo que ser el agente literario de Edmundo de Blas es una garantía de futuro, y de las gordas. Lo sería incluso si no escribiera nunca más otra novela, como él cree que ocurrirá.

De pronto esa cuestión despierta la curiosidad de Maika.

—¿Por qué no ha de escribir otra novela?

—Ha tenido muchísimo éxito. Es demasiado imbécil para recuperarse de eso.

Ramón bebe un sorbo de vino y continúa.

—Además, nunca ha sido escritor y nunca lo será. Todo el mundo lo sabe. Él también.

Mientras Ramón sigue desgranando, con esta superioridad que a ella le parece tan aborrecible, las posibilidades de su futuro, ella piensa en las paradojas. Samuel lleva muerto dos semanas. Apenas el tiempo que ha transcurrido desde que se acostó con él. Y ahora su propio compañero le habla del brillante porvenir que la muerte de Samuel puede augurarle. La vida es una partida de ajedrez rocambolesca.

—¿No estás contenta? —pregunta él de pronto.

La pregunta la incomoda. No, en verdad no está contenta. O sí lo está, pero no quiere formar parte de esos planes. Lo que de verdad desea es estar sola. Hace veintiséis años que, de un modo u otro, vive con hombres. Lo cual significa veintiséis años bajando la tapa del retrete antes de orinar, recolectando calcetines de ejecutivo bajo la cama, durmiendo pese a los ronquidos o tragándose los partidos televisados de todas las ligas de fútbol mundiales. Ha llegado el momento de no hacer esfuerzos ni sacrificios. El momento de abrazar con fervor el egoísmo. El de cambiar la cerradura y no darle un juego de llaves a nadie nunca más.

Piensa también en Samuel. Los hombres y los planes a largo plazo. Tanto ella como su amigo de la infancia presumieron durante años de no haberse acostado juntos jamás. Y de pronto, cuando ya se suponía que debían tener superada la peligrosa crisis de los cuarenta, cayeron en su propia trampa como dos tontos. Lo peor es no poder echarle la culpa por entero a él. Fue como si ambos oyeran una vocecita interior indicándoles que estaban ante la última oportunidad que les brindaba la vida de ser infieles a sí mismos, y como si los dos estuvieran de acuerdo en aprovecharla sin intercambiar ni media palabra.

El detonante fue una llamada telefónica de ella. Una de tantas, ya que acostumbraban a hablar por lo menos una vez a la semana. Fue al día siguiente de una cena en un tailandés a la que acudieron en pareja, los cuatro, y en la que hablaron de política casi todo el tiempo hasta que el responsable del local se acercó a advertirles que estaban a punto de cerrar. Por la mañana, Maika llamó a su amigo de toda la vida. Además de decirle que había visto a Mónica más delgada pero también más guapa que nunca, le interesaba preguntarle si no había notado nada raro entre ella y Ramón.

—Me interesa saber si se nos ve bien —añadió.

Samuel la conocía demasiado.

—Estás pensando en dejarle, ¿no?

—Tengo un problema con él —dijo.

—Ya. Que no le soportas —se adelantó Sam.

—¿Tanto se me nota?

—Mujer, te lo noto, pero porque te conozco mucho. Aunque no se trata de eso. Es que siempre te ocurre igual. Te entusiasmas hasta que te hartas, ambas cosas en extremo. Y ahora estás en la segunda fase. La tercera es echarle y volver a empezar. Tranquila, dentro de un mes tendrás a otro.

En otro momento no le hubiera molestado tanta frivolidad respecto a un asunto tan serio. Sin embargo, ahora las cosas empiezan a ser diferentes.

—Cada vez lo llevo peor, Sam. Lo de vivir en pareja. Supongo que son los años. Te sorprenderá, pero esta vez no me apetecen reemplazos. No quiero más hombres en mi vida.

—No estoy seguro de no haberte escuchado eso alguna vez, pero en fin. Te daré crédito. ¿Quieres que vayamos a cenar un día de estos y me cuentas tus crisis existenciales?

—Me gustaría mucho. Mañana tengo tele. Si te apetece, puedes recogerme al salir.

No era la primera vez que Samuel la invitaba a cenar para hablar de algo. Sí fue la primera vez que Maika se vistió de algún modo especial sólo porque iba a verle. Sería la vocecita interior, incitándoles a la estupidez, la que guió sus conductas.

Nada más verla salir del plató de televisión a donde acudía una vez por semana, Samuel cambió sus planes. No sin antes exclamar:

—Qué buena estás, Maikita. Y yo sin tocarte un pelo...

Demasiado tentador para no aprovecharlo. Maika respondió al ataque con artillería:

—Aprovecha hoy, Sam, que soy vulnerable.

Entonces él la sorprende con un anuncio inesperado:

—No vamos a ir a ningún restaurante. Te voy a llevar a un lugar que no conoces.

La llevó a su piso. Maika no era tonta, y le conocía desde hacía demasiados años. Cuando traspasó la puerta sabía muy bien en qué tipo de apartamento estaba entrando y para qué. También conocía desde antiguo la teoría de Samuel respecto a las clases de mujeres para cada lugar y se alegró mucho de no ser chica de asiento trasero, de hostal, de retrete público o de hotelucho. Hubiera preferido ser chica de hotel de cinco estrellas, pero aquel piso tampoco estaba mal. Encargaron comida china y se la comieron en el pequeño tresillo del salón, como un matrimonio maduro con tantas cosas que decirse que se permite el lujo de prescindir de la televisión.

Rellenaron las copas de vino una y otra vez y la conversación continuó hasta altas horas. No sólo habló ella: también él tenía problemas de pareja, aunque jamás se hubiera atrevido a reconocerlos tan abiertamente. Maika sabía por experiencia que eso es algo que los hombres no suelen hacer. Tal vez porque tienen una tendencia menos malsana a autoanalizarse. O tal vez porque necesitan aparentar siempre y bajo cualquier circunstancia que en sus vidas conservan al menos un reducto de imperturbabilidad. Puedes ser la amante de un hombre durante veinte años, pero ni se te ocurra sugerirle que tal vez las cosas con su esposa no van bien. Las esposas legítimas son intocables.

Maika, además, juega con la ventaja de tener a Mónica en muy alta consideración. Lo cual no significa que hoy no esté dispuesta a tirarse a su marido todas las veces que él quiera. En esta situación, además, no hay nada más fácil. Un par de copitas, la cercanía, la luz tenue y la conversación son buenos afrodisíacos. Durante el primer beso, Maika siente una repulsión casi incestuosa. Como si estuviera besando a su hermano. Está a punto de decirle que no es buena idea. Sin embargo, una mano de él explora entre sus muslos con tanta fortuna que decide no ser tan estricta y cerrar los ojos. Es un placer dejarse conducir por manos expertas. Desea que Sam piense lo mismo de ella, porque durante el breve rato que dura el encuentro Maika no puede dejar de preguntarse si estará a la altura.

Más tarde dedicarán un rato a la risa y al comentario de las mejores jugadas.

—Eres muy bueno. Qué imbécil he sido todos estos años siendo tu amiga en lugar de tu amante.

—No creas. A los veinte no habrías dicho lo mismo.

Tal vez. Después de todo, y he aquí otra de las lecciones que recibe Maika, el sexo tiene mucha fama durante la adolescencia y la primera juventud, pero se disfruta más en la madurez.

Canapés de venganza (3)

Maika ya casi ha llegado a la cama cuando suena el timbre del telefonillo. Son las dos de la mañana. A esta hora no debe de ser un repartidor de publicidad, aunque cuando contesta descubre que no le sorprendería escuchar al otro lado la cantinela del eufemismo de siempre:

—Correo comercial.

No. No es un repartidor de publicidad. Es un señor con voz grave que dice ser Edmundo de Blas y que pregunta por Ramón.

—¿Edmundo de Blas? ¿El escritor? —se interesa ella, estupefacta.

—El mismo.

Maika deja escapar una carcajada.

—¿Le parecen horas?

—Ábreme, anda. Tengo mis motivos para querer ver a Ramón. Él los entenderá.

—Será si consigue abrir los ojos —susurra ella mientras acciona el mecanismo de apertura de la puerta.

Edmundo de Blas estaba en lo cierto: Ramón entiende sus motivos. O, por lo menos, está dispuesto a permitir que interrumpan su recién iniciado descanso. Se levanta, se pone los mocasines y sale al recibidor en pijama y arrastrando los pies. Abre la puerta antes de que suene el timbre. Al otro lado, Edmundo de Blas está esperando, con la respiración acelerada y la cara cubierta de sudor.

—Perdona que me presente así, tío. Es que estoy cagado de miedo.

Ramón se restriega los ojos.

—He visto a Paulina. Ya sé que pensarás que me he vuelto loco, pero era como una aparición. Flotaba a dos palmos del suelo de mi cuarto. Aunque no descarto que fuera un sueño, una especie de prolongación de mis fantasías. Estaba buenísima y llevaba un mono de esos negros muy ajustado, pero ha dicho cosas terribles. Podría ser mi subconsciente, que me esté traicionando. Si es que andar siempre caliente no puede ser bueno. Estoy muy confuso, tío. ¿Me invitas a un güisqui?

Ramón va a la cocina por hielo cuando encuentra, agazapada en las sombras del pasillo, a Maika en camisón. Le dan ganas de pasar la lengua por su canalillo, esa depresión carnosa y suave, pero adivina, con audacia, que no es el momento.

—¿Va a quedarse mucho? —pregunta ella, con voz más bien poco amistosa, en un susurro.

—Cómo quieres que lo sepa. ¿No ves cómo está?

—¿Además de zumbado?

Maika les deja por imposibles y abre la nevera. Tiene un hambre feroz, aderezada ahora con un inicio de insomnio. Regresa al semicurado, alegrándose de que Ramón lo haya devuelto a la vida, y con un pedazo mayor que los de antes entre los dedos, se va a la cama. De nuevo emboscada en las sombras del pasillo, pone atención a lo que sucede en la estancia contigua, y le parece escuchar un sollozo. Vaya, que los hombres sollocen debe de ser un síntoma (tal vez positivo) de que los tiempos están cambiando. Se tumba en la cama acolchada de almohadones y se concentra en buscar algo que ver en la tele.

En este momento, aunque parezca mentira, suena el timbre de telefonillo por segunda vez. Ramón parece muy sorprendido cuando contesta:

—¡Ángela! ¿Qué haces aquí? ¿De dónde has sacado mi dirección?

Mientras mordisquea el queso, sin separar ni un centímetro la cabeza del almohadón, Maika permanece atenta. Siente un cosquilleo de placer sólo de imaginar que Ramón pueda tener una amante. Con lo que eso le facilitaría las cosas en las actuales circunstancias, se dice, sí, sí, sí. Constata que la tal Ángela ha sido invitada a subir y por un momento sus esperanzas crecen, pero pronto la conducta de la recién llegada la desconcierta. Décimas de segundos más tarde no tiene más remedio que bajar de la nube donde ella misma se había encaramado.

—¿Fuiste tú, cabrón? ¿Hiciste que asesinaran a Pau? —dice, en un tono demasiado alto para las horas que son, la voz de mujer que ha invadido su rellano.

La voz que formula la pregunta es, además de femenina, temblona e iracunda. Ramón se defiende de algo más que del ataque verbal, a juzgar por sus palabras:

—Un momento, Ángela. ¿Qué haces? Estate quieta. Calma. Estás muy alterada. Entra, déjame cerrar la puerta. Anda, ven, está aquí Edmundo.

—Sabandija putrefacta —la oye decir a ella antes de escuchar un taconeo sobre su parqué.

¿Sabandija putrefacta? Una mujer que es capaz de decir semejante cosa debe de ser especial. En este instante, Maika comprende que el espectáculo de esta noche no debe buscarlo en la tele, sino en su propio salón. Se levanta de la cama y decide incorporarse a la animada reunión de amigos. Aunque, para no parecer sólo una fisgona, pasa antes por la cocina y prepara en un pispás unos canapés.

Interrumpe su labor de magnífica anfitriona un nuevo timbrazo del telefonillo. Antes de saber quién llama ni qué se le ofrece, añade tres rebanadas a la bandeja que estaba preparando. Por si acaso. Esta vez la confusión de Ramón al contestar es mayúscula:

—¿Quién dice...? Ah, sí, está aquí. Suba, suba, no se preocupe, hombre.

Epicteto Morrón ha salido de casa tras los pasos de su mujer. Su intención es, en esta noche en que el despropósito parece reinar sobre el mundo, la más noble de todas: tiene urgente necesidad de comprobar si su mujer ha salido tan precipitadamente de casa porque la espera su amante en alguna parte. Cuando escucha la voz de Ramón, sus sospechas se confirman. Llega al rellano manso como un borrego y diciendo cosas que nadie entiende.

—Buenas noches. No piense que vengo a interrumpir nada. Sólo pretendo conocerle y tener con usted un intercambio de impresiones, si es posible. No tiene que ser ahora, por supuesto. Me hago cargo de la situación y, si no tiene inconveniente, aguardaré a que esté disponible donde me indique. ¿No tiene usted una terraza donde pueda pasar inadvertido? Si desde allí fuera posible verles a ustedes juntos, mucho mejor. Por lo demás, estoy dispuesto a esperar cuanto sea necesario —dice, sin pasar de la puerta.

—Mejor, porque en estos momentos estoy un poco ocupado —se excusa Ramón.

Epicteto le interrumpe para mostrarse el hombre más comprensivo del planeta:

—Me hago cargo, caballero. Además, en estos asuntos una interrupción puede pagarse muy cara. Ahora que le he conocido, me siento mucho más tranquilo, de verdad. Parece usted un buen hombre. No hubiera soportado lo contrario, creo. Veo que Ángela sabe elegir.

En este momento aparece Maika en el recibidor con la bandeja de canapés recién hechos. Desde la cara de pasmado de Ramón, la mirada de Epicteto salta directamente a sus pechos, donde queda retenida como si no pudiera librarse de su magnetismo, durante los segundos suficientes para que Ramón se incomode y para que Maika se sienta renacer de sus cenizas. Un instante después, Epicteto reacciona, como quien despierta de una hipnosis.

—Buenas noches, ¿le apetece un canapé? —ofrece Maika, atenta, con la mejor de sus sonrisas.

Epicteto toma uno de sobrasada con huevo mientras sus ojos se extravían en la terrible tortura de no poder detenerse donde están deseando y tener que vagar sin rumbo por un lugar en el que no parece haber nada que ver, salvo los pechos de Maika.

—¿Puedo saber qué se le ofrece? —pregunta Ramón, que sigue sin comprender nada.

—Ni yo mismo lo sé —responde Epicteto masticando a dos carrillos—. Supongo que deseo con toda el alma recuperar a mi mujer y creo que ello pasa por conocer primero a mis rivales.

—¿Te estás tirando a la mujer de este señor, cariño? —inquiere Maika con el destello de una ilusión muy oculto en sus intenciones.

Aunque la rotundidad de la respuesta de Ramón no deja lugar a dudas:

—Por supuesto que no.

Otro timbrazo nocturno. Otro dedo noctámbulo deteniéndose en el pulsador de su telefonillo. Otra visita inesperada.

—Me temo que no vamos a poder terminar en paz esta fascinante conversación —se excusa Ramón, acudiendo a contestar.

Maika arquea la espalda ante la mirada de Epicteto mientras su compañero no puede verla y pregunta, con una sonrisa meliflua:

—¿Preparo más canapés, cariño?

—¿Quiere usted un güisqui? —pregunta Ramón a Epicteto.

—Pues mire, no le diría yo que no.

El profesor universitario se libra del abrigo y entra en el salón, donde le espera la sorpresa de encontrar a su mujer con otro señor, quien tampoco es su amante.

—Esta vez es para ti, cariño —anuncia Ramón, sirviendo los tragos.

—¿Ah, sí? ¿Y quién es?

Es Mónica. De todas las comparecencias de la noche, podríamos decir que esta es la menos sorprendente. No es la primera vez que Mónica llama a horas intempestivas. Siempre ha tenido la costumbre de trabajar hasta muy tarde, y no sería la primera vez que pierde la noción del tiempo y cree que el resto de la gente normal también está lúcida a las tres de la mañana. Lo que nunca hasta hoy había hecho es presentarse sin avisar y a estas horas. Sin embargo, y eso la viuda de Samuel lo sabe muy bien, ella no necesita anunciarse en esta casa.

—Nunca te he preguntado si esto es todo tuyo, cariño, o si te has inyectado silicona alguna vez —es su saludo, nada más cerrarse la puerta, observándole las tetas.

Le parece que Mónica está un tanto alegre. Desde que murió Samuel, parece que su vida se ha vuelto un desmadre.

—Es todo mío, guapa —responde Maika.

—Formidable. ¿Dónde dejo la chaqueta?

No es fácil explicar lo que sucede aquí esta noche. Pese a todo, Maika lo intenta:

—Tenemos un poco de lío —dice—. En el salón se celebra un congreso, no sé sobre qué. Yo voy a preparar más canapés, por si viene alguien más. Nunca se sabe.

—Te ayudo —se ofrece Mónica.

Las dos mujeres se divierten buscando en los armarios latas de paté, de queso para untar, de caviar de imitación o de sobrasada. Con su contenido van untando las tostadas de pan de molde que Maika parte por la mitad, formando dos triángulos gemelos.

—¿Te encuentras bien? ¿Estás borracha? —quiere saber Maika.

—He estado bebiendo y follando toda la noche —responde Mónica chupando unos restos de paté que se habían pegado a su dedo pulgar.

—Joder, qué envidia.

—Últimamente follo mucho.

—¿Ah sí? Pues me alegro por ti. Ve con cuidado. A nuestra edad ya no se suele pensar en el sida, pero existe.

A Mónica le da un arrebato de risa.

—¿El sida? ¿Tú piensas en el sida cuando te acuestas con alguien que no sea Ramón? Qué moderna.

Maika siente que el corazón se le acelera ante esta última pregunta. Su primera reacción es ponerse a la defensiva. Interrumpe su actividad con los triángulos. Mónica agarra el cuchillo y continúa cortando el pan.

—Yo jamás me...

La frase de Maika se interrumpe a medio camino. Su culpabilidad no la deja terminar.

—¿Qué ibas a decir? ¿Qué tú jamás te acuestas con hombres que no sean Ramón? —pregunta Mónica.

El cuchillo se desliza fuera de la tabla, más allá de las latas y de las tostadas, hasta rozar la mano detenida de Maika y dibujar sobre su piel un delicado hilillo rojo. La agredida emite un quejido de dolor antes de retirar la mano.

—Uy, perdón —se excusa Mónica—, qué torpe. Con lo que duele un corte con un cuchillo de sierra...

El sonido del telefonillo diluye un poco la espesura de una situación que no había por dónde atajar.

—Voy yo —anuncia Maika.

Al regresar a la cocina, la anfitriona anuncia la nueva visita a quien más le interesa de todos los presentes:

—Mónica, es Alberto. Pregunta por ti.

Una sonrisa tontorrona, alcohólica, se dibuja en la cara de Mónica, quien suelta el cuchillo, se seca las manos y se atusa el pelo.

—Qué cielo es este hombre... —para al instante regresar a la tierra, observar las tetas de Maika y añadir: —Si se pudiera, te pediría prestadas por esta noche ese par de boyas. Iba a hacer maravillas con ellas, niña.

Por el brillo que trae Alberto en la mirada es fácil adivinar que también ha bebido más de la cuenta y que esta noche no hay hombre mejor para Mónica. Ninguno de los dos demuestra el menor interés por la reunión que está teniendo lugar en el salón. Se besan en el recibidor con urgencia de críos y a continuación entran en la cocina a dar cuenta de los canapés. Alberto se come hasta cuatro mientras aprovecha para intercambiar algunas frases con Maika, que no sale de su asombro ni puede evitar sentirse un poco incómoda. Un hombre tan serio, quién lo diría, está pensando.

—Por cierto —dice Alberto, en un segundo en que logra librarse de la ventosa de los labios de Mónica— un hombre con bastante mal aspecto me ha seguido hasta aquí. Creo que está sentado en la escalera.

Maika se lleva los canapés antes de que los echen al suelo en un ataque de furia amatoria. De paso hacia el salón se detiene un segundo para echar un vistazo al rellano a través de la mirilla. En efecto, hay un individuo sentado en uno de los escalones que conducen al piso superior. Lleva una chaqueta de piel negra, pantalones vaqueros y, por extraño que pueda parecer a estas horas, unas gafas de sol bastante aparatosas. Tiene aspecto de aburrirse mucho, lo cual es natural porque no parece estar haciendo nada. Maika le observa con detenimiento. No le ha visto nunca. Percibe un cierto hedor que no identifica bien, como si algún vecino hubiera olvidado la basura en el rellano de la escalera. Mesura la posibilidad de abrir la puerta e invitar al hombre aburrido a entrar, pero no se decide. El ambiente es de concordia, por lo menos hasta que Alberto y Mónica terminen lo que están haciendo y se unan al grupo, y no quiere ser la causante del fin de tan felices circunstancias.

Los canapés son celebrados con aullidos por el grupo del salón, que está repartido entre el sofá y la alfombra, en un ambiente de semioscuridad que ha propiciado Ramón al amortiguar la intensidad de la lámpara halógena. Edmundo duerme a pierna suelta en una de las mecedoras que hay junto a la ventana, roncando con discreción. A Maika le parece que Epicteto emite al verla llegar un gemido tibio, no descarta que provocado por el reencuentro inesperado con sus tetas. Maika se inclina más de lo necesario con toda intención, siempre sin perder de vista a Epicteto, mientras deposita la bandeja sobre la mesa. A continuación se sienta junto al profesor. No es, por supuesto, una decisión casual (a su edad, y en lo tocante a hombres, ya ninguna lo es) sino la necesidad casi fisiológica de sentir que Epicteto se queda sin aire porque no puede poner las manos donde está poniendo la vista.

—Disculpad, creo que os he interrumpido —dice—. ¿Estabais hablando de algo importante?

—Ángela nos acaba de hacer una confesión sorprendente —dice Ramón, invitando a la chica con un gesto a que repita lo que sea que acaba de confesar a los presentes.

—No sé por qué os sorprende tanto —tercia Ángela, que parece ofendida—. Yo sólo he dicho que siempre tengo ganas de sexo.

Epicteto se preocupa en aclararle a Maika el origen de tan misteriosa revelación:

—Todo viene al hilo de una cuestión lanzada por... perdone, ¿cuál era su nombre?

—Ramón —responde Ramón.

—En efecto, gracias. Ramón sostiene que la necesidad digamos física de sexo por parte de las hembras humanas es inferior a la que padecemos los varones.

Maika toma un canapé y pondera la información.

—No estoy de acuerdo —insiste Ángela, con rotundidad.

—Yo lo único que digo es que nosotros tenemos razones físicas para necesitar más frecuencia sexual —argumenta Ramón—. Razones que, desde luego, no tiene una mujer.

—¿Cómo que no? Yo tengo la misma necesidad física de sexo que tú —rebate Ángela—. Hasta tengo comprobado que sin mi dosis mínima sufro jaquecas y dolores musculares. ¿A ti no te pasa, Maika?

Maika se ve sorprendida con la boca llena de queso fresco con membrillo.

—Pues no, la verdad. ¿Jaquecas y dolores? Qué terrible. Como mucho, yo siento un cosquilleo, pero no sé si tendrá algo que ver con lo que estáis diciendo.

Ramón salta al instante, como si la frase de su compañera acabara de darle la razón:

—Pero un cosquilleo no es una necesidad física. Yo hablo de necesidad, no de ganas.

—Yo siento necesidad —insiste Ángela.

Maika siente curiosidad por la necesidad de Maika:

—¿Sí? ¿Y de verdad piensas que es comparable a la masculina?

Epicteto se atreve a llevarse a la boca un canapé. Tiene la frente fruncida y cabecea con gravedad, como si se hallara en un congreso de especialistas en Fernán Caballero o en Emilia Pardo Bazán, mientras susurra:

—Esa es una cuestión difícil de averiguar.

—¿Y qué coño es la necesidad masculina? ¿Me lo puedes explicar? —inquiere Ángela.

Ahora es Maika la que toma la palabra:

—La necesidad de tirarse a todo lo que se menea.

—Ciertamente, yo no lo habría expresado mejor —celebra Epicteto.

—Me parece un poco exagerado, pero puede que no esté tan lejos de la realidad —confirma Ramón.

Maika cabecea, orgullosa:

—Desde luego que no.

Con su siguiente respuesta, Ángela sorprende a todos los presentes:

—Exacto. Eso mismo siento yo.

Maika arquea las cejas y cruza las piernas con una cierta e innecesaria coreografía destinada a magnetizar aún más, si cabe, la mirada de Epicteto:

—¿De verdad? ¿Tú vas por la calle pensando que te tirarías a todos los tíos que ves? Porque así van ellos, más o menos.

Aquí, se produce un gesto de reacción por parte de los varones presentes. Ramón separa los brazos y se balancea un poco, desaprobando la opinión de su compañera. Epicteto sigue cabeceando, pero esta vez con las cejas arqueadas, como si la aseveración que acaba de escuchar necesitara ser analizada a conciencia antes de emitir sobre ella juicios de valor.

—No a todos. Pero a siete de cada diez, por lo menos —responde Ángela.

—Caray —se admira Maika—, debe de ser la juventud. Con los años, yo me he vuelto más selectiva.

Epicteto rumia su canapé de salmón con falso caviar y asiente:

—Es normal… —murmura—, sucede en muchas otras cosas. Yo mismo, de joven, leía a Echegaray.

—Ahora entiendo que la hayas perseguido hasta aquí, Epicteto —bromea Ramón.

Epicteto responde con un nuevo cabeceo y una sonrisa cómplice que también encuentra su eco en Ángela. La chica extiende un brazo y acaricia uno de los muslos de su hombre, mientras con expresión de satisfacción afirma:

—Eres un encanto, de verdad.

El encanto se limpia los labios con cuidado y parece crecerse bajo el contacto de su mujer. Aunque por el rabillo del ojo se mantiene atento al canalillo de Maika, que él rellenaría con el mismo emplaste de salmón que acaba de comerse, para luego hundir la cara en él y pringarse hasta el flequillo saboreando hasta la última miga. Sólo de imaginarlo, su pene recién reciclado siente la llamada del instinto.

Justo en este instante se incorporan a la reunión los dos tortolitos beodos. Al ver entrar a Mónica, Epicteto da un respingo, inversamente proporcional a la reacción de sus genitales, que encogen de pronto. También Ramón parece incómodo al verla. Observando la reacción de Ángela, nadie podría saber a ciencia cierta si la aparición de los nuevos invitados le ha molestado o todo lo contrario. Alberto y Mónica llegan agarrados de la mano y se dejan caer sobre un sillón. Para ser exactos, Alberto se deja caer primero, y Mónica se abalanza sobre él, hasta que ambos quedan confundidos en una pelota humana que la ausencia de luz hace menos reconocible en sus individualidades evidentes.

—Qué cansada estoy. ¿No hay nada de beber? —pregunta Mónica.

Ramón se apresura a ofrecerles un trago a todos los contertulios.

—Para mí un gintonic cargadito, cielo —dice Mónica.

Ramón sirve hielo en los vasos mientras la conversación continúa a su espalda. Ángela sigue manteniendo su teoría sobre la necesidad sexual de las chicas. La incorporación de otra mujer al debate enriquece las conclusiones. Que ésta se encuentre en un estado de embriaguez más que obvio le da un toque de desinhibición al conjunto. Mónica toma la palabra para proclamar lo que últimamente la tiene tan orgullosa (aunque cuando no está bebida se lo calle):

—Últimamente follo más que nunca. Y, es verdad, cuanto más follo, más ganas tengo.

—Lo que yo decía. ¿Lo veis? ¡Esa es la necesidad física! —se encabrita Ángela.

—Exacto —extiende Mónica un índice, que agita en dirección a su contertulia—. Y estamos más necesitadas a los cuarenta que a los treinta.

Epicteto discrepa, pero nadie sino Maika le oye, porque emite sus opiniones no en el foro, sino para sí, en voz baja:

—Ese punto es harto discutible a la luz de la tradición literaria decimonónica.

—Hasta me parece empezar a sentir que no me basta con un solo amante —añade una Mónica que mañana se arrepentirá de todo lo que ha pasado aquí. Eso, si consigue recordarlo, claro.

Alberto la observa desde su alcohólica perplejidad. Por un instante, parece que va a echarse a llorar, pero no. En realidad, explota en una carcajada.

—Es muy buena —les dice a la concurrencia—, de lo mejor que hay. Yo de vosotros no lo pensaría dos veces.

Epicteto recuerda las palabras del guardabosques al referirse al coño de Lady Chatterley como el mejor que quedaba en el mundo y le parece que encuentra ciertos paralelismos entre esa afirmación y lo que acaba de decir Alberto.

Ramón carraspea, se yergue ligeramente, cruza las piernas e inicia lo que a Maika le parece una maniobra de acoso y derribo evidente sobre su amiga Mónica. No le extraña: los elementales mecanismos que mueven a su compañero acaban de activar su plan de emergencias nada más oír las últimas frases con que se ha salpimentado la conversación. Ramón se está acercando a Mónica con todo sigilo para decirle algo al oído. Al instante ella prorrumpe en una carcajada muy teatral que permite a los presentes observar la pulcritud de su dentadura de porcelana.

—Los hombres sois limitados —asevera Ángela—, con uno solo nunca basta. Hay que buscar un segundo que nos dé lo que el primero no alcanza, que suele ser mucho. Y mejor aún si son tres, porque con suerte el tercero rellena las lagunas de los otros dos. La teoría era de Paulina, no mía. Ella sí sabía de qué hablaba.

—Si nosotros dijéramos lo mismo se nos tildaría de misóginos —protesta Alberto.

—Si vosotros dijerais lo mismo seríais unos papanatas —corrige Ángela—. Nosotras no somos limitadas, más bien todo lo contrario: a vuestros ojos somos indescifrables, inabarcables. Si vais por ahí buscando guerra no es porque no tengáis suficiente con una mujer, sino porque lo que queréis es carne fresca y cuanto más joven, mejor.

Enarbolando otro canapé, Epicteto se siente en un momento de exaltación ante la última frase de Mónica:

—¡Sí, señora! ¡Así se habla! —exclama.

Todos le miran con extrañeza mientras él se concentra en masticar a dos carrillos, algo avergonzado.

Ramón sale en defensa del agraviado colectivo masculino:

—Como si a vosotras no os gustaran los hombres jóvenes, bonitas.

—A mí, nada. Los de veinte no saben cómo manejarnos, no nos conocen en absoluto —afirma Mónica.

—Y los de sesenta, tampoco —añade Maika, entre risas.

Resoplan Ramón y Alberto. Este último intenta meter baza en una conversación que está tomando derroteros molestos:

—Mujeres, algo iremos aprendiendo a lo largo de los años de convivencia, ¿no?

—O de los de evolución —bromea Ramón.

Pero el debate apasiona tanto a las contertulias que ya nadie escucha a los hombres. Más bien la cosa parece desarrollarse entre las féminas presentes, enzarzadas en el autoanálisis como sólo sabrían hacer a estas horas y en este estado tres mujeres.

—Por ejemplo, tenemos la cuestión de los orgasmos.

Los hombres esperan con curiosidad a que Mónica hable de tal cuestión y termine su razonamiento. Allá va:

—Levantad la mano aquellas de vosotras que hayáis fingido alguna vez un orgasmo.

Maika y Ángela levantan la mano. Mónica asiente con gravedad.

—Yo también, compañeras. ¿Y sabríais decirme por qué?

Ramón, Alberto y Epicteto se sienten víctimas de una especie de complot a escala mundial.

—Para terminar de una vez. A veces se ponen tan pesaditos... —dice Maika.

—O para hacerles felices. Si no te corres se quedan como perritos apaleados y luego no saben hablar de otra cosa.

Mónica lanza otra pregunta:

—¿Y vosotras también fingís multiorgasmos?

—Claro. Eso les hace más felices todavía —dice Ángela.

—Muchas veces —añade Maika.

Entre la perplejidad y el cabreo, Ramón lanza una pregunta que resulta clave:

—Pero alguna vez os correréis de verdad, ¿no?

Las respuestas no son invitaciones a la felicidad viril:

—Sí, en la bañera. Desde que descubrí la masturbación con agua —se apresura a responder Mónica.

Ángela se interesa al instante, por si puede sacar algún partido de la adquisición de nuevos conocimientos:

—¿Con agua? ¿Y eso cómo se hace?

Mientras Mónica se aplica a explicarle a la joven tántrica la técnica masturbatoria que a ella le ha proporcionado más placer que ningún hombre, Maika informa a un atento Epicteto de que últimamente no da crédito a las bondades de un aparatito parecido a un huevo vibrátil que compró en Londres por unos módicos catorce euros y del que ya no se separa ni una noche.

—Los vibradores son muy útiles, sí —se atreve a aportar él a la conversación, en su calidad de iniciado en la materia.

Aunque la sabiduría de ella enseguida le condena al silencio del buen alumno frente al maestro experimentado:

—Uy, esto es mucho mejor que un vibrador, hombre. Es mucho más pequeño, se puede llevar bajo la ropa, o se puede usar durante las relaciones sexuales. Ahora mismo, por ejemplo, lo llevo dentro de las bragas.

Epicteto cabecea, toma nota mentalmente, aprende, y susurra:

—Ajá.

La tertulia se ha dividido en pequeños conciliábulos. Mónica y Ramón discuten, al hilo del asunto de los orgasmos fingidos, acerca de la habilidad amatoria masculina. En un momento dado, bajo los efectos etílicos, Ramón se descubre diciendo, como un casanova de serial mexicano y frente a una Mónica que parece dispuesta a aceptar todos los retos:

—Cuando quieras te demuestro que conmigo no te hace falta fingir.

Alberto, que permanece en su posición debajo de Mónica, es ajeno al debate. Al fin, las altas horas y el alto porcentaje de alcohol en sangre se han aliado en una combinación narcótica que le ha dejado dormido en el sillón, con la cabeza y un pie colgando en el vacío. Ángela se aplica a quitarle los zapatos.

—Pobrecito, así estará más cómodo —dice, mientras se arrodilla en la alfombra frente a él. Enseguida se vuelve hacia Mónica para amonestarla: —Y tú deberías levantarte, le vas a lastimar.

Mónica obedece al momento, cambiando las piernas mullidas de Alberto por las algo rollizas de Ramón. Sacude la cabeza y envuelve el rostro del hombre en una oleada de suave oscuridad. Con la intención de no interferir en el episodio adúltero de su compañero, Maika susurra al oído de un sudoroso Epicteto:

—Acompáñame a la cocina a preparar más canapés.

—Con mucho gusto —responde el profesor, yendo tras ella con alegría de perrillo faldero.

Unos escasos cinco minutos más tarde, Mónica está fingiendo un orgasmo con Ramón, cuya eyaculación no deja lugar a dudas sobre autenticidad de ninguna clase y Maika está experimentando sobre el mostrador con un Epicteto entregado a la manipulación de un pequeño mando a distancia de color violeta.

—Lo voy a poner al máximo, a ver —susurra él, muy prudente, mientras Maika parece desmayada sobre la cafetera.

Y así habría podido continuar la cosa durante las escasas horas que faltan hasta el amanecer, si Edmundo no hubiera visto su sueño violentamente sacudido por una nueva visión, y no se hubiera incorporado bañado en un sudor frío, manoteando en el aire con los ojos cerrados y repitiendo:

—¡Déjame en paz, zorra! ¡Déjame en paz!

Paisaje después de la batalla

Como recuerdo de la noche que ha quedado atrás, Maika le regala a Epicteto el cacharro vibrátil que tanto le ha fascinado.

—Reconozco que nunca se me hubiera ocurrido algo así —dice el profesor, observando el huevo—. Es todo un avance de la tecnología, sólo comparable al lavavajillas o a la afeitadora eléctrica. Qué util. No me extraña que el mundo avance tan deprisa.

—El mundo avanza desde que los hombres inventan artilugios sólo para el placer de las mujeres —observa ella.

Maika prepara café bien cargado para seis que lo necesitan. Edmundo se ha marchado ya, en un estado lamentable, por cierto. Sólo ha querido tomarse una tila. Se ha lavado la cara con agua fría y frente al espejo se ha remetido los faldones de la camisa. Cuando se ha despedido de la anfitriona —y sólo de ella— estaba ojeroso, arrugado, pálido y nada hablador. Parecía la sombra del que llegó anoche. No es de extrañar, después del episodio que ha protagonizado. Un buen rato les ha costado a Ramón, Alberto y Ángela hacerle regresar del estado hipnótico desde el que lanzaba ataques al vacío, sin dejar de proferir improperios y frases sin sentido: «Tú no», «Estás despedida, puta», «Nunca más, guarra»...

Cuando al fin han conseguido que abriera los ojos —aún desencajados por alguna visión terrible— y se diera cuenta de que todo había sido un sueño, estaba como regresado del infierno.

—Esta cabrona no me va a dejar en paz nunca —ha susurrado.

Le han preguntado en vano a quién se refería, qué o a quién había visto al otro lado de la consciencia, pero Edmundo no ha querido responder a más preguntas. Les ha despachado con un ademán altanero, como de artista de Hollywood, y ha corrido a la cocina, a importunar los quehaceres de Maika pidiéndole una tila para calmar sus nervios. Se encontraba aún a tanta distancia del mundo real que apenas se ha percatado de que interrumpía algo. Ni siquiera recuerda quién es el señor con gafas que acompañaba a Maika, ni si ya estaba aquí anoche o se ha incorporado más tarde a este festín de dudoso gusto que tampoco alcanza a interpretar. Edmundo sólo siente deseos de marcharse de aquí, como si al hacerlo fuera a librarse de todo lo que en este instante ennegrece su estado de ánimo. No puede saber hasta qué punto se equivoca.

Los que quedan en el salón se arrastran como espectros. Ángela y Alberto regresan al sillón para seguir dormitando un buen rato más. Ramón se frota los ojos con incredulidad al ver a Mónica recomponiéndose la ropa interior.

—No puedo creer que hayamos follado —le dice.

Mónica le lanza una sonrisa encantadora acompañada de una pregunta:

—¿Y por qué no?

—No lo sé... Eras la mujer del jefe... Te conozco desde hace tanto tiempo y nunca... Nunca había surgido atracción entre nosotros. Bueno, tú me gustabas mucho, pero no me veía capaz de abordarte. Quiero decir, que nunca había tenido la ocasión... ni el honor... Aún no sé qué ha pasado.

Mónica le sorprende con un gesto nauseabundamente maternal que le desconcierta: le agarra de la barbilla, levantando un poco su cara, y le susurra, tan cerca que puede sentir su aliento acariciándole las mejillas:

—Ay, mis explosivas bombas de hormonas... He aquí la razón por la cual las mujeres siempre tendremos la sartén por el mango. Estas cosas sólo os ocurren cuando nosotras queremos. No hace falta que te devanes los sesos buscando más razones. Yo quería acostarme contigo. Ya está.

Ramón no sabe si lo que acaba de escuchar es un halago o algo por lo que deba preocuparse. Un sexto sentido le dice que más bien se trata de una ofensa, y su malsana curiosidad varonil necesita aclararlo.

—¿Puedo preguntarte por qué?

—Claro —responde ella, buscando sus zapatos bajo el sofá—, te lo iba a explicar de todos modos. Aunque te extrañe en alguien como yo, se trata de una venganza. Tu mujer se acostó con mi marido la misma semana que él la palmó. Ahora estamos en paz. ¿Serás tan amable de decírselo a Maika, si no te resulta mucha molestia?

Ramón asiente varias veces pero sin acabar de encajar la noticia. Observa cómo Mónica, ya calzada y vestida, se dirige al cuarto de baño. Comprende que necesita correr tras ella.

—Pero dime al menos si te ha gustado —suplica.

A las puertas mismas del aseo se reproduce el mismo gesto maternal de hace un momento. Un gesto horrible entre dos que hace un instante copulaban como fieras, piensa él.

—Pues claro, tonto. Ahora me siento mucho mejor.

Desde luego, ésa no es el tipo de respuesta que él deseaba escuchar, pero Mónica zanja el asunto a la vez que el baño. Ramón se ve enfrentado a la indecorosa disyuntiva de aporrear la puerta o rendirse en silencio. Opta por formular una cuestión más:

—Y supongo que ahora te marcharás, ¿verdad?

La voz de Mónica llega mezclada con el rumor del grifo del lavabo:

—Tengo hora en la masajista, corazón. Pero nos vemos cuando tú quieras.

A punto está Ramón de preguntar si entra en sus planes de venganza volver a acostarse con él o si con una vez ya tiene suficiente, pero no le parece oportuno. De modo que se retira con su desazón a cuestas. Al pasar por la cocina se le escapa una orden:

—Y tú, deja de hacer cochinadas con este pobre hombre y prepara café bien cargado.

—Por cierto —le intercepta Epicteto antes de que consiga regresar al salón—, Maika me ha hablado de su afición por Unamuno. No sabe cuánto me alegra coincidir con usted también en eso.

Hay momentos en que detenerse a hablar de Unamuno puede resultar muy chocante.

—Me gusta la Generación del 98, es verdad —reconoce Ramón, como quien confiesa un vicio perverso —y Unamuno en particular.

—Hay que reconocer que fue una de las mentes más lúcidas de su momento, a pesar de que ahora se le critique tanto su conservadurismo y su españolidad. Aunque, ¿sabe? A mí esos aspectos son los que menos me interesan de su figura. Lo que realmente me apasiona es su necesidad de trascendencia, con la que me identifico plenamente. Lo que otros han dado en llamar su filosofía, para entendernos. Hay quien la considera indisociable de su catolicismo, pero yo discrepo. No sé qué piensa usted.

Ramón no tiene ni idea. Mientras el profesor habla, él sólo tiene ojos para Maika, que les observa con una media sonrisa tan enigmática que consigue por un momento eclipsar el esplendor de su delantera. Hacía tiempo que no se fijaba en ella de este modo y mucho más que no la veía tan radiante. Tal vez por eso mientras lo hace resuenan dentro de su cabeza unos versos del maestro salmantino que siempre le emocionaron: *¡Cuanto tiene raíces en la tierra / al fin y al cabo vuelve! ¡El año es una estrofa / del canto permanente!*

Aunque, en el embeleso y el despiste, no se ha percatado de que las pronuncia en voz alta y con no poca vehemencia. Epicteto lo celebra con alborozo:

—¡Exactamente a eso me refería! Ya veo que es usted todo un experto, hombre de Dios.

Incapaz de articular una frase a la altura de las circunstancias —sean éstas las que sean—, Ramón sólo añade:

—Se hace lo que se puede.

—Le voy a dejar mi tarjeta —Epicteto echa mano del bolsillo trasero de sus pantalones y le entrega una cartulina de color blanco— para que me llame cuando tenga ganas de charlar. Es apasionante encontrar colegas con los que compartir pasiones tan poco comunes.

—Desde luego —está de acuerdo Ramón, sin dejar de mirar a Maika ni de fijarse en el brillo de sus ojos o la transparencia inédita de su piel y, a la vez, emprendiendo el camino de regreso al sofá con el ánimo tan cansino como el paso.

Mientras tanto, Alberto ocupa el otro cuarto de baño. Le fastidia tener que ir a la oficina sin pasar por casa, pero no le va a quedar otro remedio. Peor es este dolor de cabeza para el que no cree que encuentre remedio en todo el día y que más bien irá en aumento a medida que pasen las horas y las reuniones. Ya más compuesto, llama a su secretaria para que le recuerde la primera cita de hoy. Es dentro de tres cuartos de hora, con los delegados del departamento comercial. Si no encuentra demasiado tráfico, llegará con la puntualidad que en él es acostumbrada. Se toma el café en la cocina, prepara otro igual para Mónica y se va en su busca hacia el cuarto de baño. La puerta que se franqueó para Ramón se abre para él de inmediato. La mujer ataja cualquier reproche y cualquier principio de conversación antes de que Alberto tenga tiempo de empezar a hablar:

—Mejor será que tengamos todo lo que ha pasado aquí esta noche por no sucedido —dice.

El sentido común le dice a Alberto que será lo mejor, aunque eso implique quedarse con las ganas de saber por qué Mónica ha creído oportuno venir hasta aquí sólo para acostarse con el tripudo de Ramón. Mónica permanece ajena a estas y otras disquisiciones mientras se peina las cejas frente al espejo.

—Ya no estoy para estos desmadres —se lamenta—. A veces olvido que ya no tengo veinte años.

—Ojalá te hubiera conocido entonces —dice él.

Ella finge no escucharle. O tal vez es que, realmente, no le ha escuchado. Alberto prueba suerte con otro asunto:

—Espero que no tengamos que olvidar también lo que ha pasado esta noche antes de llegar aquí.

Esta vez Mónica no le ignora.

—Por supuesto que no —responde—, pero tampoco te pases el día pensando en eso.

No va a ser fácil, se dice Alberto. Ha sido la segunda noche digna de ser recordada desde que Lorena le dejó. Y en la primera también tuvo que ver Mónica. Cualquiera se resiste a la ilusión de fantasear con que habrá otras.

—¿Cuándo nos vemos? —le pregunta, urgido por las prisas.

—Te invito a cenar la semana que viene —propone Mónica—. Una celebración.

—Claro que sí. ¿Y qué se celebra?

Mónica deja caer un beso sobre los labios de él y le despide con una sonrisa:

—Te lo cuento entonces, si no te importa. Voy a llegar tarde.

Dicho lo cual le entrega la taza vacía y sale del cuarto de baño taconeando con paso firme.

Mónica tropieza en el recibidor con Epicteto, que también se va y a quien Maika está despidiendo en camisón, el mismo que ha lucido a lo largo de la velada. A esta hora, sus tetas parecen más grandes y lozanas que anoche. Será el efecto de la luz diurna sobre el escote.

En el salón, donde entra a recoger su bolso, sorprende un retazo de conversación entre Ramón y Ángela. En este instante, ella pronuncia un discurso que parece sacado de una película de bajo presupuesto:

—Tengo mis motivos para pensar que tú tienes algo que ver en lo de Paulina. Si es así, puedes estar seguro de que lo averiguaré. Y no me quedo ahora para llegar hasta el final porque no quiero llegar tarde al trabajo.

Ramón se muestra imperturbable. La observa entrar y salir por el rabillo del ojo y cuando comprende que se marcha pregunta, elevando la voz:

—¿Te llamo, Mónica?

A lo que ella, ya desde el recibidor, responde:

—Mejor no, corazón. Cuídate.

En diez minutos más, no queda en la casa ni rastro de las visitas. Ángela y Alberto son los últimos en salir. A él le extraña la fetidez que percibe en el rellano, y por un momento duda si volver atrás y advertir de ella a los interesados. Al señor raro que ha pasado la noche en el rellano nadie le recuerda. Tal vez porque no está.

Nada más escuchar el chasquido de la puerta al cerrarse, Maika dice:

—Me voy a la cama.

Ramón no puede hacer lo mismo. En poco más de una hora tiene una cita con el director general de Grupo Empata, lo cual equivale a decir que tiene una cita con su futuro más brillante. Mejor, piensa, eso retrasará la escena que, tarde o temprano, debe tener con Maika. Sin embargo, ella no piensa lo mismo y está dispuesta a resolver las cosas más pronto que tarde.

—Espero que ambos estemos de acuerdo en que esta noche ha sido la última. Creo que deberías marcharte.

Ramón asiente.

—Ha sido un buen final —dice, algo anonadado por la contundencia.

—Desde luego —refrenda ella.

Maika desconecta el teléfono móvil, echa la persiana, se quita el camisón y se tumba en la cama. Por una vez, no piensa atender ningún compromiso. Le da el día libre a la mujer responsable, puntual y cumplidora que lleva a cuestas desde hace veintiséis años. Que la esperen. Que la busquen sin suerte. Que la maldigan. Que no den crédito.

Se tapa con el edredón y cierra los ojos.

NORA

A las causas del adulterio femenino que son comúnmente conocidas, hay que sumar las derivadas de una maternidad reciente, tal vez menos comunes y, para muchos, menos com-
prensibles:

1) Necesidad de volver a sentirse sensual y atractiva tras la maternidad, unida al rechazo por la figura de la mujer-madre
que para algunos hombres ofrece un encanto especial.

2) Búsqueda de experiencias deseadas y no tenidas, similar al
deseo de experimentar cosas nuevas.

3) Deseo irracional de aprovechar una ocasión que se presenta
como si fuera la última (el caso más paradigmático suele ser
la fuga de una noche durante las vacaciones estivales).

4) Crisis de pareja propiciada por la llegada de un nuevo ser:
cansancio, discrepancias entre los padres, nuevas situaciones a las que conviene ir adaptándose.

5) Infidelidades platónicas (muy comunes a partir del puerperio), incluso con hombres que no existen. Muchas veces no
se realizan por falta de arrojo, de ocasión o porque no hay
con quien realizarlas.

DRA. FILOMENA ROSENVINGE, Saint Louis University
¿Sexo o puerperio?, Ediciones del Wolframio, 1995
Exégesis

Eségesis

La primera vez que Nora vio a Samuel Martínez le pareció uno de esos hombres a quienes las mujeres embarazadas les parecen sexualmente atractivas. Los hay, incluso más de los que parece, que no le harían ascos a mantener relaciones sexuales con gestantes de treinta semanas o más, gordas como globos. La sola idea le produjo náuseas.

Sin embargo, hubo de disimular. Grupo Empata acababa de contratar a su empresa para varias campañas publicitarias de importancia y ella debía estar al mando, lo cual implicaba mantener varias entrevistas con algunos de los editores responsables de los lanzamientos, entre ellos, claro está, Samuel Martínez Febles. Que Samuel fuera, además, el marido de su mejor amiga no dejaba de ser otro serio inconveniente. Desde que Mónica y Nora se conocieron, unos diez años atrás, se habían propuesto dejar a los hombres al margen. No querían cenas a cuatro bandas ni interferencias masculinas de ninguna clase. Su amistad era una parcela de sus vidas que les pertenecía en exclusiva y en la que nadie estaba invitado a colarse. Además, de algún modo no haber visto jamás la cara de sus respectivos compañeros les daba mayor libertad para hablar de ellos, algo que hacían muy a menudo. Era como si conversaran acerca de seres de ficción, de personas que no existían en la realidad. Por eso cuando Samuel irrumpió de pronto en el mundo real de Nora, de algún modo se quebrantó una norma que permanecía inviolada desde hacía muchos años.

Nada más llegar a casa, Nora telefoneó a su amiga:

—He conocido a tu marido —le dijo, aunque se reservó su opinión sobre Samuel—, tal vez haya llegado el momento de presentarte al mío.

Mónica le dijo que lo pensaría.

Nora estaba entonces de treinta y dos semanas. Por supuesto, hacía meses que repelía cualquier contacto íntimo con Valentín. Exactamente desde que leyó el artículo de una psicóloga infantil desconocida donde se afirmaba que el desarrollo sensorial del bebé tiene lugar mucho antes de lo que se había creído hasta ahora, de modo que desde dentro del claustro materno su futuro hijo podía oír, degustar, tocar, oler con dificultad y hasta ver algo de claridad siempre y cuando ella expusiera su tripa a una luz solar lo bastante fuerte. La revista cayó en sus manos aproximadamente cuando estaba de tres meses. A las demandas sexuales de Valentín respondió ella anteponiendo el artículo donde con un índice extendido señalaba el párrafo en cuestión. Como quiera que él no comprendió nada, ni siquiera después de una lectura atenta, se entretuvo en darle explicaciones:

—¿Te imaginas? Tú eres un feto que estás tranquilo y calentito en tu bolsa de agua, escuchando las voces que llegan de afuera, o la tele, o lo que sea. Cuando de pronto, empiezas a oír gritos, rugidos y demás expresiones animales como si un depredador se estuviera comiendo a tu madre. ¿No crees que te afectaría psicológicamente? Si es que es lógico, aunque no lo diga aquí. Eso por no hablar de lo mal que sabe el semen y lo inútil que resulta para él, suponiendo que llegáramos a hacer algo y yo me lo tragara como hasta ahora. O de las posturas, que si son incómodas para mí imagina para él. ¿Y te has planteado qué siente cada vez que tú me atacas con tu pene?

Valentín no sabía qué decir para que sus palabras no se volvieran en su contra.

—¿Ahí dice todo eso? Yo creo que tu interpretación es un poco exagerada.

—Toma, léelo.

Nora lanzó la revista sobre el sofá y se fue al cuarto de baño a entregarse con devoción a su hora diaria de hidratación y cuidados especiales. Esta sesión incluía ejercicios de respiración, de relajación y una gimnasia suave pensada para estimular al bebé sin dañarlo. Algunas noches Valentín la acompañaba en su ritual egoísta y disfrutaba viéndola masajearse las tetas, separar las rodillas para hacer sus ejercicios o extender la crema antiestrías por su abdomen abultado. Por mucho que intentara verla de otro modo, le seguía pareciendo atractiva. Nunca fue capaz de disimularlo. Sin embargo, ya antes de la exégesis fatal de la revista, había tenido que enfrentarse a algún comentario difícil de encajar:

—Si te excito también ahora es que estás peor de lo que pensaba.

O bien:

—A los tíos os da igual cualquier cosa, con tal de que tenga agujeros y se deje.

De pronto todo aquello le parecía enfermizo y deprimente. Su mujer cambiaba tanto y a tal ritmo que empezaba a resultarle difícil reconocerla. Por no hablar de que no tenía ni idea de cómo debía tratarla a partir de ese momento. Optó por otorgar callando mientras fingía una indiferencia que de ningún modo sentía y por esperar la llegada de tiempos mejores.

Nora, pues, estaba de treinta y dos semanas cuando conoció a Samuel Martínez y al principio no le pareció más que una réplica de su marido, un hombre capaz de desear a una futura madre. Dedujo esto, que por cierto no estaba nada alejado de la realidad, después de sentir cómo la miraba durante la primera reunión de trabajo.

Cuando Mónica le preguntó, sin embargo, se esforzó en disimular la realidad:

—¿Mi marido no te ha echado los trastos? Qué raro, normalmente lo hace en cuanto le presentan a una mujer que no conoce.

Nora respondió con evasivas elegantes. Es decir, no respondió:

—Niña, ¿pero tú me has mirado la tripa? ¿Tú crees que yo estoy para que me echen los trastos? Me siento tan atractiva como un hipopótamo.

Hubo más reuniones de trabajo, y Samuel no depuso su actitud. Tampoco pasó a mayores. Parecía esperar, paciente, su turno. Es decir, a que Nora terminara su embarazo. En un gesto que a ella le pareció sumamente interesado y fuera de lugar, Samuel envió un ramo de rosas blancas a la clínica cuando nació Luis. Antes de irse a casa, Nora se lo regaló a una de las enfermeras que mejor les había atendido. Fue el único que no llevó consigo.

Cuando, ya sumergida en su baja maternal, que tanto iba a prolongarse, fue requerida por el director general de la empresa para que hiciera una visita a Samuel Martínez, su reacción fue furibunda:

—Estoy de baja, por el amor de Dios. Ve tú.

—Te lo pido como un favor personal, Nora. Sólo una reunión. No hace falta que pases luego por aquí. Vas a verle, le escuchas, le explicas tu punto de vista, le dejas tranquilo y me lo cuentas por teléfono. Dice que nadie entiende sus ideas como tú y que si no puede trabajar contigo prefiere esperar a que te reincorpores. Y yo no quiero arriesgarme a perder este cliente, joder. Es uno de los buenos.

—Qué cabrón —murmuraba Nora, antes de ceder: —Bueno, pero que sepas que pienso ir con mi hijo. Estoy amamantándole y ahora no puedo separarme de él.

—Claro, mujer, ve con quien gustes, como si quieres llevarte a tu madre para que vea cómo son los señores que hacen libros. Pero ve, por favor. No me dejes colgado.

Entró en las oficinas de *Suma de cosas* empujando el carrito todo terreno de Luis. Samuel la vio a través de las paredes acristaladas de su despacho y salió a recibirla. A Nora le gustó el detalle de que antes de saludarla con dos besos en las mejillas —enojosa costumbre cuando se trata de reuniones de trabajo, por cierto— se aplicara en agasajar al bebé, que dormía como un bendito. No esperaba algo así de él. Samuel se agachó para ver bien a Luis, le agarró una manita y dijo:

—Colega, quién fuera tú.

Una frase ambigua pero acertada, que ablandó un poco las defensas de Nora. La siguiente terminó de franquearlas. Nada más ver que ella se disponía a dejar al bebé al cuidado de Paulina y su compañera, Samuel se lo impidió:

—De ninguna manera. Que entre contigo. Ahora no debes separarte de tu hijo ni cinco minutos.

Le sorprendió tanta comprensión en un hombre. Y también no descubrir en él ni rastro de aquella conducta que tanto le había molestado sólo unas semanas atrás. O Samuel había perdido de pronto todo interés por ella o era de esos pervertidos a quienes *sólo* les interesan las embarazadas. Esta última opción le extrañó un poco, dada la fama de mujeriego del marido de su amiga. En cambio, ahora Samuel le mostraba una faceta nueva, tremendamente halagadora, y que hasta ese instante había permanecido oculta: ponderó una y otra vez sus méritos, no como mujer, sino como profesional, como creativa publicitaria, como persona de inteligencia e ingenio insustituibles y también como madre capaz de compaginar el feliz cuidado de su hijo con el resto de sus actividades. Tal vez, empezaba a pensar Nora, le había juzgado con tan malos ojos que no había sabido ver lo evidente. Todo en la vida es cuestión de interpretación. Sobre todo, las personas. Incluso personas que parecen tan poco capaces de sorprendernos como Samuel.

El editor le planteó ciertas dudas acerca de la campaña de relanzamiento de *El tango de la vida* en la que quería incluir alguna referencia a la nueva novela, aún no terminada, de Edmundo de Blas, el autor estrella de la casa. Discutieron algunos puntos y llegaron a ciertas conclusiones, en las que Samuel acató con admiración manifiesta el criterio de Nora. Tomaron notas, fijaron plazos y brincaron con rapidez sobre los puntos del orden del día. Cuando Luis despertó de su sueño y reclamó con su pequeño llanto gatuno su ración de alimento, Samuel se levantó y no dudó un instante en decir:

—Perdón, te he entretenido más de la cuenta sin respetar a Luis. Puedes darle de comer aquí. Yo saldré para dejarte más intimidad. Por favor, siéntate en mi sillón. Estaréis más cómodos.

Acto seguido, salió del despacho sigilosamente.

Aquella noche, después de que Luis tomara su leche y eructara canónicamente, Nora habló con su amiga:

—Puede que te sorprenda —le dijo— pero pienso que Samuel sería un buen padre.

La siguiente llamada del director general fue para deshacerse en halagos y agradecimientos. El cliente no podía estar más satisfecho, le aseguró, y ella era la mejor creativa de la empresa, algo que, por otra parte, no hacía falta que le dijera ningún cliente porque hacía mucho tiempo que lo sabía. En otra época Nora se habría sentido muy satisfecha de aquellas palabras. Desde que tenía a Luis, en cambio, su escala de valores había cambiado. Lo que más le importaba ahora mismo era ser madre. Una madre tan intachable como antes había sido la creativa publicitaria: alguien que prevé el mínimo contratiempo mucho antes de que suceda y que sabe atajar de raíz cualquier conflicto, por dificultoso que parezca. Antes de colgar, Nora pronunció una frase que sólo veinticuatro horas antes no habría creído que pudiera salir de su boca:

—En realidad, no ha sido para tanto. Samuel Martínez es un hombre encantador. Una visita a su despacho de vez en cuando no me trastoca en absoluto.

Dos semanas más tarde Nora, Luis y el carrito todo terreno volvían a cruzar la puerta acristalada del despacho de Samuel. Aquella visita, sin embargo, y al contrario de lo que ella había afirmado con tanta rotundidad, sí iba a trastocarla, y de un modo que tampoco habría podido sospechar.

El ruido y la furia

Las noches son, desde que nació Luis, un suplicio. Los bebés vienen al mundo con el empeño innato de fastidiar a sus mayores, algo que consiguen con asombrosa facilidad. Más cuando su madre profesa a ciegas la fe en determinadas organizaciones, como la Liga de la Leche, una confraternidad láctea universal que defiende con vehemencia las virtudes de la teta a todas horas y carga las tintas contra otras teorías, como la alimentación programada según un horario. Valentín está convencido de que La Liga de la Leche no es más que una estratagema política de la peor calaña: el viejo lobo de la sumisión femenina a los roles de esposa y madre disfrazado de la oveja moderna de la alimentación sana y las ventajas de los hábitos saludables. Sin embargo, a él le parece terrible cualquier doctrina que defienda que los niños deben mamar hasta bien cumplido el año, cada vez y por el tiempo que ellos quieran, sea de día o de noche. Y no sólo porque él se ha convertido en una víctima de esas teorías, la enésima víctima de la Liga de la Leche, que tal vez tiene entre sus objetivos principales la desmembración de la pareja, la consecución de un mundo poblado por madres jóvenes con sus niños de teta o la liberación del varón contra su voluntad, alejado del lastre familiar. Valentín creería cualquier cosa de alguien que afirma sin que le tiemble la voz: «Durante los primeros años de su vida, tu bebé te necesita más que nadie. Lo mejor será que te olvides de que en el mundo existe nadie ni nada más y que te concentres en la mejor tarea que tendrás jamás: ser madre».

Al principio, Valentín expresaba su molestia resoplando. Nunca renegó, levantó la voz, amenazó al pequeñín o lanzó puñetazos contra las paredes, conductas que no extrañan jamás en los padres de cualquier latitud. Sólo resopló. No obstante, a Nora le bastó ese detalle para decidir que su marido no alcanzaba las tasas mínimas de paciencia requeridas en el trato con recién nacidos y que Luis y ella dormirían a partir de esa noche en la habitación de invitados. Valentín interpretó aquella huida, no sólo como un modo de su mujer de quedarse con Luis para ella sola, sino como la excusa perfecta para escapar de su lado.

La sospecha que luego se convertiría en obsesión nació para Valentín la noche en que se levantó a orinar a las cuatro de la mañana y descubrió a Nora sentada en el bidé y limpiándose la entrepierna con gran cuidado. Le extrañó encontrarla allí a esas horas, pero mucho más el respingo que no pudo evitar al verle y que, pese a sus intentos por aparentar normalidad, más bien evidenció todo lo contrario: que había algo extraño, algo ilícito, en aquella conducta a aquellas horas, aunque en aquel momento no se le pasaba por la cabeza qué podía ser.

—¿Te pasa algo? —le preguntó.

—Nada —fue su respuesta, mientras se acomodaba la ropa en su lugar.

—Estabas tocándote —insistió.

—No estaba tocándome —puntualizó ella—. Me estaba lavando —tuvo que explicarle—. Me duele un poco.

—¿Quieres que te ayude?

Nada más ofrecerse, Valentín se arrepintió de haberlo hecho. Ese era el efecto que sobre él tenía la actitud reciente de Nora. Tanto le insistía en su egoísmo y en su perversidad al demandar algo de sexo que el solo hecho de querer aproximarse a la vagina de su mujer le hacía sentir como un sátiro.

—No hace falta —dijo ella, muy tranquila—, creo que será mejor que vaya al médico.

Fue el principio de una larga historia de desenlace imprevisible. Al día siguiente, Valentín le preguntó si había ido al médico.

—Me han dado hora para mañana —repuso Nora.

Dos días después, repitió la cuestión. En esta ocasión, ella le sorprendió con una respuesta insólita:

—¿Por qué de repente te interesas tanto por el estado de mi vagina?

Fue una pregunta poco acertada. Nora se dio cuenta de que había metido la pata en el momento en que Valentín abrió la boca para soltar una arenga una octava más alta de lo que en él era normal acerca del enorme interés que su vagina despertaba en él desde la primera vez que la vio (a ella y a su vagina) y del que seguiría despertando hasta el día que se muriera (él) si es que ella (Nora) no oponía gran resistencia a que siguiera su evolución (la de la vagina) del modo natural y lógico en que los maridos suelen seguir las evoluciones de todas y cada una de las partes del cuerpo de sus esposas, especialmente de aquellas que despiertan un mayor interés.

—Como es el caso, aunque te parezca tan mal —añadió, levantando orgulloso la cabeza.

Nora permaneció en silencio unos segundos, con mirada retadora. Valentín tuvo que increparla:

—¿No se te ocurre nada que decirme?

—No sabes cuánto lamento que lo único que te interese de mí sea mi vagina.

Valentín es un hombre moderado. No grita bajo ninguna circunstancia: nunca se le ha ocurrido en ninguna boda animar a los novios a besarse. Es poco amigo de conciertos pero si ha ido alguna vez a alguno se ha abstenido de corear nada y mucho menos de silbar. Ni siquiera levanta la voz cuando los de su equipo, que sólo dos temporadas atrás conocieron la segunda división, le meten un golazo al líder. Sin embargo aquella noche Valentín perdió los estribos y gritó. Fue una frase corta, un descontrol breve y aun así alejado de toda violencia, pero marcó el principio de su degradación. Dijo:

—¡No me jodas, Nora!

Nora calló. Tal vez sospechó que aquello significaba el inicio de algo. O acaso pensó que era mejor dejar correr las cosas. Valentín interpretó su silencio exactamente como lo que era: la muestra de un interés repentino por no profundizar en la cuestión. Y se prometió a sí mismo permanecer atento a cuanto le sucediera a la vagina de Nora a partir de ese momento. Aunque fuera en contra de la voluntad de su propietaria.

Empezó por la observación. Nora intentaba disimularlo, pero parecía experimentar ciertas molestias al sentarse. Algo parecido a lo que le ocurría después del parto, cuando aún estaban frescos los puntos de la episiotomía. Días después empezó a observar que dejaba de usar pantalones. Al principio fue sólo una sospecha, tal vez una coincidencia. Sin embargo, pronto descubrió que no era casual que Nora llevara faldas todos los días y que hasta se comprara alguna nueva. El siguiente paso, el decisivo, fue la inspección de la ropa interior de su mujer. Así fue como descubrió unas manchas amarillentas muy extrañas en esas braguitas altas y blancas que se empeñaba en usar desde que nació Luis. Pensó que tal vez estaba padeciendo una complicación relacionada con el parto, pero rápidamente llegó a la conclusión que algo así no debería suceder cuatro meses más tarde. Decidió registrar los cajones del cuarto donde Nora dormía con el bebé. Para ello tuvo que empeñarse en varias ocasiones, utilizar los minutos breves de la ducha o las contadas ocasiones en que Nora se ausentaba de casa pero él permanecía en ella. En el primer registro encontró una caja de antibióticos. Requisó el folleto interior y así supo que era un medicamento indicado para infecciones de la zona vaginal. Hasta cuatro días después no pudo dar con el informe del ginecólogo de su mujer. Fue entonces cuando supo de la existencia de «una pequeña herida en los labios vaginales mayores» de Nora. Una herida sin importancia, en principio, «producida por la grapa de una grapadora corriente», pero que tal vez no se habría infectado de no haber estado expuesta al «fluido seminal y a otros rozamientos propios del acto carnal, tanto en el momento de producirse como dos veces más en el lapso de las siguientes setenta y dos horas». A continuación se le recomendaba a la paciente mucha higiene, una desinfección exhaustiva y diaria, además de la ingesta de los antibióticos específicos que ya conocía y una rigurosa abstinencia sexual.

El pobre marido necesitó su tiempo para entender el prolijo informe médico y lo que de él podía deducirse. A saber: que Nora se había grapado el coño por accidente mientras alguien que no era él se la follaba en algún lugar donde pudiera haber una grapadora. Y, al parecer, la grapadora en cuestión había sido testigo en un muy breve lapso de tiempo de tres encuentros íntimos diferentes de su mujer con quien fuera, aunque sólo en una ocasión había tenido la oportunidad de participar de la fiesta.

Le preguntó a ella un par de veces más antes de tomar una decisión:

—¿Te dijo algo el médico de tus dolencias vaginales?

—Ya estoy mucho mejor, gracias —fue toda su respuesta.

—Me alegro, cariño, pero ¿por casualidad sabe a qué se debían?

—Cosas de mujeres. Nada importante.

La sangre le hervía en las venas al hombre pacífico y átono. De día y de noche. Desde que lo supo no lograba descansar bien y acompañaba sus madrugadas con el rítmico ir y venir de los pasos de Nora de su habitación al cuarto de baño y del cuarto de baño a su habitación. Escuchaba cómo corría el agua del bidé y el chapoteo de la

alevosa higiene nocturna, mientras hacía esfuerzos sobre-
humanos por no correr al cuarto de baño y zarandear a la
adúltera como el energúmeno que nunca fue. Sólo una
pregunta retronaba en su cabeza, una y otra vez, hasta la
psicosis, sin tregua, sin descanso posible, noche y día.
Exactamente la misma pregunta que formuló la vigilia
que, desesperado, no pudo más y se lanzó en busca de su
mujer. Con el rostro desencajado se apoyó con ambas manos en el marco de la puerta del baño y, elevando la voz
más que nunca, espetó:

—¿De quién es la grapadora?

Petrus 226

La grapadora era un modelo Petrus 226, de línea clásica,
cromada, con apertura frontal antibloqueo para cien grapas, capacidad de grapado de cuarenta hojas, 345 gramos
de peso y cinco años de garantía. Samuel tenía el mal vicio
de jugar con ella mientras estaba concentrado en la lectura de los originales pendientes y aquel día la había dejado
desmayada y abierta sobre la mesa nada más ver aparecer
en la oficina a Nora empujando su carrito de bebé. Fue
un despiste fatídico.

La reunión discurrió sin sobresaltos. Nora llegaba
ahora más sonriente que antes, igualmente acompañada
de Luis, para quien el paseo solía tener efectos somnífe-
ros. Aprovechando el sueño del bebé, discutieron algunos puntos de la campaña de promoción que les mantenía
tan en contacto, que por primera vez incluían ciertas refe-

rencias al aspecto físico de Edmundo de Blas. Samuel tenía un arsenal de fotografías preparadas para que la reputada asesora supiera a qué se estaba enfrentando, y ella las observó con interés casi forense antes de emitir su dictamen de profesional:

—Hay mucho por hacer. Tendré que volver varias veces.

Luis seguía durmiendo cuando terminaron. Samuel le ofreció a su visitante algo de beber. Nora aceptó un agua tónica, que Samuel se apresuró a encargar a Paulina, junto con otra para él. Fue en ese momento cuando, utilizando la excusa del plácido sueño del bebé, Samuel echó las cortinillas que hacían invisible su despacho para el resto de integrantes de la oficina.

—Teniendo esa sensibilidad tan especial, no sé cómo no le has planteado a Mónica el tener hijos —observó Nora, muy receptiva a la semioscuridad y a las sutiles maniobras de aproximación del editor.

Samuel no respondió. No le gustaban los temas recurrentes. Se limitó a sonreír, a sentarse frente a Nora y a hacerse con las riendas de la conversación.

—¿Y tú? ¿Quieres más hijos? ¿Te lo has planteado?

—No lo sé —se volvió con expresión tontorrona hacia su durmiente vástago—. Por ahora, Luis me llena tanto que no quiero plantearme sustituirle por otro.

—Mujer… No se trata de sustituirle. Más bien de complementarle.

Paulina entró con los refrescos y los depositó sobre la mesa, sin dejar de observar a Nora igual que un sioux observaría la presencia en su poblado del Séptimo de Caballería.

—Nada que signifique restarle protagonismo me convence. Ya veremos en un futuro. Igual si Valentín quiere… —añadió ella.

Samuel meneó la cabeza simulando una contrariedad moderada:

—No es Valentín quien debe desearlo, sino tú. Es la madre la única que puede tomar esa decisión. En estas cuestiones, sois mucho más importantes que nosotros, y el hombre que no sepa reconocerlo, está perdido.

—Ay, si Valentín lo tuviera tan claro, qué diferente sería todo.

Lo dijo casi con tristeza. Estaba tan de acuerdo con las palabras de Samuel y a la vez tan impresionada de que las estuviera pronunciando un hombre que su sorpresa llegaba casi a la emoción. Y ella no es de ese tipo de mujeres que prefiere esconder o minimizar sus emociones antes que mostrarlas. Todo lo contrario: cree firmemente en que los sentimientos deben manifestarse. Como torrentes, si es necesario.

Exactamente eso hizo: se aproximó a Samuel y dejó caer un beso en una de sus mejillas pulcramente rasuradas. Percibió, además de la suavidad, un cierto aroma a loción de afeitado que le agradó.

—Es una suerte poder trabajar contigo —dijo.

Samuel capturó una de las manos de Nora entre las suyas.

—No te confundas. La suerte es toda mía. Ojalá tengamos oportunidad de seguir haciéndolo.

A continuación, las manos expertas en fugas y tanteos del editor se posaron sobre las rodillas de la asesora. Fue un contacto rápido, premeditado, que por su contundencia y su irrevocabilidad tenía algo de ataque. Sus dos palmas cálidas, grandes y suaves sobre las dos rodillas femeninas. Dos picas sobre un territorio a conquistar. Nora respondió con un sobresalto que la obligó a levantarse, apoyándose en la mesa.

—Perdóname —susurró él, acariciando sus mejillas con la tibieza de una de sus manos—, no he querido asustarte ni parecerte brusco.

A Nora le asustaba mucho más su propio comportamiento que el de Samuel. De pronto se descubría, después de varios meses de letargo sexual, deseando a uno de los últimos hombres con los que debería acostarse. No sólo era su cliente, también era el marido —casi desconocido, eso por lo menos la disculpaba un poco— de su mejor amiga. A pesar de estos pensamientos, agarró la otra mano de Samuel y la llevó a su otra mejilla.

—No me asustas —le dijo, antes de dejar de lado todo lo que pensaba acerca de lo que está bien y lo que está mal y besarle.

Las manos expertas de Samuel despejaron el camino. Lo habían hecho las veces suficientes para saber que una falda por encima de las rodillas nunca es infranqueable. En el fragor del momento, y también por cómo estaban las cosas, pudo evitarse el hombre la impresión de tropezar con las bragas blancas hasta la cintura de Nora. Las apartó sin verlas, en un movimiento limpio, y tiró de las rodillas de ella para acercarla bien a sus intereses. La superficie siempre recién barnizada de la mesa, así como su altura ideal —que, sin embargo, no había sido prevista— facilitaron mucho las cosas. Fue inevitable que en el primer envite cayeran por aquí y por allá algunos papeles. La pila de los originales rechazados que habían de ser devueltos a sus autores se desparramó por el suelo, alfombrando la moqueta de párrafos de sintaxis dudosa, escenas de cuernos sin gloria, relatos de enfermedades terroríficas y epopeyas urbanas cuyos jóvenes protagonistas preferían morir de cirrosis hepática que apuntarse al paro. Qué consternación, qué desasosiego y qué descrédito del ser humano habrían experimentado sus autores, todos esos hijos bastardos de Camilo José Cela, de Francisco Umbral o de padres mucho peores, de haber conocido el destino que aguardaba al fruto de su ambición.

Sobre la mesa, ya algo más despejada de estorbos innecesarios, continuaba la actividad matutina del editor y su asesora, que se aplicaban en el connubio con la misma diligencia que en todo lo demás. Lo suyo era entrega absoluta, espasmo frenético, descontrol alborotado, y en la inconsciencia que suelen arrastrar estos asuntos, un dejarse llevar por alguna fuerza ciega que les impelía a arañar, agarrar, ahogar gemidos y manotear en el aire. En uno de sus espasmos, las manazas de Samuel asieron el culo de Nora y lo elevaron unos centímetros. Fue una suerte de levitación orgásmica, ya que coincidió con un clímax repentino que les agarró a ambos por sorpresa. Y también a Luis, que en esos momentos abrió sus ojitos y observó a su madre flotando a cinco centímetros de una mesa repleta de cacharros mientras un señor que no le era del todo desconocido se apretujaba contra ella con gran denuedo. Con no menos estupor, a pesar del desconocimiento, observó el bebé cómo el vuelo de su madre sobre el tablero terminaba de forma brusca. El aterrizaje de Nora fue a producirse tan sólo unos centímetros más allá de donde había tenido lugar el despegue, pero con tan mala fortuna que las nalgas frías y rosadas y la vulva tibia y húmeda fueron a estrellarse sobre una zona que podríamos llamar de servicios, ocupada por algunos lápices, un sacapuntas, una calculadora y la Petrus 226 de línea clásica, cromada, etcétera, abierta como en Samuel era habitual después de una tediosa jornada de lectura de originales.

Las fauces de la Petrus respondieron al ataque con un mordisco impío. Nora aulló de dolor. Paulina, desde el otro lado de la mampara de cristal, sintió ganas de graparle los genitales a su jefe. Samuel buscó por instinto la mirada reprobadora o salvadora de Luis, su cómplice en la escena. Y Luis, a quien las nuevas experiencias auditivas y visuales tenían fascinado, respondió con un gorjeo de absolución que dejó al editor mucho más tranquilo.

—Quítame esto —gritaba Nora, señalando la Petrus 226, adherida a su vulva como un parásito futurista.

Con mucho cuidado, Samuel se arrodilló sobre la moqueta, frente a ella, y se enfrentó a la zona cero. Allí estaba el vampiro metálico, aferrado a su víctima, a quien no parecía muy dispuesto a liberar.

—Ay, duele mucho —gemía Nora—. Ten cuidado, por favor.

Samuel logró retirar la Petrus 226 con un delicado forcejeo. Dos grapas como dos aguijones habían taladrado los labios mayores de Nora. Sería una curiosa manera de vender el producto, pensó Samuel, cuya mentalidad mercantil jamás encontraba un segundo de reposo: «La innovadora Petrus 226, de línea clásica, cromada, etcétera y con capacidad para grapar una vulva humana en caso de que sea necesario». Después de analizar la situación sobre el terreno, Samuel se confesó incapaz de desprender las grapas.

—No me atrevo —se excusó.

—Lo haré yo —resolvió una más repuesta Nora—, pero en el baño. Necesito un botiquín.

Se le encargó a Paulina que trajera el botiquín de primeros auxilios que dejaron los de Asepeyo después de la última revisión médica. Antes de abandonar el despacho de Samuel en dirección al cuarto de baño, Nora miró a su hijo, acongojada, y suplicó, no sin cierto dramatismo:

—Por favor, hazte cargo de él. Es la primera vez que no le doy el pecho a su hora.

El jardín de las delicias

En circunstancias similares, Otelo soliloquizaría acerca del monstruo de ojos verdes de los celos alimentado por su propio aliento putrefacto. Valentín no está de humor para tropos, y su estado de ánimo se asemeja más al del iracundo héroe clásico a punto de destripar a su enemigo para luego arrastrarle, hecho un puro pellejo, a lo largo de las murallas de la ciudad.

Durante tres días, Valentín se ha empleado a fondo en establecer una cartografía de su nueva situación. Lo que antes le habrían parecido bajezas impropias de él son ahora métodos que no descarta con tal de averiguar lo que desea saber. Uno de los más rastreros ha sido seguir a su mujer. Otros habrían contratado a un detective privado, pero él necesita sentir cómo su sangre hierve y su ira engorda. Necesita vencer su talante de hombre sensato, calmado, razonable, ni que sea por una vez.

Tiene su intríngulis esto de la persecución pedestre urbana: mantener las distancias, cambiar de acera de vez en cuando, permanecer ojo avizor para no perder de vista a la presa y no olvidar protegerse con estrategias simples, como observar con infinito interés los itinerarios detallados en una parada de autobús, contemplar la mercancía expuesta en un quiosco o detenerse ante el primer escaparate que surja en la ruta. Luego todo resulta mucho más sencillo de lo que parecía en un primer momento: Nora va tan concentrada en Luis, en contemplarle con cara de mema mientras empuja su carrito, que no se daría cuenta de que la están siguiendo ni aunque llevara detrás a la guardia montada. Lo que más desconcierta a Valentín es su itinerario. No tiene ni idea de a dónde se dirige. La zona por la que caminan está apartada del centro. Es una de esas barriadas residenciales levantada en los alrededores de un gran centro comercial. Los pisos, todos idénticos, han crecido aquí como setas en otoño, con la misma facilidad y la misma rapidez, casi como si fuera un fenómeno natural. A Valentín no le suena que ninguna empresa se haya establecido aún en este barrio. Tampoco se ven oficinas por ninguna parte, tan sólo locales vacíos y grandes cartelones de las empresas inmobiliarias anunciando las maravillas de la obra a estrenar y ofreciendo una visita al piso muestra. Cuanto más avanza, más crece su curiosidad acerca de qué diablos pretende hacer Nora en un lugar como éste y en sábado por la tarde. Su explicación, escueta como de costumbre, pocos segundos antes de salir de casa, ha sido la habitual en las últimas semanas:

—Me toca resolver otro marrón de mi jefe.

Cuando, de pronto, Nora dobla una esquina, camina cinco pasos y se detiene frente a un portal, Valentín adivina que todas sus preguntas van a quedar hoy sin respuesta. Ve a su mujer pulsar un timbre y esperar unos segundos. No puede escuchar qué voz responde a su llamada, pero sí verla entrar al portal con determinación, instantes antes de que un crujido metálico dé al traste con todas sus pesquisas. Pese a todo, espera un poco y también él se acerca a la entrada por la que acaba de desaparecer su familia. Nada le indica la actividad en la que su mujer va a pasar la tarde. No hay rótulo, cartel ni nombre alguno que facilite su investigación. No alcanza a leer las placas de los buzones, si es que vive alguien aquí. Con tal de averiguarlo decide esperar en la calle a que algún vecino entre o salga. Así lo hace, pero después de más de tres cuartos de hora sin ver un alma, no le queda otro remedio que rendirse. No sólo porque no conviene a sus planes que Nora le encuentre al salir, sino también porque, a fuerza de dejar pasar el rato frente al portal se da cuenta de que su mujer no debe de estar en una reunión de trabajo. No, por lo menos, en lo que hasta hace un par de meses habría considerado una reunión de trabajo. Respecto al comportamiento actual de Nora, le resulta tan ajeno y tan incomprensible como el suyo propio, empeñado en jugar a los espías. De modo que, ante la imposibilidad de encontrar explicaciones a nada de lo que está ocurriendo, decide irse a casa y esperar a los suyos haciendo un puzzle.

El jardín de las delicias, de El Bosco, 13.200 piezas. Se lo regaló Nora la pasada Navidad y hasta hoy no ha encontrado la ocasión que buscaba para comenzarlo. Va a ser el mayor reto al que se ha enfrentado su afición por armar todo tipo de cosas desarmadas. Y para ser capaz de comportarse como la envergadura de la empresa exige, se sirve un güisqui triple.

Nora llega a casa más de dos horas después. Le encuentra concentrado en clasificar las 13.200 diminutas piezas según su color, casi tumbado sobre la mesa con una sonrisa estúpida esculpida en la cara.

—¿Qué estás haciendo? —pregunta ella.

Responde con lengua pastosa:

—Tu puzzle, cariño.

Ella le mira con desdén antes de anunciar:

—Me voy a dormir.

Sin embargo, Nora no se acuesta de inmediato. Aún tiene que darle el pecho a Luis y aplicarse sus cremas. Antes de meterse en la cama y sin ninguna intención de conocer el estado de su marido, se lleva la mano al escote y echa algo en falta: el colgante en forma de caracola que hace años le regaló Mónica. «Bueno», piensa, «todo tiene arreglo, ya se lo pediré a Samuel». Y se duerme tranquila y al instante. También Valentín se ha dormido sobre las 13.200 piezas clasificadas por colores. Y eso que los montones no son precisamente mullidos.

La segunda persecución tiene lugar cuatro días más tarde. Valentín pide un día libre en la empresa y se aposta con disimulo a la entrada de su propia casa. El cometido del día de hoy es seguir a Nora hasta su reunión de trabajo en el Grupo Empata.

Por la dirección que toma, enseguida comprende que esta vez su mujer va a donde dijo que iría. En el vestíbulo del enorme edificio, Valentín sigue desde una distancia prudencial la conversación de Nora con la guardia de seguridad. Parecen dos viejas amigas muy contentas de verse. Hasta hay cucamonas para Luis y comentarios de esos que sólo puede hacer alguien familiarizado con ciertas situaciones:

—Anda, pero si hoy mi niño viene despierto. Por fin le veo esos ojazos.

De todo ello deduce Valentín, no sin razón, que Nora ha frecuentado este lugar mucho más de lo que él creía. Sólo necesita esperar unos minutos y decirle a la misma simpática vigilante que es el padre de Luis y que viene a reunirse con su familia para que le dejen pasar sin complicaciones. Luego asegura el tiro:

—Planta siete, ¿verdad?

—No, cariño. La sexta —ha informado ella.

Es así como Valentín llega a *Suma de cosas* en el peor día imaginable. Desde el otro lado del pasillo espía durante un rato el ambiente enrarecido, las caras largas de todos los presentes, el entrar y salir de personas en un trasiego sospechoso incluso para quien nada sabe de lo que allí se cuece. Observa cómo una secretaria, muy consciente de estar de buen ver, se deshace en explicaciones mientras llora a moco y baba. Y ve a una contenida Nora deshecha de desilusión y encajando la noticia, detenida entre las mesas repletas de papeles y tiesa como un árbol al que acaba de alcanzar un rayo. Cuando su mujer se despide y regresa al ascensor empujando con lentitud el carrito de Luis, Valentín piensa que ha llegado el momento de atacar. De todos los presentes escoge para su interrogatorio a Paulina, a quien se acerca con la prudencia que le dicta el instinto.

—¿Ha ocurrido algo? —pregunta.

Incluso en las actuales circunstancias, percibe Valentín la mirada de extrañeza de la chica ante su aparición repentina. A pesar de todo, le proporciona la información que él requiere:

—Ya ve. Se nos ha muerto el jefe.

—Ah. Vaya —murmura Valentín. Y se le ocurre de inmediato el modo de justificar su presencia allí: —Precisamente, tenía una cita con él.

—¿Es usted el señor Gordillo? —pregunta ella, con diplomático entusiasmo.

—El mismo —miente Valentín.

—Llevamos toda la mañana intentando localizarle. Para darle la noticia y para anular la cita, obviamente. Lamento mucho que haya tenido que venir hasta aquí para enterarse.

—No se preocupe por eso en un momento como este —responde él, desbordando humanidad repentina.

La conversación tiene lugar a escasos centímetros de la puerta de acceso al que hasta hoy fue el despacho de Samuel Martínez, muerto —según la versión oficial— de un paro cardíaco durante el partido de pádel que disputaba con su mejor amigo. Desde su posición, Valentín echa un vistazo al despacho vacío. Lo que busca es un objeto muy concreto: aquél que se clavó en su mujer hace algunos días. Sin embargo, por mucho que otea, olvidando el disimulo inicial del mismo modo que un niño olvida la vergüenza, no consigue dar con la Petrus 226.

—Parece mentira ver ese despacho sin Samuel, ¿verdad? —comenta la chica, que no es ajena al interés del visitante.

De nuevo las circunstancias le son favorables a Valentín, que logra fingir una emoción muy teatral para aproximarse al espacio enmoquetado donde hasta hace veinticuatro horas trabajaba el difunto. Paulina le sigue con los ojos húmedos. Ante la puerta acristalada, Valentín tiene el buen tino de detenerse y preguntar:

—¿Puedo…?

—Claro, por supuesto —se apresura a responder la chica.

En un primer vistazo no logra dar con ella. Es al circunnavegar la mesa, pasando por detrás del sillón de cuero del editor cuando descubre, agazapada tras una pila de papeles que ya no tienen a quien esperar, a la Petrus 226. La reconoce enseguida. No puede evitar sentir un escalofrío de ira al pensar en lo que este pequeño efecto de escritorio habrá presenciado. Lo toma entre sus manos y lo acaricia como a una mascota. O lo frota como a la lámpara de la que se espera que surja un genio.

—Ya veo que siente usted mucho la muerte del señor Martínez —dice Paulina, que no sale de su asombro
ante tal comportamiento—, ¿era usted amigo suyo?

—Nos unían muchas cosas —se justifica él.

La guapa solloza:

—Yo también le apreciaba mucho.

Aunque esta última frase no encuentra el consuelo
que buscaba. En ese mismo instante, mientras pondera la
naturaleza del desconsuelo de la secretaria, Valentín ve
aparecer por encima de la línea perfecta de sus hombros
a Nora y al carrito todo terreno de su hijo. Nora se detiene frente a los ascensores y contempla la escena. Es difícil
decir si la incredulidad que reflejan sus ojos es por estar
viendo a Valentín en el despacho de Samuel o a la feroz
Petrus 226 en manos de su marido. También Valentín se
siente, en cierto modo, cazado, de modo que deposita de
nuevo la grapadora de línea clásica, cromada, etcétera,
allí donde la encontró y se despide con mucha cortesía de
su gentil acompañante en el paseo.

Cuando se reúne con Nora no se molesta en mirarla.
Ni siquiera la saluda. Deja que las tornas cambien. Él no
es el descubierto, sino el descubridor, y la escena en la
que ella acaba de irrumpir no deja lugar a dudas. Todo es
cuestión de tomar posiciones, de elegir la vía correcta. No
convertirse en la víctima. Detesta ser el humillado. Cuando llegue a casa, piensa, se concentrará en silencio en *El
jardín de las delicias*. Empezando por aquella parte en que
se ve a Adán dirigiendo a Eva un dedo acusador mientras
la culpa de todas las desgracias del mundo.

Confesión y penitencia

Su vejiga necesita aligerarse cada noche alrededor de las cuatro de la madrugada y Valentín tiene tan medido el trayecto entre la cama y el retrete que muchas veces lo realiza casi sin abrir los ojos. Por fortuna, esta noche los abre antes de apartar el cobertor y descubre, sentada a su lado, con palidez de aparición, a Nora. Si pudiera verle bien los ojos se daría cuenta de que ha estado llorando. Por fortuna, no percibe los detalles. Y es que no se siente muy predispuesto a dejarse conmover con lagrimitas.

—Lo siento —susurra ella, con un hilo de voz.

Valentín interpreta como un golpe bajo que le aborde cuando está dormido y no puede defenderse. Para ganar tiempo, dice:

—Aparta, voy al baño.

Nora deja libre el camino y él cumple así con su ritual nocturno. Regresa a la cama como si ella no estuviera allí, se cobija bajo las sábanas y le da la espalda.

—Me gustaría hablar contigo —insiste Nora.

Y ante el mutismo de su marido, se lanza al primer intento de explicación.

—No puedo dormir si no intentamos solucionar esto. He sido una estúpida, Vale. No quiero mandarlo todo a la mierda por un desliz sin importancia. Te prometo que sólo ha sido eso. Créeme, por favor. Tenemos que arreglarlo como sea. Aunque sólo lo hagamos por Luis.

Valentín siente su cólera crecer como la leche puesta a hervir. Dos palabras más de ella, y rebosará.

—Supongo que fue la novedad, el morbo, no lo sé. Yo nunca había hecho nada parecido. Fue amable conmigo, me pilló en horas bajas. Todo esto tiene que ser culpa de las hormonas, porque yo no lo había hecho nunca, tú lo sabes. Bueno, espero que lo sepas. Y que ahora no vayas a pensar cosas raras. Además, Martínez ni siquiera me gustaba. Era un hombre elegante, eso sí, pero no me enamoré de él ni nada por el estilo, que habría sido peor. Fue sólo deseo repentino de tener una aventura, y él era el que estaba más a mano. Créeme, me da mucha vergüenza que haya pasado esto. No sé cómo hacer para arreglarlo.

Si su cólera fuera leche, en este momento estaría empapando el pijama verde pistacho de Nora y comenzaría a rezumar por los extremos del colchón, formando un gran charco sobre las baldosas...

—Ya sé que últimamente he estado muy fría contigo —continúa ella— y no creas que no me acuerdo cuánto hace que no tenemos sexo. También sé que sólo es por culpa mía. No es que no tenga ganas, es que cuando estoy en casa la situación me supera. Supongo que quiero hacerlo todo demasiado bien, descubro que no llego a tanto y entonces dejo de lado siempre lo mismo, que es mi propio disfrute. Y el tuyo, claro, no creas que no me doy cuenta. Es todo muy complicado. Creo que para comprenderlo bien tendrías que ser mujer y haber parido. El cuerpo se nos pone del revés, igual que el cerebro. El deseo sexual ya no funciona como antes, no de la misma manera. Sólo quiero que sepas que se trata de algo temporal, que voy a poner todo de mi parte por superarlo. Por favor, Vale, dime algo.

...y subiendo, subiendo, subiendo como la espuma, dejando su marca en las paredes, alcanzando la ventana entreabierta y colándose por ella, vertiéndose sobre la terraza después de inundar los tiestos de los geranios y de allí al abismo que los separa de la calle. Si ella sigue hablando, el charco invadirá también la acera, empantanará los huecos de los árboles, se filtrará por las alcantarillas hasta hacer saltar las tapas y continuará su camino imparable hasta llenar el mar de este veneno rabioso que no se calma, sino que se azuza con discursos.

Le parece que escucha ahora un sollozo ahogado. Nora parece estar llorando. Lejos de sentir los deseos de consolarla que hasta hace nada le hubiesen inspirado sus lágrimas, ahora experimenta una suerte de compensación por todo lo que ha ocurrido. Descarta la posibilidad de contestar a su mujer. Lo que de verdad desea es el ojo por ojo. Humillación por humillación. Tiene un plan. Lo ha trazado su nuevo yo. El de antes no habría sido capaz de tanta maldad. Espera cinco segundos más y emite un ronquido. Uno discreto, al que sigue una respiración acompasada en la que poco a poco, a fuerza de concentración, logra engarzar otros ronquidos más robustos. Nora enmudece. Está desconcertada. Ahora debe de estar preguntándose cuánto rato hace que él no la escucha. Se seca las lágrimas. Hace ademán de levantarse. Titubea, pero al fin se decide. Siente su mirada clavada fijamente en él durante un buen rato, casi tres minutos, antes de oír sus pasos que se alejan. Daría lo que fuera por esos tres minutos de pensamientos de su mujer. Luego la oye cerrar la puerta del cuarto de invitados y en el silencio de la noche paladea el dulzor de su triunfo.

Por la mañana, Nora deambula por el piso como una zombi de color verde pistacho. Es sábado. Eso pone las cosas más difíciles: Valentín no se va a trabajar. No hay tregua.

—Me gustaría que habláramos. Anoche lo intenté —dice en cuanto le ve aparecer.

Valentín se sienta a la mesa donde le aguardan las 13.200 piezas.

Nora le trae un café con leche y un bollo. Luego se sienta a su lado, más solícita de lo que ha estado en los últimos catorce meses.

—Por favor, Valentín. Dime algo —suplica.

Valentín levanta la cabeza y la observa como si no la hubiera visto hasta hoy.

—Gracias por el desayuno —dice—, no tenías por qué molestarte.

—No me refería a eso —protesta ella, con un soniquete algo infantil.

Él toma la lupa y examina algunas de las piezas más oscuras. A primera vista, son todas iguales.

—Está complicado... —susurra.

—Ya sé que no va a ser fácil, pero por lo menos déjame intentar... —Nora cae en su error, achina los ojos, añade: —No sé si hablas de nosotros o del puzzle.

Valentín inspecciona ahora con la lupa la foto completa del clásico tríptico.

—Demasiadas piezas que encajar —musita.

Su mujer es terca, la conoce bien. Sólo una cosa la hará rendirse. En ese preciso instante, como si pudiera adivinar sus pensamientos, Luis emite un quejido. Hora de comer, piensa Valentín. Y Nora se levanta a cumplir con su cometido intransferible.

Información (3)

Los días de lluvia son propicios para los duelos, los enterramientos y las persecuciones. Es mucho más fácil pasar inadvertido refugiándose bajo un paraguas o camuflándose en una gabardina, a poder ser tras una cortina de agua cuanto más tupida, mejor, que pretender jugar a los detectives a plena luz del sol. Sherlock Holmes no habría tenido tanto éxito en un país mediterráneo.

Valentín ha seguido a Nora hasta el entierro de Samuel Martínez, pero esta vez su objetivo no es su mujer, sino la amiga de ésta, a quien nunca ha visto en persona. Merodeando cerca del grupo se da cuenta de que Nora está confortando a una enlutada Mónica. Es fácil reconocerla como la viuda y, por tanto, su objetivo. A su lado en todo momento, Nora la abraza por la espalda mientras estrecha una de sus manos. El grupo es más nutrido de lo que cabría esperar. En él distingue Valentín la presencia de varias mujeres en edad de revolcarse por ahí con el primero que las tiente. Está seguro de que Nora también sabrá apreciar este importante detalle, que le resta singularidad y romanticismo a sus propios revolcones, para íntimo regocijo del silencioso observador.

Cuando la tediosa ceremonia termina y el finado descansa ya tras su lápida de mármol, de donde no podrá salir para follarse nunca más a nadie, el grupo camina con lentitud hacia los dos arcángeles cabreados que custodian la entrada del camposanto. Les sigue a no poca distancia, observando escandalizado cómo su mujer se despide de la viuda con un par de besos en las mejillas y le susurra algo al oído que, puede adivinar, es alguna expresión de consuelo o de ánimo. La muy. Acto seguido, Nora se va a paso ligero en busca de un taxi que la lleve a casa de su madre (sus tetas deben de estar a punto de reventar, necesita sin más demora que Luis se las vacíe), mientras un hombre encorbatado y elegante le ofrece a Mónica su ayuda. Y ella parece aceptarla, porque se encaminan juntos hacia la salida, y de allí a un coche aparcado a unos metros de la puerta principal.

Valentín también va en busca de su coche, que no está lejos de allí. Tiene que darse prisa para no perderles de vista. Luego, todo resulta tan fácil como mantener la distancia y no levantar sospechas. El hombre acompaña a Mónica hasta su casa, un piso de lujo en uno de los mejores barrios de la ciudad. Hablan cinco minutos sin apearse del coche —Valentín les observa aparcado unos metros más atrás— y se despiden con más besos en las mejillas y más palabras de consuelo. Valentín adivina que con una sola palabra de ella bastaría para que él la siguiera, babeando, hasta su cama, pero no ocurre nada de eso. Una vez ella se dirige a su portal, él la observa sin apartar los ojos y le devuelve un impreciso saludo con la mano cuando ella hace lo propio. Luego arranca el motor y desaparece.

Cuando la calle queda desierta de tráfico, Valentín comprende que es su turno. El turno de llamar al timbre de casa de Mónica y explicarle por qué será mejor que no confíe nunca más en su mejor amiga.

Conducta de las alimañas

Luis se aferra a la teta izquierda de Nora con celo de alimaña. Ella le sujeta con una mano ayudándose de un almohadón. Con la otra, sostiene el teléfono. Al otro lado de la línea, la escucha con la veneración acostumbrada el plasta de su jefe.

—No, no, no. Dile al cliente que las cosas han cambiado mucho. Ahora es casi obligatorio que salgan chicos en los anuncios de muñecas. Por lo menos uno, aunque más estaría mejor. ¿Con cuántas niñas cuentas? ¿Sólo dos? ¿Y encima, mellizas? Un error. Y a mí qué si los niños no agarran maternalmente a las muñecas, qué aprendan, coño, que les enseñen. ¿Qué significa que no tienen ese instinto? Pero bueno... ¿tú de qué parte estás? ¿No lees los informes anuales sobre sexismo en la publicidad o qué? No me lo estoy inventando yo. Las niñas siempre salen acunando a sus muñecos o haciéndoles dormir, transmitiendo los eternos valores de la mujer cuidadora y madre. Exacto, veo que ya lo entiendes. Sí, es mucho mejor que las niñas ni toquen el producto. Que lo hagan ellos. Ya está bien de ángeles benefactores totalmente pasados de moda. En cambio, en los anuncios de juguetes supuestamente masculinos siempre se habla de valor, de coraje, de aventura o de destrezas especiales. Lo siguiente tiene que ser un grupo de niñas anunciando uno de esos circuitos de coches megaveloces, vestidas de Fernando Alonso y con la cara sucia. Nos van a dar todos los premios del año, ya verás.

Luis mama, ajeno a tanta palabrería. Por el rabillo del ojo, Nora comprueba el tiempo transcurrido. Al pequeño le toca cambio de teta. Interrumpe sin reparos a su jefe en mitad de una larga argumentación.

—Aguarda un momento, hazme el favor.

En una serie de precisos y ensayados movimientos, Nora forja la imagen especular de sí misma: Luis en la teta derecha, sustentado sobre su almohadón. El teléfono en la mano izquierda. Todo en siete segundos. Su jefe no percibe nada raro, ni siquiera el pequeño brinco de dolor que experimenta la voz de su mejor asesora en el instante en que Luis empieza a succionar de su otro pezón.

—Respecto al otro asunto. Lo que yo le aconsejé a los del departamento de publicidad de Waudi era que en lugar de contratar para su anuncio a una tipa del estilo, pongamos, Angelina Jolie, buscaran algo diferente. Algo así como una Whoopi Goldberg o a una Kathy Bates. ¿Sabes lo que te digo? No a una tía cañón, sino más bien a la señora de clase y edad intermedias, tirando a madre de familia fondona. Y si es negra y tiene el culo gordo, mucho mejor. Pues claro que no pueden aprovechar el vestuario, ¿cómo van a ponerle tacones de doce centímetros o escotazo de pico hasta el ombligo a Whoopi Goldberg? Pero, ¿tú sabes quién es Whoopi Goldberg? ¿Y Kathy Bates? Ya me parecía. Si quieren aprovechar el vestuario, es mejor el tipo Angelina Jolie, pero yo seré la primera en denunciarles, que lo sepas. Me da igual que los compradores sean hombres. Y ahora no me vengas con aquello de que la publicidad está hecha para soñar. La publicidad es un reflejo de la sociedad y la sociedad es un asco. Empezamos utilizando a las mujeres guapas para vender coches y terminaremos extendiendo la ablación y el uso del burka.

El timbre del telefonillo pone un remate acústico a su airada disertación. Le da lo mismo, porque no piensa abrir. Cuando amamanta a Luis no quiere interrupciones de ninguna clase. Al otro lado, su jefe le da la razón sin mucho convencimiento. Nora insiste, en el tono pedagógico que cree que merece el asunto:

—Tú también tienes que modernizar tus ideas. La publicidad puede ser el mascarón de proa ideológico del cambio que estamos necesitando en nuestra manera de ver el mundo.

Del otro lado sólo le llega un suspiro fatigado. Insiste ella:

—Cuenta conmigo para ello, ya lo sabes. No es una empresa fácil, pero valdrá la pena luchar por eliminar los monstruos de la sociedad patriarcal que aún nos domina.

De nuevo el timbre. Esta vez, con mayor insistencia.

—Te están llamando —dice el jefe, deseando que la arenga termine de una vez—. Ya hablaremos, tengo ahora mucho quehacer.

También Luis se desprende del pecho de su madre con un sonido que recuerda al de un botella al descorcharse. Mira a los ojos de Nora y sonríe, satisfecho, demandando ser colocado en la postura del eructo ritual que habrá de llegar de inmediato. Para entretenerse, manotea frenéticamente contra el pecho y el estómago de su madre.

Mientras se abrocha el sujetador de lactancia cien por cien de algodón con copas reforzadas —horroroso pese a las buenas intenciones— empieza a sonar el teléfono. Nora responde a la tercera llamada.

—¿No piensas abrirme la puerta? —le dice la voz de Mónica.

—Luis estaba comiendo —se excusa—. Te abro enseguida.

Deja la puerta entreabierta y termina de acomodarse la ropa. La espera dando un pequeño paseo circular por el salón, amenizado por los gorjeos de Luis, que con sus manitas delicadas tira de su pelo con energía. No repara en que la amiga saluda a su hijo («Hola, precioso, ¿estaba rica la comida?») pero no a ella. Sí percibe, en cambio, que Mónica toma asiento en el sofá sin quitarse la chaqueta, sin sonreír y casi sin mirarla.

—Sólo me quedaré un momento —anuncia.

—¿Te apetece algo para beber?

—No.

Esta negativa como un telón de acero hace que Nora se tema lo peor. No se equivoca. Luis está sobre sus rodillas, ligeramente echado hacia delante, y su madre le propina ligeras palmaditas en la espalda. Él contraataca con contundentes patadas contra sus rodillas.

—Me haces daño, cariño… —susurra al oído de su hijo, como si éste pudiera entenderla.

—He venido a devolverte algo —anuncia Mónica de pronto.

Lo lleva en la mano. Mónica acerca el puño cerrado a la mesa de cristal. Lo abre con lentitud, se diría que con delectación. Incluso Luis permanece atento al enigma de su contenido pero, a diferencia de su madre, no entiende el significado del pequeño objeto que sale de él: una caracola de plata unida a su cadena. Con sólo mirarla, Nora palidece. El color más bien insano de su tez contrasta de pronto con la rubicundez del chaval, que hincha los carrillos y achina los ojos antes de expeler un gas como un rugido de pantera.

—Criaturita —apostilla Mónica.

—No sabes cuánto me alegro de recuperarla —Nora toma la caracola y la devuelve a su lugar, sobre su escote—. Siempre ha tenido para mí un significado muy especial.

Mónica la observa sin creer ni una palabra de lo que dice.

—¿Seguro? —pregunta.

—Oye, no me digas nada. Estoy muy avergonzada por lo que ha ocurrido. La verdad es que ni siquiera me lo explico. La naturaleza humana es muy extraña.

—Cierto. Y capaz de cualquier bajeza. Pero no te preocupes, querida. No se puede cambiar lo que ya está hecho —Mónica se levanta, sin perder ni un ápice de la frialdad que desea subrayar— y tu traición ya no tiene arreglo, por mucho que te flageles.

Nora se siente desconcertada ante el comportamiento de su amiga. Nunca jamás la había visto así. Nunca con ella, por supuesto. Tampoco con nadie más. Es como si se hubiera transformado en otra mujer de la noche a la mañana.

—Sólo un par de cositas más —añade Mónica desde el rellano—: La genciana me vino muy bien. Realmente, me ha renovado. Ni yo misma me lo creo.

—Me alegro mucho —responde su amiga, sin salir de su desconcierto—. Puedo traerte más cuando quieras.

De nuevo Luis se entretiene en uno de sus pasatiempos favoritos: tirar del pelo de su madre y observar qué ocurre. En el último tirón ha puesto tanto empeño que se ha quedado con un mechón de cabellos en la mano. Nora no puede evitar que el dolor le llene los ojos de lágrimas.

—¿Y la segunda? —pregunta.

Teme que la respuesta sea terrible. Tanta agresividad por parte de Mónica le da ganas de llorar. Para variar, lo atribuye a las hormonas. Por fortuna, Luis le facilita la tarea.

Mónica pulsa el botón de llamada del ascensor. Antes de desaparecer, le proporciona el argumento para un par de noches de insomnio y varios propósitos de enmienda.

—Ya sé que no te importará, cariño. Hemos compartido tantas cosas, y tú tampoco demuestras gran interés. En fin, lo haría de todos modos, pero prefiero advertirte: me voy a cepillar a tu marido.

Campiña

Valentín duerme a pierna suelta, desnudo y atravesado diagonalmente en la que antaño fue cama matrimonial. Consumada la primera parte de su estrategia y casi todo el puzzle de las 13.200 piezas, por fin ha encontrado algo de descanso. En la profundidad de su inconsciencia, espesa como un mazapán, aparece de la nada una figura vagamente conocida. Una joven de cabellera azotada por el viento, cubierta por una gasa transparente que en realidad no la cubre, y que con voz aterciopelada le pregunta:

—¿Te acuerdas de mí?

Es como una Venus naciente, pero sin la orondez del imaginario renacentista. Si no fuera una estupidez, y lo sabe aunque esté soñando, diría que tiene un vago parecido con la Eva pecadora que imaginó El Bosco en su tríptico. Sin embargo, prefiere callar antes que meter la pata en las presentaciones.

—Nos conocimos en las oficinas de *Suma de Cosas*, el día que murió Samuel Martínez —aclara ella, sin cambiar el chocante tono de su voz.

Valentín recuerda a la secretaria en minifalda que le atendió con tanta amabilidad el día en que desenmascaró a Nora. Con el pelo suelto, ningún maquillaje y la gasita no la había reconocido.

—Claro —se golpea la frente con la palma de la mano—, ¿y qué estás haciendo aquí?

—Me he muerto —dice ella, con toda naturalidad—. ¿Y tú?

La rotundidad del mensaje le deja aturdido.

—Creo que yo sólo estoy soñando —responde, con cierto sentimiento de inferioridad.

—Bueno, en realidad no me he muerto. Me han matado.

—Hala, qué putada. Y, ¿ha sido rápido, por lo menos?

Ella enfurruña la boca y hace un gesto con la mano como si quisiera espantar un insecto.

—No hablemos de eso, me pone de mal humor. Estoy aquí porque me he enterado de que llevas meses sin catar mujer. En realidad, vengo a ayudarte.

A Valentín se le escapa una risilla nerviosa.
—Ah, qué amable. ¿Y te envía alguien?
Paulina le toma de las manos.
—Calla y ven.

De repente Valentín no tiene muy claro cuál es la posición que ocupa con respecto al espacio. Tan pronto le parece estar tumbado sobre una montaña de plumón que caminando sobre un mar de gel. En este mismo instante, sin ir más lejos, no sabría precisar si camina, se desliza, flota o qué.

Pronto empieza a experimentar un cosquilleo muy agradable que le recorre por entero. Abre los ojos y ve un cielo muy azul, transitado por media docena de nubes gordas y blancas como borregos y por docenas de parejas haciendo el amor y suspendidas en el aire como si fueran cometas. La curiosidad le impele a mirar hacia abajo. Muy lejos del punto del espacio que él ocupa con Paulina se ve un campo verde y arreglado, una suerte de campiña inglesa tan irreal como un decorado de los Teletubbies. Sobre ella corretean los conejos y crecen unas flores que hablan. Entre este lecho improbable y ellos mismos, otras parejas se solazan en sus asuntos carnales y tampoco parecen experimentar la fuerza de la gravedad ni, de hecho, ninguna otra molestia terrenal.

Siente deseos de preguntar dónde están, cómo diantre ha llegado hasta aquí, pero los pechos de ella, de pronto ocupando todo su campo visual, le sacan de sus cavilaciones. Huelen bien y son suaves como la piel de un bebé. Ella le está pidiendo, no sabe si de viva voz o en el imperativo lenguaje de los hechos consumados, que se los lama. Nada le provoca en estos momentos más placer. Diría, aunque aquí es fácil hacerse un lío con las sensaciones, que mientras su lengua desarrolla su labor fuera de la cavidad bucal, otra igual de ágil que la suya se abre paso a través de sus nalgas. Tal y como está transcurriendo la escena, deduce que no puede ser la de Paulina, pero el gustito es tal que decide continuar con lo que está haciendo sin hacer preguntas ni siquiera a su fuero interno. Ella corrobora esta teoría cuando dice:

—Goza y no quieras saber, corazón. Te estoy iniciando en el camino del sexo extra-corporal. Sensaciones como ninguna de las que hayas experimentado.

Está tan de acuerdo Valentín con el eslogan, que se siente de inmediato predispuesto a más iniciaciones. Igual que su pene, que segundos antes de que se desvanezca todo —la campiña, los amantes, los conejos, las flores parlanchinas, las nubes borreguiles y hasta Paulina con su gasa— experimenta una eyaculación feroz y tan terrena que le sirve de inmediata conexión con el mundo real. Se despierta bañado en sudor, aún jadeante, con la tripa y los muslos embadurnados en su propio semen —que también empapa las sábanas— y una sonrisa de idiota pintada en la cara.

Cuando se levanta a miccionar y, de paso, a lavarse un poco, descubre algunas cajas en mitad del pasillo. Son aquellas donde Nora olvidó su ropa interior de antaño, precisamente las mismas de las que ha querido recuperarla hace pocas horas, con la intención de revivir esa parte olvidada de su pasado. Sin embargo, a Valentín ahora no le interesa nada de eso. No está para investigaciones domésticas. Lo único que desea es regresar a la cama y encontrar el camino que le lleve de vuelta a la campiña.

III: Y AHORA QUÉ

Jimmy

El director literario de Sintonison Ediciones es un claro exponente de esa generación de editores jóvenes forjados en el mundo del marketing y la publicidad, a los que sólo alimenta una ambición desmedida. Está estudiando a conciencia los informes de los distribuidores cuando le interrumpe un aviso de su secretaria:

—Está aquí Jimmy Borges de Mendoza —anuncia la voz metalizada a través del intercomunicador de sobremesa.

El editor ha tenido la precaución de tener preparado el original del aspirante a escritor que en breves instantes cruzará la puerta de su despacho, un anémico montón de hojas DINA-4 sujetas por una espiral metálica, que ostenta el poco esperanzador título de *Los gilipollas*. El informe que encargó a uno de sus colaboradores, en cambio, está bien escondido en la cajonera de su mesa. No conviene que los autores conozcan tales secretos. Mucho menos en este caso, en que el informador no escatimó insultos.

Sin embargo, el editor tiene motivos para querer ver publicado este original, y no tienen que ver con la personalidad del aspirante, de quien lo espera casi todo (y nada bueno) a juzgar por la única referencia biográfica que tiene de él. También ese talento ha sabido tenerlo el editor: sobre el original de *Los gilipollas* aguarda un ejemplar del único libro que el joven ha publicado a día de hoy, el único que habría logrado ver édito en toda su existencia si alguien como él no hubiera requerido sus servicios y hubiera estado dispuesto a pagar por ellos un buen precio. Se titula *De putas*, y fue publicado en 2003 por el Ayuntamiento de L'Espluga del Francolí, tras obtener una mención del jurado en el III Certamen Juventud y Agricultura, convocado con carácter bianual por el mismo ayuntamiento. Es una edición barata, sin solapas, encolada burdamente, en un papel malo de una blancura hiriente a los ojos y rematada por una cubierta horrorosa. En la contratapa, sin embargo, los impresores municipales se han tomado la molestia de incluir, además de un par de frases que pretenden dar al hipotético lector una idea de aquello con lo que va a encontrarse una vez se atreva a abrir el engendro, un breve resumen del paso del autor por la faz de la tierra, más o menos como suele hacerse en la mayoría de libros que llegan al mercado, sólo que en este caso, tal vez por inexperiencia del editor, por tendencia al exhibicionismo del autor o por ambas cosas combinadas en un cóctel curioso, la ficha biográfica no se parece a ninguna de las que el director literario de Sintonison Ediciones ha visto jamás. En un alarde de originalidad, la cosa reza como sigue:

> Jimmy Borges de Mendoza tiene veintitrés años, una boa y una iguana. Ha viajado a seis países del Tercer Mundo y ha visto mogollón de cosas. De 1998 a 2001 estuvo en prisión por atraco a mano armada. Su psicoterapeuta le recomendó poner por escrito sus obsesiones y escribió De putas, una recopilación de aforismos, haikus, microcuentos, cartas, pareados y quintillas. Ha descubierto que escribir le tranquiliza y en estos momentos termina su primera novela, un relato autobiográfico titulado *Los gilipollas*, que espera ver publicado muy pronto.

La última frase del texto biobibliográfico le sirve al editor como pie para iniciar una conversación:

—Me parece admirable la seguridad con la que aquí parecías dar por sentado que ibas a publicar tu segunda obra.

Ante sí, el director literario de Sintonison Ediciones tiene a una suerte de adolescente talludo que, pese a haber adoptado la camisa (vaquera) y el mocasín, seguro que para comparecer aquí y ahora, no ha logrado eliminar ciertos rastros purulentos de acné juvenil de sus dos mejillas, del mismo modo que no ha creído conveniente desprenderse de la gorra que luce vuelta del revés —con la visera proyectando su sombra sobre la pilosa nuca—, escondiendo sus largos cabellos de un rubio sucio. Es estrábico y de una delgadez que roza la desnutrición, lo cual hace que sus piernas parezcan aún más largas de lo que son en realidad. Las repliega de modo que sus rodillas parecen quedar más o menos a la altura del ombligo, en una postura forzada que recuerda a un zancudo o un flamenco y que hace que el sillón donde se asienta parezca de juguete. El conjunto del visitante se remata con un par de ojos saltones muy abiertos que dejan ver dos córneas blancas surcadas de venitas rojas. Tiene la mirada de un desequilibrado.

—No sé —responde el chaval—. Todos mis colegas han publicado su libro. No es tan difícil, ¿no? Siempre hay alguien a quien le pareces la leche.

No esperaba el editor tanta sinceridad en una primera réplica. Cree necesario, no obstante, hacer una puntualización de entendido en la materia:

—Dime, ¿cómo funcionó tu primera obra? ¿Qué cifras te dieron tus editores?

El joven encaja la pregunta como quien recibe un balazo. Aunque es de rápida recuperación.

—Ni idea. ¿Debería haberlo preguntado antes de venir?

Ríe el editor con una de esas medias carcajadas que son pura impostación, puro papel aprendido.

—No, no va a ser necesario. Por lo que a mí respecta, ya he tomado mi decisión. Quería preguntarte por tu motivación al escribir.

Tamborilea Jimmy con los dedos de ambas manos sobre sus rodillas.

—No sé —responde—. Yo conecto el ordenador, abro un documento de Word y añado palabras a otras que ya están. Las palabras forman frases y las frases párrafos. Cuando creo que hay suficientes, lo envío a algún concurso o a alguna editorial.

Esta vez, la carcajada del editor es de nerviosismo. No parece que haya impostura de ninguna clase en el triste espécimen que le contempla. No hay personaje, no hay invención de sí mismo, no hay nada más salvo cuanto se observa a simple vista. Todo es sinceridad. Pura, brutal, repugnante sinceridad. Ni trampa ni cartón. Esperaba encontrar un escritor lamentable, pero no había previsto topar con una persona carente de todo interés. Una lástima. Sobre todo, desde el punto de vista del márqueting. No va a haber nada que hacer con él, a menos que inventen algo.

—¿Un caramelo? —ofrece el editor de un gran plato rebosante de envoltorios dorados.

—¿Son de limón?

Le ha pillado por sorpresa. Algo que no le suele pasar a los hombres como él.

—Pues no sabría decirte.

Antepone Jimmy la palma de su mano —como de pantocrátor— a su negativa verbal:

—Entonces no. Sólo me gustan los caramelos de limón.

—Vaya... —el director literario toma uno y empieza a desprenderlo del envoltorio con gran parsimonia—. Otra cosa que me ha llamado la atención de tu biografía, la del libro, es tu pasado delictivo —dice.

—Ah sí, qué pasada, ¿no? Poner ahí lo del atraco. Mis colegas se partían el culo de la risa.

—¿Tus colegas estaban también en eso?

—¿En lo del atraco?

Cabecea el editor mientras se lleva a la boca el caramelo. Es de limón.

—No, no. Yo voy por libre. No me gusta mezclarlos en mis cosas. Además, lo del atraco fue un aire que me dio. Un ramalazo. Pasaba por delante del banco y pensé: «Qué coño». ¿A ti nunca se te ha ocurrido nada parecido? Yo creo que todo el mundo lo ha pensado alguna vez, lo que pasa es que hay que tener los cojones para hacerlo. Ya no queda gente con cojones.

Arquea las cejas el editor y su frente se surca de olas carnosas. Hasta ahora no le había molestado el tuteo de Jimmy en el que ni siquiera había reparado. Ahora, en cambio, le ofende. También le inquieta un poco no estar en completo desacuerdo con este deshecho de la sociedad. Cree que ha llegado el momento de ir al grano, de modo que toma un atajo que lleve esta animada charla a donde él quiere llegar:

—Dime, ¿estarías dispuesto a volver a delinquir?

—¿Otro atraco? No sé. No te digo yo que no. Depende del banco —medita Jimmy.

—No me refiero a un atraco, sino a algo más fuerte.

—¿Más fuerte? ¿Cómo qué? —ahora las olas carnosas han cambiado de frente.

La pregunta es directa y los ojos del chaval se clavan en los del editor esperando una respuesta en el mismo estilo. No es tan fácil.

—Quiero proponerte un trato —dice, regresando a la senda de circunvalación del asunto principal de la que pretendió huir hace un momento.

Hay cruces de miradas al acecho. Un silencio espeso invade el despacho como lo haría una neblina. Resulta un poco embarazoso.

—Publicaremos tu novela. Hay que hacerle algunos retoques, tal vez alargarla un poco, pero tenemos personal muy cualificado que puede hacerlo por ti. No tienes que preocuparte por nada. El anticipo no podrá ser gran cosa, pero lo habrá —que ya es mucho— y un contrato. Todo en orden, como los escritores de verdad.

—¿Y a cambio tú quieres qué? ¿Qué mate al amante de tu mujer o algo así?

—No, no, no —el editor interpone otra palma en la conversación, y la agita—, esto no es nada personal, no te confundas. Te estoy hablando de negocios. Somos profesionales. Tiene que ver con la competencia. Con el autor que más vende de la competencia, para ser exactos. No puedo decirte más. Compréndelo.

—¿Edmundo de Blas? ¿Me pides que me cargue a Edmundo de Blas? ¡Qué guay!

La euforia de Jimmy le deja de nuevo sin palabras, pese a que de los autores, y más de los novatos, los jóvenes y los pésimos, sabe que puede esperarlo todo. Se ve impelido a intervenir con inusitada rapidez:

—No, no, no. No te precipites. Tiene que ver con él, pero no tienes que matarle. Ni a él ni a nadie.

—¿Ah, no? —se desinfla el muchacho—. ¿Qué es, entonces?

—Tu víctima es una chica. Bastará con una paliza. Lo bastante fuerte como para dejarla un poco aturdida. Tienes que quitarle algo que lleva consigo. Enseguida te daré detalles, pero primero necesito saber si aceptas mis condiciones.

—No sé —Jimmy se rasca la gorra y entrechoca las rodillas—. Hay algo en esto que no me gusta.

—Si podemos arreglarlo… —se ofrece el editor, solícito.

—No me gusta que quieras cambiar mi novela. Yo creo que está bien así.

—Bueno, yo no he hablado de cambiar. He hablado de ciertos retoques.

—¿Cómo qué? ¿Ortografía y eso?

—Entre otras cosas la ortografía, sí.

Salta el joven:

—Todo eso son idioteces. ¿Para qué sirven las haches? ¿O romperse la cabeza por saber si va una bé o una uve? Yo me paso la ortografía por el forro de los caprichos. Es mi estilo, no lo quiero cambiar y punto. Mucha gente está conmigo. Hasta Miguel García Márquez.

—Estoy convencido de que podremos llegar a un acuerdo —continúa el editor, dueño de la situación—. Piensa que todos los cambios que te podamos sugerir sólo pretenden mejorar tu obra.

—¿Y qué pasa si a mí me parece que no hay nada que mejorar?

—Ya te he dicho —el editor empieza a agotar su paciencia— que todos esos aspectos son discutibles. No creo que sean grandes escollos a la hora de la verdad. Yo me encargo de eso. Pero necesito saber si aceptas el resto del trato.

Jimmy de nuevo se rasca la gorra. No tarda en responder.

—Está bien, pero sólo si nadie mete la zarpa en mi libro.

El director literario tiende una mano como un puente en dirección al lamentable sujeto que le acompaña.

—Dalo por hecho. Yo me encargo de eso.

Jimmy estrecha la mano con rotundidad de atracador de bancos.

—Vale. ¿Quién es la hijaputa y qué tengo que robarle?

—Lo que estamos persiguiendo es un archivo de memoria. Una de esas tarjetas minúsculas. Tendrás que efectuar un registro antes o después de la paliza, eso es cosa tuya. No sé dónde la llevará, pero me han asegurado que siempre la lleva encima.

—Entendido.

Sobre la pila de los papeles más urgentes está la foto. El editor ha previsto hasta el último detalle de la reunión. La descubre con un movimiento rápido y teatral. Sobre la mesa, en todo su esplendor de ninfa posmoderna, Jimmy ve a Paulina por primera vez en su vida.

—Ésta es la loba en cuestión. Se llama Paulina Torres y trabaja para Grupo Empata. Un mal bicho.

Jimmy no parece estar escuchando. Toma la foto entre dos dedos y susurra:

—Qué pedazo de tía. ¿Te importa si la violo un poco?

—Mejor no.

—Ah. Vale. Lástima.

Los atributos de Epicteto

Esta vez el profesor universitario entra en la juguetería para adultos con paso triunfal. Lo primero que hace es saludar al amable vendedor de la otra vez, que aguarda tras el mostrador tocado con la misma gorra.

—Aquí estoy de nuevo —saluda, agitando la mano derecha, con elegancia monárquica.

—Me alegro de verte, hombre. ¿Le gustó a tu mujer el regalo?

Epicteto suple con un gesto lo suficientemente explícito cualquier información detallada que pudiera facilitarse sobre el particular, antes de apostar ambos codos en el mostrador como haría un bebedor en su bar de siempre.

—Hoy también vengo a tiro hecho, aunque no sé si tendrá lo que deseo. Creo que es un producto de importación.

Le sorprende al encargado el cambio de actitud de su cliente.

—Tú dirás.

—Tiene forma de huevo y vibra. Funciona a pilas, con tres velocidades distintas.

El chico sonríe, levanta un índice inspirado y sale de detrás del mostrador con aire de suficiencia:

—No me digas más.

Al instante regresa con un pequeño paquete plástico donde se incrusta un cacharro muy similar a aquél cuyas bondades descubrió el profesor en la cocina de Maika Espín. Lo lanza sobre el mostrador de modo que el juguete describe una breve parábola antes de caer ante la mirada de Epicteto.

—Esto es lo que buscas —dice el encargado.

Se dibuja en el rostro del cliente una ilusión como de mañana de reyes.

—¡Albricias, sí! —exclama, observando el envoltorio con incredulidad antes de añadir: —Me lo llevo. Hágame el favor de envolverlo para regalo.

—Cuesta dieciocho euros.

Epicteto no le deja terminar.

—¡Cueste lo que cueste! ¡Este ingenio sinpar no tiene precio, amigo mío!

Llevado por la emoción, al profesor universitario se le desmelena el estilo, y sin darse cuenta empieza a utilizar palabras y expresiones de las que no suelen circular fuera de los claustros académicos. El encargado se pregunta por primera vez si su cliente no será un tarado peligroso en lugar del principiante simpático que le pareció en su visita anterior.

—Esta noche vas a triunfar, tío —le anuncia.

—*¡Voy a volverme loco, frenético, incendiario!*
¡Necesito vencer a un ejército entero!
Tengo diez corazones y mil brazos y quiero
luchar contra gigantes. ¡La pequeñez me aburre!

Epicteto recita impostando mucho la voz, con una mano posada en el pecho y en un tono tan alto que el señor madurito y trajeado que lleva un buen rato curioseando en el estante de los vídeos, sección «putas japonesas», se vuelva a mirarle con honda reprobación.

El vendedor parece esperar explicaciones, que a Epicteto, tan hecho a su cometido pedagógico, no le cuesta ningún trabajo dar:

—Son unos alejandrinos escritos por Edmond Rostand en el siglo XIX. Escena séptima del primer acto, para ser exactos. ¿No ha leído usted *Cyrano de Bergerac,* la obra cumbre del neoromanticismo francés?

El joven agita la cabeza de izquierda a derecha. Parece asustado, como si acabaran de nombrarle al diablo. Epicteto conoce bien esa actitud: es la del ignorante de todo ante el conocimiento absoluto.

—Me comprometo a traerle un ejemplar la próxima vez. ¿Lee usted en francés?

Otra negativa patidifusa por parte del encargado, quien acaba de aprender que hay quien lee en francés pese a no haber nacido en Francia.

—Entonces, la traducción de Jaime y Laura Campmany es la mejor —prosigue Epicteto, invencible— aunque hay otra al catalán de Xavier Bru de Sala, igualmente colosal. Pero tal vez usted tampoco lea catalán.

De nuevo el encargado niega en silencio.

—Claro. Es natural. Que sea la de Jaime y Laura Campmany y no se hable más. Verá usted cuánto me agradece el regalo. Aquí debe de disponer usted de mucho tiempo para leer, cuando no hay clientela.

El encargado arranca un sonido casi musical de la caja registradora y exclama:

—Son dieciséis euros.

—¿No dijo dieciocho?

—Le he aplicado un descuento como cliente habitual.

—Ah, cuán gentiles pagos, caballero…

—¿Eso es de alguna otra novela?

—Je, je, pues no me extrañaría. Lo dice porque le ha sonado vagamente a Lope de Vega, a Calderón o acaso a Tirso, ¿no es cierto? Ya veo que tiene buen oído para el teatro de nuestros siglos de oro.

El pasmo con que el joven del mostrador asiste a este despliegue de elocuencia es tal que no se le ocurre nada que decir. No se considera preparado para mantener conversaciones como esta. Epicteto, mientras tanto, ha alcanzado la opaca puerta del establecimiento y, con voz impostada y gran prosopopeya, se vuelve hacia él para añadir:

—Con su permiso, en fin, me marcho. Muy agradecido por todo, no hace falta que se lo repita. Le prometo una crónica sucinta de cuanto consiga esta noche. Sucinta y hasta donde la hombría permita, eso siempre. Agur, amigo. ¡Me despido hasta más ver!

El señor de los vídeos, que se halla ahora en la sección «Zoofilia, coprofilia y sadomasoquismo», susurra:

—Qué gente más rara, coñe.

Puercas pesquisas (1)

Sin Paulina y en un tiempo récord —apenas unos días— el Comegominolas ha añadido a esta condición las de pedorro, apestoso, tragamierdatelevisa, devorapizzas y criahongos.

Ya no hay serie abominable, nacional o de importación, que se le resista. Le gusta llegar a casa, librarse del traje y la corbata, y echarse en el sofá, las piernas reclinadas para cobijar el bote de las chucherías, la botonadura de la camisa dejando ver su pecho blanquecino y lampiño y entregarse al gusto de ver cómo Ganímedes es invadido por una plaga de tarántulas de color violeta, al parecer mutantes, venidas de Plutón con la única misión de arrebatarle el poder a la única soberana interestelar que aún merece la pena, la bella e inflexible Mirmícada, quién la pillara.

En lo que respecta a los hidratos de carbono, se ha convertido en todo un experto. Su dieta los incluye casi en exclusiva, sólo mezclados con féculas, colesterol y grasas saturadas. En unos pocos días ha memorizado los pliegos publicitarios que dejan en su buzón los tres servicios de entrega de pizzas a domicilio que operan en su zona, incluyendo precios, ofertas, novedades e incluso ese surtido de regalos de todo a cien que suelen utilizar como cebo, y que a él —por supuesto— le gusta poseer. A veces incluso solicita una pizza más cara sólo para que le regalen el juego de posavasos o el práctico llavero abrebotellas. Tiene ya una buena colección de ese tipo de chucherías, que incluye tazas, cortapizzas, un reloj de cocina (de plástico) que nunca funcionó, una pizarra, una equipo completo de explorador (linterna, cinturón, brújula e impermeable), una cubitera verde pistacho, un medidor de raciones de pasta, un termo que no cierra (también verde pistacho), y así hasta cuatro docenas de cachivaches cuyo almacenaje le hace sentirse un hombre feliz, todos ellos serigrafiados con la marca de pizzas en cuestión.

Aunque la liberación mayor que le ha comportado su nueva libertad doméstica tiene que ver con la higiene personal. Por fin ha podido librarse de las críticas que acarreaban siempre sus teorías, defendidas desde su más tierna infancia por su madre, de quien heredó los hábitos cochinos: lavarse los dientes más de una vez a la semana daña las encías. La ropa se estropea si se abusa de la lavadora, de modo que la solución es reutilizarla hasta que pierde su tonalidad original y amarillea el blanco o verdea el amarillo, por ejemplo. Otra teoría demostrable: no hay lamparón que no pueda taparse, ya sea con la corbata, con la chaqueta o con una buena bufanda si el tiempo acompaña. Tirar de la cadena a menudo sólo contribuye a aumentar sin necesidad el gasto de agua, un bien tan escaso. Por último, está la enojosa costumbre de la ducha diaria. El problema es la oportunidad: de mañana hace frío y propicia el catarro y el destemple; por la noche va en contra de las necesarias horas de descanso perder el tiempo en acicalarse para la jornada siguiente. Más vale sudar como un cerdo bajo el edredón y levantarse, descansado y apestoso, al día siguiente para emprender otra guarra jornada laboral. Gracias a estas prácticas derivadas de la libertad, dispone de más tiempo para el ocio y el descanso, ahorra en champú, gel, pasta dental y otras muchas cosas que jamás volverán a ocupar espacio en sus armarios.

Por último, el Comegominolas disfruta de un placer nuevo: no tiene la necesidad de entablar conversación con nadie. Puede permanecer callado treinta días —los de las vacaciones— si eso le agrada, sin que nadie le pregunte siquiera si la comida es de su gusto o le pida que le alcance la sal. Ha dado de baja el teléfono y el móvil finge no oírlo, si es que suena alguna vez. Desconectado del mundo y entregado a sus patéticas costumbres se siente, por primera vez en mucho tiempo, un hombre moderadamente feliz.

Sin embargo, su paz no es completa desde que Ángela le contó ciertas cosas en ese estilo directo y agresivo que siempre utiliza cuando habla con él, como si le guardara algún rencor:

—¿No te has enterado aún, so gilipollas? —preguntó la voz de la mujer al otro lado de una de las pocas conversaciones telefónicas que mantuvieron después de desaparecer Paulina y reaparecer unos días más tarde en la bandeja refrigerada del depósito—, tu chica iba detrás de algo muy importante y estaba a punto de conseguirlo. Algo que valía un montón de dinero. Tanto, que le ha costado la vida.

—¿De verdad? —preguntó él, mientras la cera de sus oídos parecía ablandarse de pronto para dejar paso a la información.

Sólo hay una cosa que al Comegominolas le guste más que las pizzas, los regalos que acompañan a las pizzas, las series burdas de marcianos o las propias gominolas: el dinero. No hay nada en el mundo que no esté dispuesto a hacer por dinero, nadie a quien no estuviera dispuesto a sacrificar a cambio de un precio satisfactorio. El dinero es lo único que aún hace que levante su culo blando del sofá y se decida a pensar en algo más que en planetas invadidos por tarántulas o en salvamanteles de color verde pistacho serigrafiados con su marca de pizzas.

Lo primero que hace es telefonear a Ángela:

—Me has dejado destrozado con lo que me has dicho. No puedo creer que en el mundo haya gente tan ruín que sea capaz de cargarse a una chica tan joven por conseguir... ¿qué era lo que valía tanto dinero, exactamente?

—Una tarjeta de memoria. Una de esas que sirven para almacenar datos.

—¿Y qué datos almacenaba ésa en concreto?

—Una novela, según parece. Una novela que vale un montón de pasta.

El Comegominolas, en sus escasas luces de vendedor de barnices para latas, no alumbra cómo un puñado de memeces que ni siquiera son verdad y escritas por quien sea pueden despertar un interés tan carnívoro. Ángela le rescata de sus cavilaciones:

—No habrás visto una de esas tarjetas por tu casa, ¿verdad?

—No —se apresura a responder, del mismo modo que hubiera hecho si tuviera ante sí el pequeño dispositivo electrónico—, pero la buscaré, te lo prometo.

—Llámame si la encuentras —añade ella, antes de dar la conversación por finalizada.

De nuevo miente él, con gran estilo de vendedor a domicilio:

—Claro. Descuida.

Medita ahora que también la policía le preguntó si tenía algún conocimiento de lo que su novia podía llevar en el bolso. Respondió con una ingenuidad que no por sincera dejaba de parecerle ahora muy oportuna:

—Pues lo que llevan todas... Tampones, espejitos, pañuelos de papel, pastillas, sobres de azúcar robados en alguna cafetería, sacarina, sombra de ojos, colonia, lápiz de labios... Un montón de cosas.

—Comprendo... —afirmaba el chaval que le tomaba declaración—. ¿Y nada más? ¿Algo poco habitual?

—Ella solía llevar siempre un cuaderno para sus notas y algún libro que estaba leyendo —añadió.

Salió de la comisaría con la sensación de que sus palabras no habían servido de mucho. Ahora que ataba algunos cabos empezaba a pensar que podía intentar acercarse al fondo del asunto.

Lo siguiente fue un registro a fondo de su propia casa. Invirtió en ello toda una mañana de sábado, pero resultó infructuoso. El domingo lo pasó en calzoncillos —los mismos que se había puesto limpios el martes, si no recordaba mal— tomándose la molestia de poner por escrito cuanto sabía. Le descorazonó ver que era tan poco: apenas cuatro datos, y todos facilitados por la misma persona, Ángela, alguien demasiado próximo a Pau y demasiado alejado de él para resultar fiable. Lo primero que necesitaba era una fuente de información mejor. Enseguida se acordó de la cacatúa vieja que trabajaba con Pau, mesa con mesa. Fue ella quien llamó para alertarle de que su novia llevaba días sin aparecer por la oficina. El lunes a primera hora marcó su número directo.

—Estoy colaborando con la policía en la investigación de la muerte de Paulina —inventó.

—¿Ah, sí? —se interesó la mujer de inmediato—, ¿y se sabe algo?

—Por ahora no avanzamos mucho. Precisamente por eso te llamo, por si tú recuerdas algo que me sirva. Que nos sirva. A quién vio Paulina en sus últimos días, qué hizo… cualquier cosa estaría bien.

Una pausa meditativa de la cacatúa y a continuación las primeras informaciones:

—Era reservada, tu mujer, para sus cosas. Su agenda la llevaba siempre encima y aquí apenas dejaba notas.

Hablaba en susurros, como si temiera que alguien escuchara la conversación o como si realmente le estuviera facilitando datos muy relevantes.

—Lo único jugoso que puedo decirte de sus últimos días por aquí fue que vio a Alberto, el director de marketing. Se supone que yo no debería saberlo, pero me enteré por casualidad, en el ascensor. Ellos no se dieron cuenta de que yo estaba allí. A veces escucho conversaciones ajenas, ¿sabes? No puedo resistirme.

—Ay, pillina… —regañó el Comegominolas, en el tono más absurdo de toda su vida.

—No puedo decirte más. Excepto una corazonada…

Un silencio interrogante bastó para que la mujer concluyera:

—Creo que Paulina no jugaba limpio. Yo no quiero hablar mal de los muertos, pero tenía siempre tantos moscones alrededor. Perdona, no debería decirte esto precisamente a ti.

El Comegominolas no sabe cómo animarla a proseguir.

—Si yo ya lo sabía, mujer. Faltaría más. Continúa. ¿Qué quieres decir con que no jugaba limpio?

—A mí me da que se traía algo turbio entre manos. Con el señor Martínez, que Dios tenga en su gloria, estaba claro que tenía tratos más allá de lo profesional… ¿Eso también lo sabías?

—No había secretos entre nosotros —miente él, enarbolando la cornamenta con estilo.

—Ah, qué alivio. Pero había otros. Bastantes más. Y ella era una chica muy lista, muy ambiciosa y muy atractiva. No la culpo. Y habría hecho lo mismo, si la naturaleza me hubiera acompañado. Es una lacra de nuestra sociedad postindustrial. ¿En qué suele convertirse una mujer así —lista, arribista, guapa— a menos que jamás encuentre su oportunidad?

El Comegominolas espera con expectación la solución de la cacatúa a la adivinanza. Ésta no se hace esperar:

—En un putón verbenero, corazón. Perdona la crudeza.

Cuando cuelga el teléfono, el investigador más guarro de cuantos se han visto jamás ya tiene alguna pista de cuál debe ser su siguiente objetivo: Alberto Bango.

Las horas siguientes se le escapan al Comegominolas en tejer ardides y maquinaciones. Tras una rápida consulta por Internet, se presenta en *La tienda del investigador avispado* —nueva franquicia de comercios especializados en artículos de espionaje con sucursales en algunas de las más importantes capitales del país— con la intención de adquirir cierto equipamiento básico. En menos de media hora y por una suma algo inferior a dos mil euros adquiere un micrófono-receptor modelo telefónico, adaptable a cualquier aparato de telefonía fija, y unas gafas de visión nocturna modelo NightOwl, capaces de ver en la oscuridad a una distancia de 500 metros.

—¿Desea usted algo más? —le pregunta la ancianita que le atiende—. ¿Tintas invisibles? ¿Bolígrafos-cámara? ¿Un kit de ganzúas? Acabo de recibir las novedades de esta temporada en gafas retrovisoras. Son cuquísimas.

—Por hoy nada más —responde él, que acaba de descubrir que la multitud de inventos expuestos en las vitrinas del establecimiento le gustan incluso más que los regalos de su marca de pizzas.

—Como le veo con vocación, joven, y me da en la nariz que volverá por aquí, voy a hacerle un regalo, cortesía de la casa —dice la anciana, antes de dejar sobre el mostrador una caja cuadrada.

—Es un práctico distorsionador de voz, adaptable a cualquier teléfono. Ya verá cuántas utilidades le encuentra.

Cuánta razón tienen a veces nuestros mayores, se dice el Comegominolas, constatando la vocación que la anciana acaba de apuntar. Agradece el detalle, promete darle utilidad y volver pronto y sale de la tienda con destino a su siguiente parada: *Confecciones La Garbosa,* unos grandes almacenes especializados en ropa laboral donde, con toda seguridad, podrá adquirir un mono azul especial para servicio de mantenimiento. En los ojos del Comegominolas brilla ese fulgor de los planes maquiavélicos.

Entrar en el edificio no puede resultar más fácil. Elige la última hora de un viernes y busca la ayuda de la cacatúa, a quien a estas horas presume soñando con las siestas del fin de semana. Una vez dentro, le pide que le indique cómo llegar al despacho del director de marketing.

La mujer no hace más que observar la abultada bolsa de deporte que el Comegominolas lleva al hombro.

—No quiero buscarme problemas —dice ella—, si me echan de aquí a mi edad no encontraré ningún otro trabajo. Y no quiero ni pensar en poner en peligro mi jubilación, compréndeme. Son muchos años dejándome pisotear por todo tipo de editores déspotas.

—No se me ocurriría pedirte nada que te pueda comprometer —trata de convencerla—. Sólo quiero que me indiques qué despacho es. Yo haré el resto. Nadie se enterará.

—Es viernes y es tarde. A esta hora, los jefes ya se han marchado. No vas a encontrar a nadie en los despachos.

—No importa. No pretendo entrevistarme con él. Tranquila, sé lo que me hago.

No parece muy convencida la cacatúa, a juzgar por la mirada afilada que le dedica.

—¿Qué llevas ahí? Todo esto me parece un poco raro —quiere saber, refiriéndose a la bolsa.

Ante el temor a que todo se eche a perder por culpa de una vieja quisquillosa, él decide quemar su último cartucho.

—Ya te expliqué que estoy colaborando con la policía —lo dice bajando la voz y mirando hacia ambos lados, como si temiera que alguien pudiera estar escuchando—. En estos momentos, ellos nos están escuchando.

—¿Ellos? ¿La policía?

—La comisaría número uno. Y, en concreto, el comisario Escriche, especialista en casos difíciles. ¿Quieres enviarle un saludo?

—¿El comisario? —la cacatúa parece sonrojarse. Baja los ojos, con repentino pudor—. Yo tuve un novio policía hace muchos años.

El Comegominolas se lleva la mano a su oreja derecha, indica con un gesto a la cacatúa que se calle y frunce el ceño, como si escuchara algo con mucha atención.

—El comisario Escriche me pide que te agradezca en su nombre tu colaboración en estos difíciles momentos y te asegura que no hará ni dirá nada que ponga en peligro tu puesto de trabajo —dice el Comegominolas, tan seguro de sí mismo y tan de corrido que hasta él mismo se maravilla.

Colorada hasta las orejas, la cacatúa se retuerce en un gesto senil de coquetería femenina.

—No hay de qué —añade—, ¿qué necesitáis saber, exactamente?

Diez minutos después, el Comegominolas sale de uno de los baños de la planta sexta ataviado con su mono azul de operario de mantenimiento, que sólo parece sospechoso por lo limpio que está. En la mano lleva una caja de herramientas donde ha escondido todo lo necesario para su primera misión.

Llega sin problemas a la zona donde, según las indicaciones de la compañera de Paulina, se encuentra el despacho de Alberto Bango. Saluda con naturalidad a un par de secretarias que permanecen en sus puestos y se dirige hacia la última puerta que debe franquear. Como la encuentra cerrada, llama con los nudillos para parecer educado, aun a sabiendas de que a estas horas no hay nadie trabajando en la zona noble. Una de las chicas que aún siguen en sus puestos se lo confirma:

—Ya no queda nadie. ¿Puedo ayudarle en algo?

—Vengo a cambiar un teléfono —dice.

La chica le observa con sorpresa. Seguro que es el operario más limpio que ha visto en la vida, observando sólo su traje, claro.

—Soy de mantenimiento —añade, para darse más credibilidad—. Llevan todo el día llamando, pero no he podido venir hasta ahora.

La secretaria abre uno de los cajones de su mesa y saca un puñado de llaves con el que se dirige al supuesto operario. A medida que se acerca a él le parece detectar un desagradable tufo a humores corporales rancios que de algún modo no concuerda con lo impoluto del uniforme. De todos modos, no se detiene a meditar la cuestión. Con la mierda de sueldo que le pagan no cree que deba tomarse la molestia de pensar. Abre la puerta del despacho del jefe y le desea al trabajador buena suerte y buen fin de semana, porque ella se va en cinco minutos.

Así es cómo el Comegominolas da inicio con éxito a una nueva etapa de su vida en la que por primera y última vez se sentirá astuto, intrépido y hasta inteligente mientras persigue una misteriosa tarjeta de memoria que puede convertirle en la única cosa que desea ser: rico.

Lorena y la sinonimia

Puta, pájara, peliforra, fulana, pécora, zorrón, pindonga, furcia, buscona, calientacamas, pelandusca, cantonera, golfa, ramera, suripanta, desorejada, maturranga... Los primeros días tras ser abandonado, a Alberto se le agotaba la sinonimia repasando los argumentos de la huidiza Lorena para justificar su conducta. Lo primero fue marcharse a casa de su madre con seis maletas llenas a rebosar y pretextando una enorme necesidad de tomarse un tiempo para sí misma.

—Me instalaré en mi antigua habitación hasta que tenga claras algunas cosas que ahora veo muy confusas —dijo, sin que él pudiera imaginar a qué claridad y a qué confusión podían hacer referencia tan abstractas palabras.

Durante las dos noches siguientes, cuando no podía aguantar más las ganas de escuchar la voz de su mujer, o le vencía la rutina de explicarle lo que había hecho en el trabajo, inventaba una excusa estúpida (cómo es el programa delicado de la lavadora, donde están las pilas nuevas del mando a distancia...) que le sirviera para telefonear a casa de su suegra.

—Ha salido a despejarse un poco —dijo, la primera vez, la voz de la bruja.

La noticia le agarró tan por sorpresa que sólo se le ocurrió dar las gracias a toda prisa y colgar, como si hubiera dicho algo inconveniente. Pero cuando al día siguiente se repitió el mismo cuento, fue capaz reaccionar:

—¿Despejarse a dónde? ¿De qué necesita despejarse?

—Ay, cariño, de qué. Del trabajo, de la rutina, de la vida en general. Pobrecita, está pasando un mal momento.

Prefirió fingir no haber escuchado la última frase porque, si se trataba de competir a ver quién lo estaba pasando peor, tenía la seguridad de que llevaba todas las de ganar. En este tipo de competiciones siempre lleva las de ganar el más imbécil, de hecho.

—¿Y sabes a dónde ha ido? —prosiguió.

—Ni idea, Alberto. Lorena es mayorcita. No me tiene que decir a dónde va. Y mucho menos la hora a la que piensa volver —la vieja acababa de anticiparse, con cierto triunfalismo, a su siguiente pregunta.

—¿Ha salido sola? —interrogó Alberto.

—Mira, será mejor que hables con ella. Yo no soy quién para entrometerme en vuestras vidas.

«Vaya, menuda novedad», se dijo Alberto, antes de colgar y quedarse con un buen mosqueo.

La tercera noche, Lorena también se estaba despejando.

—¿Y con quién cojones se despeja, Maruja? Y no me digas que no lo sabes.

—Ya te dije ayer, hijo, que debías hablar con ella —respondió la suegra.

—Eso es exactamente lo que pretendo. Pero no lo consigo, porque resulta que ella siempre se está despejando.

Se hizo una pausa de cinco segundos en la que el silencio de su suegra le dio la razón. Acto seguido, la voz de la mujer sonó menos crispada:

—Mira, si te parece bien, le diré que te llame en cuanto llegue. Que hable contigo, y que te aclare todas esas dudas. A mí no me metáis en esto, por favor. Ni me va ni me viene, y yo a ti te aprecio mucho.

Esta vez, la voz de la vieja sonaba como una súplica. Casi inspiraba lástima. Es inaudito lo que pueden cambiar las cosas.

—Muy bien —cedió él, al fin—. Déjale bien claro que no pienso acostarme hasta haber hablado con ella. Insístele, Maru, por favor.

—Sí, hijo, sí. Yo también tengo ganas de que dejes de interrogarme como si fuera yo quien se ha marchado de casa.

El teléfono sonó pasadas las dos de la mañana.

—Ya era hora —fue su saludo, nada más descolgar—, ¿se puede saber dónde has estado hasta estas horas? ¿No trabajas mañana o qué?

—Oye, oye, no me hables en ese tono.

—¿Y qué tono quieres que tenga si me dices que te vas a casa de tu madre a aclarar tus confusiones y resulta que sales más que a los veinte años?

Del otro lado del hilo, sólo silencio.

—¿No dices nada? —insistió él.

El largo vacío que vino a continuación preludió la más incomprensible de las explicaciones que Lorena le había dado jamás. Sólo un suspiro, una respiración, un sollozo más —todo podía ser y nada estaba claro— antes de ponerse filosófica:

—Han pasado muchas cosas en estos días, Alberto. Estoy hecha un lío y necesito pensar. Sigo confusa, no veo nada claro. También necesito salir. No quiero perderme nada, todavía soy joven. No estoy retirada del mundo. Hace mucho que me siento como si lo estuviera. Yo aún necesito la pasión, y contigo… No sé cómo explicártelo. Es como si ya todo se hubiera vuelto pura rutina, puro mecanismo. ¿Tú no lo has sentido?

No, Alberto no lo había sentido, pero no tuvo tiempo de responder.

—Yo creo que últimamente resultaba evidente. Me hacías sentir invisible, como si no existiera. O como si existiera de la misma manera que las paredes y los muebles. Cosas que están ahí pero a las que no es necesario prestar más atención. Y yo no lo puedo soportar más, cariño. Lo que yo necesito, y no creo que sea tan rara, es sentir que aún soy capaz de despertar sentimientos, incluso pasiones. Incluso cosas más profundas, que no tienen que ver con lo físico, sino con el alma de las personas. A veces sucede. Pocas veces, pero sucede. Se da entre dos cuando se cruzan por casualidad y surge una especie de emoción compartida que no se puede explicar. Todo esto es muy raro, también para mí. Lo estoy pasando muy mal con esta historia. Yo no quiero hacerle daño a nadie, ni siquiera a mí misma. Pero necesito un poco de espacio para volar, para desplegar las alas. Y ahora mismo siento que ese espacio no está a tu lado, ni en nuestra casa. Es muy fuerte, pero lo siento así y creo que debo ser sincera contigo. Lo último que quiero es hacerte daño.

Se calló del mismo modo que podía haber seguido hablando durante horas.

—¿Estás ahí, Alberto?

Estaba. Se lo hizo notar.

—¿No me contestas?

—Sinceramente, Lorena. No sé qué decirte. No entiendo nada.

—Ah. Pues qué bien. Te abro mi corazón y tú no sabes qué decirme y no entiendes nada. ¿Qué no entiendes? Yo no creo que sea tan complicado.

—Sinceramente, a mí sí me lo parece.

—¿Ves como tenemos un problema grave de incomunicación? —en este punto Lorena empezó a perder la paciencia.

—Lo único que me queda claro es que estás saliendo con alguien —concluyó Alberto.

—Eso es secundario. Lo principal es que tú y yo estamos en crisis desde hace…

—¿Te has acostado con él?

He aquí la pregunta que precipitó las cosas.

—¿Cómo? ¿Qué me has preguntado? ¡No me lo puedo creer!

Al instante lo tuvo claro: sí, se había acostado con él. La batalla estaba perdida de antemano. Ella proseguía con su defensa sin que él fuera consciente de haberla atacado:

—Eres un simple. Lo único que se te ocurre es si me he acostado con él. Te mereces que te diga lo que no quería decirte: que no te incumbe.

Alberto discrepa respecto a lo que le incumbe o no, pero calla. La deja proseguir:

—Le das al sexo una importancia que no tiene. Y aunque la tuviera, creo que lo que te he dicho merece otro tipo de respuesta. Empiezo a darlo todo por perdido, Alberto.

Por fin pueden coincidir en algo. Se lo hace saber:

—Yo también, cariño —dice.

—De verdad, Alberto, es muy tarde y estoy muy cansada. Dejemos esto. No me llames más. Y siento ser tan cruda, pero deberías empezar a asumir que no voy a volver. Eres joven, te ganas bien la vida. Eres lo que se dice un partidito. Encontrarás a otra mujer y serás feliz. Ya lo verás.

—¿Vas a venir a buscar la mecedora?

Es lógico que en plena arenga compasiva Lorena no esperara esta pregunta.

—¿Qué?

—La mecedora. Es lo único que has dejado aquí. Y es horrorosa.

Esta vez, la pausa de cinco segundos es la antesala del último ataque de ira, el que precede a la interrupción súbita, y voluntaria por parte de ella, de la conversación:

—¡Métete donde te quepa la puta mecedora!

Esta última réplica avispó su necesidad de recurrir a la sinonimia. Por fortuna, en este asunto, el idioma es piadoso y siempre ofrece consuelo a quien, como él, lo necesita: guarra, fornicadora, zorra, jergonera, meretriz, pellejo, churriana, tusona, rabiza, cellonca, querindonga, zurrupio, perdida, perendeca, halconera...

Casi nueve meses más tarde, cuando se dispone a retirar su coche de la zona VIP del aparcamiento de Grupo Empata, Alberto tropieza con la más desagradable sorpresa: Lorena junto a la portezuela del conductor, esperándole.

—¿Qué haces aquí? —pregunta.

Sólo al observarla más de cerca le parece más delgada y más desvalida que cuando se fue. Tiene aspecto de pajarillo tras la tormenta. Alberto disfruta manteniéndose imperturbable.

—Necesito hablar contigo —dice ella.

—Sube.

No arranca el coche. Se libra de la chaqueta y la corbata y antes de escuchar lo que ella tenga que decirle, lanza un dardo envenenado:

—No tengo mucho tiempo. Lo que sea, pero rápido.

Los labios de la que aún es técnicamente su mujer se fruncen en una mueca amarga.

—Tienes buen aspecto —dice ella.

—Tú pareces más delgada.

—Lo estoy. Atravieso una mala época. Me han echado del trabajo.

Por un momento, se regocija ante la posibilidad de que Lorena haya venido a pedirle un empleo. Qué bien se lo iba a pasar diseñando para ella un ramillete de pruebas de selección acordes con el odio que le inspira. De alguien que te deja tirado de la noche a la mañana puedes esperarlo casi todo, se dice. Sin embargo, no son estas sus intenciones, y se da cuenta en el momento en que ella abre la boca y asoman de nuevo la gravedad de sus reflexiones, la trascendencia con que se toma sus devaneos mentales y toda su habitual filosofía de salón.

—Lo estoy pasando fatal. Resulta que las cosas no eran tan fáciles como yo pensaba. Yo creía que la libertad me iba a ayudar, que lo único que necesitaba era sentir que había roto mis cadenas. Por eso pensé que debía aprovechar la oportunidad que se cruzó en mi camino. Al principio me iba bien, pero luego empecé a agobiarme, a dormir mal, a despertarme angustiada en mitad de la noche y, lo peor de todo: sin saber por qué. Aparentemente, era feliz, pero había algo dentro de mí, como una lucecita interior, que me estaba advirtiendo de mi equivocación. De pronto me pareció que nada tenía sentido, que mi vida era una soberana estupidez, y empecé a preguntarme hacia dónde iba, a dónde quería llegar y si todo tenía algún sentido. Lo peor de todo fue que no supe encontrar una respuesta convincente. No iba hacia ninguna parte. Me sentía fatal: sucia, tonta, mala por haberme ido de aquella forma. Fui una estúpida al dejarlo todo. Ahora que lo pienso me doy cuenta de que tú me querías de verdad. Somos diferentes en el modo de sentir las cosas, pero eso no significa que tú no las sientas, a tu manera. A veces echo de menos un poco más de profundidad, cierto. Llámalo espiritualidad. No sé. Me cuesta pensar. He venido a decirte que estoy preparada para volver a casa cuando quieras.

Alberto se siente impermeable al chaparrón. No lo hubiera sido hace sólo un par de meses pero ahora la argumentación de Lorena no le cala. Sólo le fastidia un poco.

—¿Te ha ido mal con el otro? —pregunta, cuando está seguro de que ella ha terminado.

Por un momento, percibe en ella la tentación de empezar una pelea. Valora su esfuerzo por contenerse y no echarlo todo a perder. No es tonta, nunca lo fue, y sabe que no está en condiciones de combatir. Lo que Lorena tal vez no sepa es que todo está echado a perder desde la noche en que le colgó el teléfono e inició así un silencio de nueve meses.

—Me equivoqué, ya te lo he dicho.

—¿Pero te dejó él o le dejaste tú?

—Por favor, Alberto, no me preguntes esas cosas. Me resulta muy violento darte explicaciones. En realidad, eso no es importante. Lo importante es que me he dado cuenta de mi error y que estoy aquí.

Una de las manos de Lorena se aventura por encima del algodón con poliéster que recubre el muslo derecho de su marido. Alberto observa su ascensión con el mismo entusiasmo que demostraría si un arácnido carnívoro se dirigiera a toda velocidad hacia su entrepierna. La detiene de un manotazo, antes de afirmar:

—Tienes toda la razón.

Lorena suspira con alivio y se deja caer sobre el asiento, en un gesto que parece querer indicar su regreso, después de tanto tiempo, a la que fue su vida. Incluso se pone el cinturón, en un acto aprendido.

—¿Qué haces? —pregunta entonces Alberto.

—¿No nos vamos?

Es sorprendente que Lorena demuestre la misma capacidad de complicar lo sencillo que de simplificar lo complejo.

—No. No juntos, por lo menos.

No salirse con la suya no está en las previsiones de Lorena, que tras la inesperada negativa mira a Alberto de hito en hito.

—¿Qué pasa? ¿No me crees?

—Oh, sí. Te creo.

—¿Entonces, qué ocurre?

—Por favor, cariño. No me preguntes. Me resulta terrible tener que explicarte. Además, nada de eso tiene importancia. Lo importante es que has terminado por darte cuenta de cómo son las cosas. Enhorabuena, ya pensaba que no serías capaz.

Ella abre aún más su par de ojos incrédulos.

—¡Te estás vengando de mí! ¡Me estás devolviendo el golpe! —espeta.

—No exactamente. Hasta no hace tanto, lo hubiera hecho con gusto y saña. Ahora ya no estoy por la labor, qué pereza. Siento desilusionarte, pero no quiero que vuelvas a casa. Si un día te apetece, podemos quedar. Cenamos y follamos, o al revés. Así recordamos viejos tiempos. Más allá de eso, ya no me interesas. No lo tomes por rudeza. Es sinceridad. Creo que tú te mereces toda la sinceridad del mundo.

Lorena presiona el dispositivo que sujeta el cinturón de seguridad y al instante se ve libre de nuevo. Abre la portezuela y sale del coche. No parece que vaya a echarse a llorar, como por un momento ha temido Alberto. Más bien parece necesitar un análisis de lo que aquí acaba de ocurrir. Necesita una jornada de reflexión.

—Lo siento, cariño, pero me están esperando. Nos vemos otro día —dice él.

—Sí —responde la mujer, arreglándose la falda y mostrando la palma de su mano con docilidad—. Hasta otra.

Antes de ponerse el cinturón y salir del aparcamiento ligero y satisfecho como si acabara de quitarse veinte años de encima, Alberto lanza una última frase de despedida:

—Y da recuerdos de mi parte a tu madre, por favor. Pienso mucho en ella. Qué maja, la mujer.

Lorena no puede escuchar bien el final porque se confunde con el chirriar de los neumáticos sobre el pavimento.

De matones y hombres

Una tienda del sexo, que la modernidad nombra con ese bello eufemismo, «juguetería para adultos», siempre es un lugar discreto para quedar. Puertas esmeriladas para que desde fuera no se vea qué o quién hay dentro, poca clientela —sobre todo a determinadas horas de la mañana— y personal que no hace preguntas, ni mira, ni oye, a no ser que se le necesite. Un lugar perfecto para que Ramón mantenga con Jimmy Borges de Mendoza una breve charla que cambiará el rumbo de los acontecimientos.

Al entrar en el lugar, Ramón echa un vistazo a su alrededor: un viejo curiosea en la sección de vídeos y el encargado, recostado sobre el mostrador y elegantemente tocado con una gorra, está leyendo algo que no parece literatura pornográfica. Al fondo, frente a la vitrina de las muñecas hinchables, exactamente donde le citó, le aguarda Jimmy. Se saludan merced a un movimiento tortuguil de sus testas y Ramón le indica que se desplacen unos pasos hacia la derecha, donde ambos puedan parapetarse tras la supuesta lectura de revistas guarras.

—¿Qué tal la reunión en Sintonison? —quiere saber Ramón.

—Según lo previsto —responde el muchacho.

Ramón, cuyos tentáculos se extienden mucho más allá de las moquetas de los despachos de Grupo Empata, sonríe satisfecho al comprobar que sus recomendaciones son acatadas por editores de todo pelaje cual dogmas de fe.

—Te ha encargado que le des una paliza a esa zorra, ¿verdad?

—Sí. Aunque no parece importarle mucho la paliza. Lo que de verdad le preocupa es que le robe el bolso y le registre los bolsillos para quitarle la tarjeta de memoria. Creo que le registraré algo más. Está como un tren. Y un cacharrito tan pequeño puede llevarse, por ejemplo, en las bragas. O en el culo…

—No te pases. A ver si te trincan y va a ser peor.

Se encoge de hombros el chaval. No parece muy preocupado por que le metan entre rejas. Será porque se siente allí como en su casa. O porque su casa no tiene las comodidades de muchas celdas.

—Y respecto a la paliza, ¿no te ha especificado nada? —prosigue el asesor.

—No. Y precisamente ese aspecto quería consultarlo contigo. ¿Qué te parece? ¿Bastará con un par de costillas rotas o me esmero un poco más? La clavícula, un brazo, las dos tibias... ¿Qué me aconsejas?

Ramón toma una revista del aparador y empieza a ojearla. Se llama *Tornado* y estaba en la sección «Penetraciones salvajes». Si no fuera tan profesional y no estuviera tan a lo que está, la disfrutaría.

—Precisamente de eso quiero hablarte —dice, bajando de pronto la voz—. Acércate.

Sólo el viejo que curiosea en los videos se da cuenta de lo extraños que resultan dos hombres tan apelmazados frente a la sección de revistas. El encargado, en cambio, está demasiado abstraído en su lectura para darse cuenta de lo que ocurre en la tienda.

—Tengo más trabajo para ti —anuncia Ramón.

El chaval no levanta la vista del miembro monumental de un negro grande, gordo y peludo para celebrar la noticia:

—¡Guay!

—Son dos encargos, en realidad. Uno de ellos apenas te supondrá ningún esfuerzo. El otro, además de un beneficio económico del que ahora hablamos, te va a proporcionar gran satisfacción.

—¿Es algo sexual? —pregunta el joven escritor, ilusionándose de pronto.

—No, no. Nada de eso. Aunque la satisfacción va a ser similar.

Jimmy se inquieta:

—Me tienes intrigado, tío. Suéltalo ya.

Ramón mira hacia su espalda. El viejo de los vídeos está lo bastante lejos de ellos para que suponga alguna amenaza. Del encargado tampoco hay que preocuparse: sigue ensimismado a lo suyo. Jimmy devuelve la revista que ojeaba a su lugar y Ramón repara en su curioso nombre: *Osos indómitos*. Toma otra del mismo anaquel. Esta vez se trata de *Falomanía*, edición especial quinto aniversario.

—¿Cuánto cobras por una buena paliza? —pregunta Ramón.

—Eso depende. A ti te haría un precio de amigo.

—Aunque no me basta con eso. En uno de los casos, quiero que llegues más allá.

—¿Más allá? ¿Qué me cargue a alguien?

Ramón parece alterarse al escuchar la palabra.

—Sshhh, por favor. Ten cuidado —hunde la cabeza en una instantánea donde una negra espectacular le da usos poco ortodoxos a una berenjena de buen tamaño antes de añadir—: Quiero que le des una buena tunda a Edmundo de Blas.

No se equivocó Ramón al pensar que ese encargo llenaría de alborozo al joven aspirante a escritor.

—Cómo mola, tío. ¿Puedo romperle las manos?

—Lo dejo a tu elección, pero no te pases. Sólo quiero que se asuste. Que me lo dejes manso como un corderito. No te ensañes demasiado.

—Está bien —esto último parece aceptarlo Jimmy con dificultad—. ¿Y lo otro? ¿A quién debo... debemos?

—Debes. Ya te he dicho que no te acarreará grandes molestias. Ni tampoco excesivas dificultades. Sólo se trata de que cargues un poco más las tintas en la agresión a la guarra esa. Bastante más, de hecho.

—¿Me estás pidiendo que...?

—Paulina Torres —dice en un susurro Ramón, escondiendo de nuevo la cara junto a la foto de una vulva rasurada— debe morir.

El aire como de matón de cine negro que percibe en sí mismo hace que a Ramón le corra un escalofrío por la espalda. Jimmy aprovecha el segundo de silencio para escoger un ejemplar de *Pollas mágicas en acción*, que observa sin mucho entusiasmo.

—Y, lo más importante. Esa tarjeta de memoria que tienes que robarle. Quiero que me la entregues a mí. ¿Lo has entendido?

—Pero, tío, ¿y qué quieres que le entregue al tiparraco ese cuando vaya a verle?

Ramón parece perder la compostura:

—Entrégale otra. Una igual, que puedes comprar en cualquier parte. La de verdad es mía, ¿queda claro? Si no, contrataré a otro.

—Pero entonces, igual no querrá publicar mi novela.

—Él puede que no, pero lo haré yo. Estás ante el nuevo editor de *Suma de cosas*.

Jimmy rumia. La situación, al cabo, no parece tan desventajosa.

—Tendremos que hablar de honorarios —dice, imperturbable.

—Revisa tu correo electrónico. Allí encontrarás todos los detalles. Instrucciones, las señas de Edmundo y una oferta económica, creo, lo bastante jugosa. Si no la consideras suficiente, puedes hacérmelo saber a la dirección desde la que te llega mi mensaje. Si no dices nada, entiendo que todo está comprendido y que estás de acuerdo. ¿Te basta con 48 horas para cumplir tu parte del trato?

—Me sobra —responde él.

—Bien. Entonces, todo está aclarado. No salgas hasta dentro de diez minutos.

Ramón escoge la última de las revistas que ha tenido en las manos y se propone dirigirse con ella hacia el mostrador cuando vuelve sobre sus pasos para saciar una curiosidad.

—Disculpa, Jimmy. He observado que demuestras mucho interés por las revistas de hombres. Perdona que me entrometa. ¿Por casualidad eres gay?

Jimmy sonríe, satisfecho de poder dar explicaciones al respecto:

—No estoy seguro. Me siento en una fase de experimentación —responde Jimmy, esforzándose en extraer conclusiones—. Hay mucho escritor marica. Mola.

Cabecea Ramón un par de veces, satisfecho con las explicaciones, y se dirige con la mercancía elegida hacia el mostrador. El señor de los videos sigue entregado con devoción a lo que ya más parece un trabajo de inventario que un mero curioseo. En el mostrador, el encargado deja a un lado su lectura para atenderle, en ese estado de modorra algo extraño de quien acaba de levantar por fuerza la vista de algo que le tenía embebido por completo. Sólo entonces repara Ramón en cuál es el objeto de tanta atención: *Cyrano de Bergerac*, de Edmond Rostand. Lo cual, por cierto, le produce un regocijo extraño, como si el mundo fuera mejor porque los encargados de tiendas de artículos sexuales lean a los clásicos franceses. Por lo demás, todo sale según lo previsto. Paga su revista, se despide con cordialidad, cruza la puerta opaca del establecimiento y arroja su compra a la primera papelera que encuentra en su camino.

Ya sólo hay que esperar.

Último vuelo sobre la campiña

Dos semanas de encuentros nocturnos y oníricos con Paulina en la campiña han hecho de Valentín un hombre nuevo. Ahora despierta relajado, sonriente, con la sensación de que todo en el mundo está en el lugar en que debería estar. Se enfrenta a cada nueva jornada de trabajo como si fuera el primer día de colegio. En la oficina es capaz de concentrarse en los balances, en las difíciles cuadraturas del círculo numérico que le exige la dirección todos los meses, sin que haya secretaria ni jefecillo que le crispe o le altere. De vez en cuando, eso sí, no puede evitar un pensamiento amable, siempre adornado con repámpanos multicolores y surcado de conejos que corretean sobre el verdor, allá, muy bajo sus pies. Y, por supuesto, la perfecta geometría de su amante más asidua, esa Paulina extra-corporal que no falta a su cita ni una sola noche, qué simpática.

En cambio, se concede el capricho de no reparar demasiado en Nora. Prefirió mirar a otro lado cuando su mujer, en ese celo perfeccionado por la maternidad, rescató de su caja la ropa interior sexi y procaz de antaño y la lavó con jabón especial antialérgico para bebés. El resultado fue un tendedero repleto a rebosar de ligueros, sujetadores de balconcillo, medias de rejilla, bragas con cremallera, corpiños transparentes y demás prendas del deseo, que por arte del nuevo signo de sus vidas olía de pronto igual que su hijo de pocos meses. Y el descubrimiento más reciente de Valentín había sido, precisamente, que su hijo Luis poseía la facultad de inhibirle por completo la líbido. Incluso en ciertas ocasiones le había parecido que desarrollaba hacia él una fobia tan visceral que terminaría por arrastrarle a lo peor de sí mismo. Los días de las persecuciones y los desvelos habían, felizmente, quedado atrás. Ahora la vida de Valentín atravesaba una de esas etapas calmas en las que sólo cabe esperar acontecimientos con la absoluta seguridad de que éstos llegarán. Y de qué modo.

Sesenta y dos quilos repartidos en ciento setenta centímetros y rematados por una mente dada a la diablura y a la ironía entraron un lunes por la mañana en su despacho y se presentaron como la nueva abogada de la empresa:

—Mucho me temo que, a no ser que cambien los planes, habrás de trabajar conmigo mano a mano —le dijo, al estrechar su diestra bajo la supervisión algo envidiosa del Director.

«Incluso cuerpo a cuerpo, si hace falta», susurró la vocecilla maléfica de las grandes ocasiones desde dentro de la cabeza de Valentín.

La buena visión de un jefe de personal enormemente capacitado y las miserias de un mercado laboral colapsado y deficiente habían hecho posible la incorporación a la oficina de aquella nueva diosa de los días laborables. Especialista en Derecho Laboral, brillantísimo expediente académico, un doctorado y dos maestrías (una de ellas por la Universidad de Bolonia), dominio perfecto del inglés y del alemán y manejo absoluto de la informática eran las credenciales del nuevo fichaje. No pasó mucho tiempo antes de que Valentín hiciera algunas averiguaciones en el terreno de lo personal: era soltera, no parecía vivir en pareja, tenía un hijo de cinco años cuyo padre no llamaba nunca al trabajo ni pasaba jamás a recogerla, no fumaba ni parecía adicta a nada y su única manía comprobable parecía ser el vegetarianismo.

Quiso la fortuna, además, que de las cuarenta horas semanales que, según estipulaba el contrato de ambos, debían permanecer en la empresa haciendo algo de provecho, hubieran de pasar juntos casi treinta. Treinta horas semanales dan mucho de sí para dos cráneos privilegiados como los suyos. A Valentín le daban, por ejemplo, y siempre en el estricto cumplimiento de sus obligaciones con la empresa, para cerciorarse del color de la ropa interior de su colaboradora o del tanga que solía llevar bajo el pantalón oscuro de raya impecable del traje de chaqueta. Como la mayoría de los hombres que observan con regocijo, Valentín creía hacerlo con bastante disimulo para no ser detectado.

Ella, en cambio, no sólo era hábil en la obtención de certificados académicos o en la seducción de jefes de personal para conseguir por méritos más que justos un buen puesto de trabajo. También sabía jugar bien sus cartas como objeto activo y pasivo de un deseo que no quedaba en absoluto fuera de sus planes. Siempre le habían gustado los hombres prudentes, reservados, los que te miran el escote con la honda esperanza de no ser descubiertos. Valentín le llamó la atención desde que el director les presentó. Lo demás fue pura estrategia: elegir un escote más o menos pronunciado y combinarlo con un sujetador cuyo encaje sobresaliente magnetizara las miradas masculinas. No evitar casi ningún anzuelo, sino más bien propiciarlos, pero sin caer en la vulgaridad. Un hombre como Valentín, y eso le gustaba también, no hubiera celebrado la vulgaridad. Por lo menos, aún no. Todo era cuestión de preparar el terreno para, cuando llegara el momento en que el enemigo estuviera entregado e indefenso, atacarle por sorpresa. Entonces sería necesario echar mano de la artillería más pesada. En su caso, traje de chaqueta negro de ejecutiva, con falda algo por encima de las rodillas, camuflando un par de medias sujetas por un liguero cuya presencia Valentín, tan afecto a mirarle el culo, percibiría de inmediato. Tampoco a ella habría de pasarle inadvertido el súbito interés de Valentín por esconder bajo su americana una erección de lo más saludable, incluso juvenil. Y no hay nada en el mundo más adorable que un hombre de buenos modales a quien la tirantez de su miembro acaba de agarrar por sorpresa intentando salir del trance de haber de disimularlo.

Tras lo físico, que a los dos les devolvió unas ganas de vivir que creían olvidadas, llegó todo lo demás. Una docena de cenas cargadas de confidencias. Un fin de semana en un hotel junto al mar con los horarios de sueño cambiados como si fueran bebés. Pero no fue hasta obtener la sonrisa del niño de cinco años, el hijo de ella, que Valentín reparó en que acababa de atracar en una nueva vida. Ese mismo día se compró un juego de maletas. Las más grandes que encontró.

Sin embargo, su antigua existencia no ha perdido del todo su poder de fastidiarle.

Una de las últimas noches en su antigua cama matrimonial, le despierta una humedad desagradable acompañada del olor inconfundible del bebé. Por un momento, mientras aún intenta escabullirse de la duermevela, presiente que Luis acababa de mearse sobre el pene de su padre. Lo irracional de la ocurrencia no le viene a la mente hasta bastante después, un buen rato más tarde de descubrir a Nora en la penosa tarea de hacerle una felación fingiendo un deseo que ninguno de los dos siente y ataviada con un tanga de vinilo.

—¿Qué haces? —pregunta, ante lo inusitado de la escena.

Ella no responde. Le mira por encima del horizonte de su tripa peluda y se limita a proseguir con la labor con fingido ahínco.

—Déjalo, Nora. Estate quieta.

No le dice nada de lo que acaba de interrumpir. Sin embargo, de su desconcierto no tiene la culpa la felación —la primera de su mujer en dieciocho meses— sino el extraño sueño del que ha sido brutalmente arrancado, acaso ya sin solución posible.

Era una de sus ensoñaciones deleitosas con Paulina. Ella flotaba en el vacío, con su gasita de rigor y sus encantos bien visibles sobre la campiña. Por abajo, en el verdor, lucían las flores —más coloreadas que nunca— y correteaban los mismos conejos de tantas otras veces. Sin embargo, hoy ella no parecía muy dispuesta al sexo flotante al que ya le tiene tan acostumbrado. Según todo indicaba, hoy no habría cabriolas en el vacío, ni dulces penetraciones mientras ambos daban tumbos en las olas de esa atmósfera espesa de los sueños. Hoy Paulina tenía algo que decirle y no se ha hecho esperar.

—He querido que nos encontráramos aquí para despedirnos —le ha dicho, mientras le estrechaba las manos entre el dulzor tibio de las suyas.

—¿Despedirnos? ¿Por qué? —ha preguntado él, arrancado de cuajo de su paraíso.

—Ya no me necesitas. Ha llegado el momento de que me vaya.

Le mira con tanta dulzura que casi parece imposible que sea tan contundente cuando habla. Sin embargo, su voz no tiembla al dar la noticia.

—¿Y a dónde vas? ¿No volveremos a vernos? —inquiere él.

—No debes dejar que te venza el egoísmo —dice ella, y su voz suena vagamente multiplicada por un eco—. Tú no eres así. Si lo hubieras sido, jamás nos habríamos encontrado. Si un día vuelvo a hacerte falta, me recuperarás. Mientras tanto, debes pensar en los más necesitados que tú. Son muchos. Debo estar a su lado.

Valentín comprende sus motivos del mismo modo en que comprende las doctrinas el comunismo: no porque le parezcan ideales está dispuesto a seguirlos sin protestar.

—No digas nada más —dice ella, posando su índice sobre los labios de Valentín—, sólo lo estropearías. Tengo para ti un último deseo, antes de verte partir: que la felicidad te colme en todo cuanto emprendas a partir de este momento. Sé que no perderás el tiempo acordándote de mí ni de nuestro prado verde con nostalgia, pero me veo en la obligación de recordarte que no debes hacerlo. La realidad es lo que ahora debes asir, sólo ella debe preocuparte. Adiós, querido.

Parecía todo dicho cuando ha sentido la molestia de la humedad y ha abierto los ojos, pero le hubiera gustado tener más tiempo para hacerse a la idea. En lugar de eso, ahí está Nora con la tripa blanda y la vulva dolorida de tan aprisionada en la ceñida prenda, haciendo un esfuerzo por revivir su pene semifláccido.

—Déjame, Nora. Por favor.

Como se ha preocupado de que su voz sonara a súplica, Nora levanta la cabeza y le mira mientras se limpia la saliva que le resbala por el mentón.

—Es demasiado tarde —dice Valentín, sin que quede muy claro si se refiere a estas alturas de la vida o de la madrugada.

Ella, sin embargo, parece estar de acuerdo. Contesta, lacónica:

—Ya.

—Mañana me voy de casa. Debemos divorciarnos.

—¿Y Luis? —pregunta ella, siguiendo al pie de la letra el guión que Valentín había trazado en su cabeza cuando imaginaba esta escena.

—Le pasaré una pensión. Le veré un fin de semana de cada dos y todos los miércoles, como los padres divorciados de provecho.

Nora no responde. Intenta buscar una postura en la que sentarse en la cama no sea un martirio para su dolorida vagina.

—Lo he intentado —se excusa ella— pero no puedo.

—Lo sé, tonta, lo sé —Valentín acaricia una de las mejillas de su mujer. Es el primer gesto de aproximación que logra ejecutar con éxito en muchos meses—. Yo tampoco puedo. Es superior a mí.

Esa noche, Nora arrastra la cuna de su hijo hasta la antigua habitación matrimonial. Hay exorcismo de lágrimas y confesiones. Luego, la pareja se duerme. No abrazados, pero sí muy próximos. Al día siguiente, Valentín estrena el juego de maletas.

Puercas pesquisas (2)

Entre las desdeñables costumbres del Comegominolas no se contaba hasta hoy la de escuchar conversaciones ajenas. Eso ha cambiado desde que instaló el transmisor en el teléfono de Alberto. Ahora dedica todo su tiempo libre a escuchar las conversaciones del director de marketing de Grupo Empata, las cuales, para su sorpresa, le divierten más que muchos concursos de la tele.

Están las llamadas habituales. La de su madre, por ejemplo, que no olvida ni un solo día, y siempre entre las nueve y las diez de la mañana, telefonear a su hijo a la oficina para ofrecerle un parte detallado de su estado general de salud qué incluye el número de achaques con que se ha levantado. A Alberto se le nota distraído durante estas charlas, como si mientras la señora detalla el estado de su riñonada o las veces que durante la noche ha debido visitar el retrete él estuviera a sus cosas, ordenando papeles sobre su mesa o dando instrucciones en voz baja a su secretaria. Sus respuestas se limitan a ciertos sonidos guturales alternados acaso con algún monosílabo. Sólo cuando es apelado directamente logra articular más de un sonido concatenado:

—¿Me estás escuchando, Alberto, hijo?

—Por supuesto, mamá.

O bien:

—¿Crees que debería preocuparme por todo esto?

—No lo creo, mamá.

Otra de las asiduas es Ángela. Qué sorpresa. Con Alberto no gasta ese tono de bruja que él le conoce. Más bien todo lo contrario: diría que se lo quiere ligar. Suponiendo que no lo haya hecho ya, y lo que quiere ahora es recuperarle. Todas sus conversaciones versan sobre Paulina. Ángela tiene la lágrima fácil y Alberto le ofrece su galante consuelo. Hay referencias a cenas y a encuentros fuera de la oficina, aunque Alberto no parece muy dispuesto a que se repitan, todo lo contrario de lo que parece ocurrirle a ella. Al principio, el Comegominolas disfruta con este juego del gato y el ratón que le ofrece las mismas prestaciones que un programa de crónica rosa. Sin embargo, la férrea resistencia de Alberto termina por aburrirle, del mismo modo que se le haría insoportable ver cada noche el mismo capítulo de su serie favorita. Y respecto al otro asunto, al que de verdad le interesa, sólo sale a relucir en las conversaciones una vez:

—¿Alguien se pregunta qué ocurrirá si la famosa tarjeta de memoria con la novela no aparece? —quiere saber Ángela.

—Mucha gente. Otra cosa es que se atrevan a hacerlo en voz alta. Por lo pronto, habría que dar la cara ante el autor. Y no creo que ese imbécil se conformara con palabras.

—¿Te preocupa? —pregunta la chica, con voz que no puede ser más meliflua.

—Por supuesto que me preocupa. Es el autor estrella de la casa. Para que no me preocupara habría de ser un inconsciente o trabajar para la competencia —responde él.

Entonces Ángela dice algo sorprendente. Tanto, que necesita escucharlo más de una vez (sus reflejos aletargados agradecen que las conversaciones estén grabadas) para estar seguro del todo:

—Si tú quisieras podría preguntarle a Paulina dónde está el archivo. Sigo en contacto con ella.

Incluso alguien tan torpe en la comprensión de sus semejantes como el Comegominolas adivina la incomodidad de Alberto ante lo que acaban de decirle.

—No creo que esa información sea fiable, la verdad. Pero haz lo que quieras. No necesitas consultarme nada.

La chica parece muy ofendida.

—¿No te parece fiable lo que Paulina tiene que decirnos? ¿Quién hay mejor que ella misma?

Alberto emite un largo suspiro que precede a la declaración más sorprendente de cuantas el Comegominolas ha escuchado en su vida. Sale, por supuesto, de labios de Ángela:

—¿Cómo interpretas entonces que haya acusado directamente a Ramón Andrés? Me entran ganas de matar a ese hijo de puta.

—Yo de ti no me lo tomaría tan en serio —aconseja Alberto—. Piensa que podrías haberlo soñado. No vas a ir por ahí matando a la gente sólo porque sueñas que una muerta les acusa.

—¿Me estás diciendo que me lo imagino todo? ¿Que miento? ¿Qué quieres decir, exactamente?

La conversación sube de decibelios por momentos. Por suerte, Alberto es un hombre templado como pocos y sabe cómo detener la furia de Ángela:

—No es momento de mantener esta conversación. Quedemos un día y charlamos. Además, no es por ponerte una excusa, pero tengo muchísimo trabajo.

Ella, al cabo, es más razonable de lo que parecía hace un instante.

—Lo entiendo, corazón. Si yo estoy igual… Y no quiero estorbarte. Pero me saca de mis casillas que no me creas. Paulina pronunció su nombre con suficiente claridad. Yo estoy convencida de que es su asesino. Y quien en estos momentos tiene la tarjeta de memoria con la novela.

Sólo hay una interlocutora más interesante que Ángela en el teléfono de Alberto, y es Mónica. Reconoce su voz enseguida, desde la primera vez que la oye llamarle «cariño» al director de marketing. La crónica rosa continúa, así da gusto meterse a espía. Mónica pertenece a esa pequeña parte de la población que no gusta mantener largas conversaciones telefónicas. Eso la distingue del resto de mujeres que ha conocido. Utiliza el aparato sólo para lo estrictamente necesario: concertar una cita, facilitar una información o interesarse por algo. En esas coordenadas se mueven todas y cada una de las comunicaciones que establece a través del teléfono intervenido. El Comegominolas descubre que entre Alberto y la viuda de su mejor amigo hay algo más que consuelo y amistad cuando espía una conversación en la que se citan en un restaurante asiático para esa misma noche, y de sus frases cargadas de intención y también de sus evasivas se desprende que va a haber algo más que sushi y tempura entre ellos. El restaurante se llama *El gran dragón*. Mónica se compromete, antes de recordarle las señas con la meticulosidad que en ella es habitual, a reservar mesa para una hora prudente. El Comegominolas decide acompañarles en el mismo momento en que ellos cuelgan el teléfono.

Así es como el Comegominolas avanza un paso más en sus denodados esfuerzos por ser el investigador más casposo de la historia moderna. Esa noche, pertrechado con sus gafas de visión nocturna y llevando consigo el juego de ganzúas —por si logra encontrarle alguna utilidad— llega al restaurante oriental veinte minutos antes que la pareja. Pide una mesa rinconera donde le parece que podrá cubrirse las espaldas si es necesario, a la vez que se aleja de la puerta y del espacio principal del establecimiento. Luego, se parapeta tras la carta, un enorme díptico de cartulina ilustrado con fotografías de las delicias que ofrece el restaurante entre las que él, tan poco sofisticado en sus gustos y tan afecto a la pizza cuatro quesos, no encuentra nada que merezca la pena. Finalmente se decide por un plato de empanadillas a la plancha que le parecen inofensivas, acompañadas de un botellín de cerveza. La mujer que le atiende, de pelo muy negro y modales refinados, no puede disimular una mueca de asco cuando percibe el extraño hedor que acompaña al cliente del rincón.

Mónica y Alberto cenan según lo previsto. Ella coquetea abiertamente. De nuevo se da cuenta de lo distintas que resultan las mujeres cuando se acercan a otros hombres y no a él. Aunque ello no le provoca ninguna desazón: es demasiado idiota para saber qué significa algo tan sutil. Para adaptarse al ritmo de la pareja, se ve obligado a pedir tres postres consecutivos a la estupefacta camarera. Después del tercero, y entre cabezada y cabezada, decide que le conviene una dosis suficiente de cafeína, de modo que pide un americano y la cuenta. La japonesa obedece en el acto, deseosa de que el rarito apestoso se largue de una vez. No lo hace hasta unos diez minutos más tarde, y sólo veinte segundos después de los dos tórtolos, que escapan sigilosos y entrelazados en dirección al nuevo barrio que ha crecido aquí mismo, en los alrededores de un centro comercial.

Cuando los ve desaparecer tras la puerta acristalada del edificio de reciente construcción, aún vacío de vecinos, se pregunta por un momento qué debería hacer ahora. Opta por merodear un poco. Prueba sus gafas de visión nocturna observando los ventanales de los bloques circundantes. Como todavía no vive nadie en ellos la actividad resulta de lo más tedioso. Regresa a su puesto de vigilancia, a prudente distancia del portal, y se pregunta qué harían en circunstancias similares sus héroes de ficción, esos que siempre se encarnan en los rostros de Chuck Norris o Steven Seagal. No halla la respuesta o puede que le venza el cansancio de toda una semana vendiendo barnices a directores de planta lo suficientemente imbéciles para confiar en él. No sabe qué ha ocurrido cuando, una media hora después, despierta sobresaltado y con la cabeza apoyada en el capó de un Seat Toledo rojo. Ignora si Alberto y Mónica siguen ahí o si han logrado escapar a su asedio. Intenta detectar la presencia de luz en alguna de las ventanas del edificio pero pronto repara en que, más que probablemente, las actividades que han venido a realizar a este lugar, y que tal vez a estas horas sigan realizando, se disfruten más a oscuras. Ya está pensando en abandonar su puesto y dejar su persecución para la próxima vigilia de festivo, cuando ve encenderse la luz del portal. Acto seguido sale Mónica, tan hermosa como entró pero visiblemente más beoda, esforzándose por caminar con la prestancia que suele aunque, huelga decirlo, no lo consiga del todo. Se detiene un momento en la acera, a escasos metros de la puerta acristalada, para colocarse bien la falda con un gracioso movimiento de cadera y luego prosigue hasta su coche, aparcado a escasos metros de allí. No ha hecho más que arrancar el motor y salir a toda prisa cuando el Comegominolas ve aparecer en el otro extremo de la calle la inconfundible luz verde de un taxi. A la misma velocidad irrumpe Alberto en la acera, despeinado, bermellón y completamente pedo. Hace ademán de subir al taxi, que se ha detenido junto al portal, cuando el Comegominolas comprende que en cuanto lo haga se esfumará la última oportunidad de la noche. Sale de las sombras en las que estaba emboscado, con el consabido susto de muerte para el inocente taxista, y le suplica a un Alberto que no repara en nada:

—Por favor, ¿puedo ir con usted? Hace horas que espero un taxi.

—No es oportuno —zanja Alberto, cerrando la portezuela.

Sin embargo, el Comegominolas no está dispuesto a rendirse. Insiste, abocado a una de las ventanillas del asiento trasero:

—Por favor. Vaya donde vaya, pagaremos a medias.

Alberto no puede permitirse perder tiempo. Las luces posteriores del coche de Mónica apenas se distinguen en la distancia. El Comegominolas aprovecha su silencio para subir al vehículo. Mientras tanto, Alberto ordena al conductor, con toda la vehemencia de su borrachera y como si llevara mucho tiempo deseando hacerlo:

—¡Siga a ese coche!

El taxista se lo toma tan en serio, o está tan necesitado de emociones, que las ruedas chirrían sobre el asfalto. Pronto el coche de Mónica se hace visible de nuevo. Cuando se siente más tranquilo, Alberto arruga la nariz y le pregunta a su inesperado acompañante:

—¿No nota usted como una pestilencia?

El Comegominolas no tiene la menor idea de qué le está hablando. Se agarra al reposacabezas delantero y trata de mantener el tipo mientras el taxista juega a las carreras por las calles recién regadas de la ciudad. Cuando el coche de Mónica se detiene en un aparcamiento de zona azul, varios barrios más allá, los dos pasajeros del servicio público respiran con alivio.

—Yo me apeo aquí —dice Alberto, sólo un segundo antes de descender del taxi y esconderse entre la fila de coches estacionados.

—Hemos dicho que pagábamos a… —protesta el Comegominolas en el mismo instante en que Mónica baja de su coche y dirige una mirada de extrañeza al intruso, como si supiera que le viene siguiendo.

«Por fortuna, con las gafas de visión nocturna no se me reconoce», piensa el Comegominolas en el mismo instante en que su mirada se cruza con la de ella.

Al instante observa cómo la mujer pulsa el timbre de un portero automático. También Alberto sigue sus movimientos, apenas a unos metros de distancia. Por sorprendente que parezca, alguien responde a la llamada y Mónica cruza impunemente el portal al que tan segura se dirigía. Es el pistoletazo de salida para el Comegominolas, que por fin ve la oportunidad de librarse del suicida que va al volante. Paga la carrera y espera a ver qué hace Alberto. Como era fácil sospechar, también éste se dirige al portal por el que Mónica acaba de desaparecer. A diferencia de ella, él pulsa todos los timbres. Sólo responden tres vecinos. El primero, una voz masculina, le menta a su madre y puede que a su padre (desde donde se encuentra, el Comegominolas no escucha bien). La segunda le permite entrar. La tercera profiere amenazas que Alberto ya no puede escuchar, porque corre escaleras arriba mientras él se cuela en el rellano y curiosea entre los buzones en busca de alguna explicación a este enredo. Y la encuentra. No logra entender muy bien por qué extraña conjunción astral ha llegado exactamente al lugar al que deseaba llegar. En uno de los buzones escrutados, un nombre brilla con luz de estrella: Ramón Andrés. Tercero izquierda.

Frente a la puerta blindada del tercero izquierda pasa lo que queda de noche. Dentro se escucha un barullo sospechoso, como de orgía, o de conciliábulo de homosexuales, que despierta su curiosidad. Sin embargo, le falta atrevimiento para unirse a él y le sobra ambición para abandonar ahora. Permanece en el rellano, aguzando el oído, practicando con las gafas de visión nocturna cada vez que se apaga la luz de la escalera y dormitando a intervalos, hasta que el amanecer le trae aroma a café y piensa que ha llegado el momento, si es que no quiere levantar sospechas, de abandonar la escalera y marcharse a visitar a los estúpidos clientes que tiene programados para hoy.

La increíble y triste historia del pésimo Edmundo y su asesino desalmado

El viento de la desdicha empezó a soplar para Edmundo de Blas en el mismo instante en que Paulina Torres entró en su vida. Por eso fue tan fácil, para un hombre de mecanismos simplones como él concluir que para que desaparecieran todos sus problemas sólo debía eliminar a quien creía su causante.

—Es una presa fácil —le había dicho el director literario de Sintonison Ediciones al ponerle al corriente de sus planes—, confía demasiado en sí misma, cree tenerlo todo bajo control. Pobrecilla.

La compasión no era la virtud del alma que más adornaba a Edmundo de Blas cuando se trataba de Paulina. En unas pocas semanas, esa serpiente de ojos claros y culo perfecto le había arrastrado a la situación más difícil de su vida. No sólo se había valido de sus encantos y sus malas artes para que firmara un contrato que le tenía agarrado por los huevos sino que, además, había extraviado la única copia existente de *El síndrome Bovary*, la novela que debía convertirse en el nuevo fenómeno editorial de las letras europeas. Y convertirle a él en un autor blindado, acorazado, inmunizado contra casi cualquier contrariedad de las que suelen llover sobre los otros, los vulgares. Del virus que había convertido a su flamante ordenador en pasto de la ruina no podía culpar a la chica. Eso sólo era culpa del viento de su desdicha.

Siguiendo indicaciones de Ramón Andrés, cuyos consejos eran para él como los de un padre, no lo pensó dos veces antes de pisar por primera vez los mullidos pasillos de Sintonison Ediciones, donde encontró el consuelo que estaba necesitando.

—Deja este asunto en nuestras manos y verás cómo recuperamos la novela a la vez que nos libramos de esa chica. No es más que una aprendiz. Ramón Andrés y yo ya hemos hablado largamente sobre esto y sabemos cómo hay que actuar. Tranquilízate y no pienses más que en la campaña de promoción, que será larga y requerirá de toda tu energía —decía el director literario, con esa seguridad que en los ejecutivos nunca resulta extraña.

A los estúpidos les encantan las campañas de promoción de una novela. Les fascina viajar de provincia en provincia respondiendo siempre a las mismas preguntas superficiales —se sienten como pez en el agua bañados en superficialidad y la repetición les insufla confianza— mientras todo el mundo les lame el culo y les permite sentirse lo que nunca fueron ni serán jamás: importantes. Edmundo de Blas soñaba despierto con sus futuras campañas de promoción. A veces incluso había llegado a creer que eran el principal motivo por el cual se hizo escritor.

Aunque esta vez no era tan fácil expulsar a sus fantasmas. Unos pocos días más tarde, Ramón Andrés le telefoneó con muy malas noticias. Hasta ese día nunca le había visto realmente preocupado.

—La parte positiva del asunto es que esa zorra ya no nos molestará más. Y tú, puedes ir buscando otro agente literario, si lo deseas. Lo malo es que la niña calientapichas esa no tenía tu tarjeta. La registraron a conciencia, pero nada. Seguimos sin saber dónde coño está tu novela.

Edmundo de Blas comprendió que estaba en apuros: había adquirido un compromiso con dos editores rivales para entregar un original del que no disponía y, aún peor, acerca de cuyo paradero no tenía noticia alguna. Encima, la única persona que acaso podía recuperarlo, o por lo menos la última que lo había tenido en las manos, había sido destripada por una especie de agente doble a plena luz del día. Lo único bueno de todo este embrollo era el haberse librado para siempre de Paulina Torres. O, por lo menos, eso creía él.

Se equivocaba, una vez más. Tal vez Paulina Torres había perdido la facultad de turbar sus días, pero ahora poseía el terrible don de irrumpir en su subconsciente. Lo descubrió muy pronto, cuando despertó bañado en sudor después de una visión maléfica de la que fue su agente literaria, caminando hacia él desde un pasillo en llamas, con la mirada incendiada de odio y deseos de venganza mientras de todas partes de su anatomía rezumaba una sangre oscura y viscosa que, francamente, afeaba bastante la belleza que tantos ponderaron en ella. Por si no fuera suficiente con semejante visión, el sueño incluía su propia banda sonora, en la cual pudo escuchar con absoluta nitidez una voz cavernosa que, en un hablar silábico, repetía una y otra vez: «Tú eres el próximo, hijo de puta…»

Aquella noche corrió en busca de Ramón Andrés y se refugió en su casa. Fue en vano, porque de nuevo la demoníaca visión interrumpió su sueño, esta vez mientras intentaba descansar desparramado en uno de los sillones de casa de su confesor. Antes de marcharse a casa, ya entrada la mañana, él mismo pronunció en un susurro su sentencia:

—Esta cabrona no me va a dejar en paz nunca.

Jalonó el camino a casa de algunas paradas para comprar la prensa o tomarse un café y llegó, ojeroso y abatido, antes de las once. Lo único que le apetecía era darse una ducha y meterse en la cama para intentar dormir sin interferencias. Aunque antes deseaba hacer una llamada. A Ramón.

—He estado pensando mientras desayunaba que quiero que seas mi agente literario. Creo que le echas cojones y eso me gusta. Lo único imprescindible para ser escritor en los tiempos que corren son cojones —dijo.

Ramón, al otro lado, acababa de ver abierto el cielo de su porvenir.

—Muy bien —le dijo, fingiendo un tono neutro que no revelara su entusiasmo—, te mandaré ahora mismo el contrato por correo electrónico. Sólo tienes que imprimirlo y firmarlo. Dos copias, una para ti y otra para mí. Si quieres me paso luego por tu casa y lo recojo.

—Cuando puedas. Pero que no sea antes de seis o siete horas. Voy a intentar dormir un poco.

Jimmy Borges de Mendoza escucha toda la conversación escondido tras la puerta del comedor. Hace unas cinco horas entró en el piso de Edmundo de Blas por la ventana de la cocina, que da al patio de luces, al que a su vez se accede sin ninguna dificultad desde la portería. Ha sido una tarea fácil, que apenas requería un poco de observación y algo de agilidad. Una vez dentro, ha curioseado a sus anchas, buscando indicios que le ayuden a alimentar más aún la gazuza que le tiene al autor que más vende de cuantos respiran en español.

No encontraría descabellado ningún editor conocedor de su medio que un escritor neonato y de tan escasas posibilidades como Jimmy alentara semejante odio hacia alguien con tan poco o incluso menos talento que él pero al que las circunstancias han permitido indigestarse con las mieles del éxito. Sin embargo, semejante exacerbación del odio no sería esperable más que de un sujeto como éste, que aborda todas sus cosas con ahínco enfermizo.

Los anaqueles del salón le confirman ál visitante que Edmundo de Blas es casi un analfabeto: apenas tres docenas de volúmenes se alinean sin ningún concierto. Hay una de esas enciclopedias que se anunciaba hace algún tiempo en los buzones de todas las casas bajo la promesa de estar confeccionada con papel de bajo peso, especial para evitar la combadura de las baldas. Pura mierda. Entre el resto de volúmenes, reconoce un par de novelas de Frederick Forsyth, una de Stephen King, un volumen que anuncia *Las 100 mejores poesías de la lengua española,* otro que promete *Recetas fáciles de cocina para tarados*, una recopilación de *Crítica literaria en la prensa española, 1990-2004* y un diccionario coreano-catalán envuelto en un plástico y sin abrir. Por un momento, Jimmy no descarta la posibilidad de formar con todo eso una pira en mitad del salón. Antes de enfrentarse a los anaqueles inferiores necesita algo fuerte que llevarse al gaznate. Tiene la necesidad de sentir arder sus tripas. Rebusca en los armarios y encuentra un simulacro de mueble-bar de donde extrae una botella sin abrir de Glenfiddich puro malta 30 años, con la que se dirige a la cocina en busca de un vaso con hielo. Un güisqui como este no merece la humillación de beberlo a gollete. Encuentra sin dificultad lo que busca y se sirve un trago generoso antes de regresar a su evaluación libresca.

Menos mal que iba preparado, porque entre los lomos que aún le quedaban por escrutar encuentra un ejemplar de su novela favorita de Francisco Umbral, precisamente en la misma edición que él atesora y que ya no se consigue ni en librerías de viejo. La presencia de esa joya en medio del lodazal, lejos de provocarle alguna alegría, enciende más su ira. Para aplacarla un poco, se sirve otro chorro generoso de Glenfiddich y enarbolando el vaso se lanza a recorrer la casa. Hay champú anticaída en la bañera, pomada contra las almorranas sobre el lavabo, comida precocinada en la nevera y sobre la mesilla de luz, en el dormitorio, una videoconsola último modelo. Edmundo de Blas, no necesita ver más para saberlo, es un pobre desgraciado que no merece ni una pequeña parte de la suerte que le acompaña.

Aunque tal vez debería empezar a hablar en pasado: la suerte que *le acompañaba*. Él va a encargarse de que así sea. Sonríe malicioso y se deja caer en el sofá a saborear la tercera copa de la noche. Se quita la gorra para dormitar un poco, para lo cual conecta la tele y se deja envolver por el espeso aburrimiento que emana de ella. Va a la cocina en busca de algo para comer y descubre un paquete de anacardos (también por abrir) que confisca de inmediato. Finalmente, vencido por esa exaltación de la amistad que suele acompañar al alcoholizado, rescata el libro de Umbral de la triste formación y empieza a leerlo en voz alta, con voz temblona de entusiasmo etílico.

Apenas quedan tres dedos en la botella cuando Jimmy escucha ruidos en la escalera. Se esconde tras la puerta del salón y allí aguarda acontecimientos. Por su aspecto, Edmundo de Blas parece llegar de una batalla cruenta. Se dirige al teléfono y realiza la llamada de la cual ya hemos tenido noticia. Luego camina hacia el dormitorio, conecta el ordenador y en un pispás imprime varias hojas sobre las que luego estampa algunos garabatos. Jimmy le espía envuelto en el calor de unos cortinajes. Acto seguido, dejando los papeles grapados sobre la mesa, Edmundo de Blas se dirige hacia el baño, donde sus pasos se detienen frente al retrete. Allí observa, asqueado, abundantes restos de un vómito espeso y marrón que alguien poco dotado de la gracia de la puntería ha depositado en su retrete. Lo que no alcanza a imaginar es por qué ese alguien ha elegido precisamente su váter para echar la pota. Apenas tiene tiempo de formularse más preguntas sobre la procedencia del engrudo, cuando Jimmy ya asoma por el pasillo sus facciones de matón resabiado y borracho. Sobre sus nudillos brilla un destello acerado que a Edmundo de Blas no le hace prever nada bueno.

—¿Quién eres tú? —pregunta, sin mover ni un músculo.

—Jimmy Borges de Mendoza —responde el beodo visitante—. Soy escritor, ¿te suena mi nombre, desgraciado?

Advierte de Blas la necesidad de ser cauto. Por eso, aunque el nombre no le suene en absoluto, responde:

—Pues... La verdad es que lo he oído en alguna parte.

La primera, en el estómago. Un derechazo contundente, reforzado por el puño americano que ha tenido la astucia de traer. Edmundo de Blas se dobla sobre sí mismo, con la mano en el vientre, y facilita el segundo movimiento del otro que, huelga decirlo, parte con considerable ventaja. El siguiente golpe cae sobre la nuca del desgraciado Edmundo, aunque iba dirigido contra su mandíbula. El escritor de éxito intenta sujetarse a algún lugar cuando empieza a tambalearse, pero sólo encuentra en la trayectoria de sus manos la cortina de la bañera. Se trata, sin duda, de un mal asidero. Queda demostrado cuando en la furia del tirón Edmundo arrastra consigo el cortinaje y también la barra al que se sujetaba. Cae dentro de la porcelana, y tras él el aparatoso ajuar que, para colmo, le golpea la cabeza y le deja cubierto por completo, como a un fantasma torpe con impermeable.

—He estado leyendo a Umbral mientras te esperaba —dice Jimmy, mientras frunce los labios en una mueca casi canina, que deja al descubierto sus colmillos.

De Blas no responde. Está ocupado en apartar la cortina del baño de su cara y buscar algo con que defenderse.

Para su desgracia, al alcance de su mano sólo están la botella de tres cuartos de litro de gel dermo con aloe vera y el champú de almendras dulces en oferta tres por dos que compró en las rebajas del Carrefour. A falta de otra cosa, y aún a sabiendas de que sus armas son inferiores a las de su enemigo, lanza una a una las tres botellas de la oferta con toda la fuerza que le permiten sus músculos y la postura. Borges esquiva los dos primeros proyectiles con audacia, aunque el tercero va a estrellarse contra su cara con tal tino que le produce algún desperfecto en el tabique nasal y el labio superior, aunque nada grave. Eso le da alguna ventaja a su víctima, que aprovecha para salir de la bañera, deshacerse del plástico y echar a correr en dirección a la cocina, donde espera encontrar mejores armas defensivas. Sin embargo, no alcanza el cajón de los cubiertos, tan lleno de tesoros en este momento, porque sufre poco antes un placaje que le tumba en el pasillo cuan largo es.

Si un observador desinformado pudiera asistir a la escena que aquí se está desarrollando, además de percibir el grado de violencia que destila, columbraría la evidente desigualdad física de los dos contendientes: mientras Edmundo de Blas es un hombre más bien robusto, alto y entrado en carnes, Jimmy Borges de Mendoza es un canijo al borde de la caquexia, todo pellejo y músculo, que sólo con la fuerza de un odio absoluto como el que siente tiene alguna posibilidad de alcanzar la victoria. Es una lástima que esta lucha final no sea televisada, porque los espectadores tendrían la oportunidad de asistir a un triunfo impensable que haría enardecer a las masas, tan proclives a celebrar los éxitos de David sobre Goliat.

Sin embargo, la escena que viene a continuación no podría ser retransmitida para exaltación de las masas salvo en horario nocturno y no infantil, ya que en estos momentos David, que ha reducido a Goliat tumbándole en el suelo, se agarra de los pantalones de su rival y tira de ellos hasta dejar al descubierto un culo ancho y frondoso.

—Dime el título de la novela de Umbral que tienes en el salón y no te doy por el culo —le propone a gritos.

Edmundo de Blas —no es para menos— pierde los nervios.

—No, por favor. Déjame. Yo no te he hecho nada —suplica.

—Dilo. Seguro que no lo sabes. Sólo el título.

—No me acuerdoooooo —miente de Blas, al borde del llanto.

—Haz memoria o te empalo —continúa, erre que erre, Jimmy.

—No puedo pensar así. Deja que me levante.

—Di algo, capullo. Por lo menos, inténtalo.

En ese momento, Edmundo de Blas trata de repasar todos los ítems que guarda el disco duro de su cerebro dentro de la carpeta «Obras de Francisco Umbral».

—No sé —aventura—... *¡Mortal y rosa!*

—Has fallado, cabrón. Pero como esa también me gusta mucho, te doy una segunda oportunidad. Venga, di otra.

—Por favor... Déjame.

—Vamos, di otro título. No tengo todo el día.

—Ay...—de nuevo se la juega: —*¿El asesinato del perdedor?*

—Esa es de Cela, hijo de puta. La has cagado.

Jimmy trasiega en su bragueta hasta sacar el arma con que piensa cumplir su propia sentencia.

—Nooooo, por favor, no me hagas daño. ¿Quieres dinero? Tengo mucho dinero. Estoy podrido de dinero, tío.

—No quiero tu puto dinero, cabrón.

A la hora que es, todos los vecinos están trabajando. Nadie escucha los berridos de Edmundo de Blas mientras Jimmy consuma su venganza. Tampoco escuchan la exaltada arenga del muchacho, que mientras empuja con todas sus fuerzas, proclama:

—De parte de de tus compradores, de todos los escritores noveles, de los que sólo han logrado publicar su primer libro, de los que ganan concursos de provincias, de los que de verdad tienen talento, de los periodistas que han tenido que aguantarte, de la jefa de prensa de tu editorial y de todos los que se me olvidan... ¡toma, toma y toma, desgraciado!

Cuando ha terminado, y dejando a Goliat espatarrado y exhausto en el suelo, David va en busca de su macuto. Ha traído un bote de pintura negra en espray. Con él, a lo largo del pasillo, escribe: *Esto es obra de Jimmy Borges de Mendoza, el mejor escritor de su generación.* Luego busca el cuchillo que compró para este día glorioso, uno de cazar ciervos, con hoja de acero plegable de diecisiete centímetros, y se dispone a rematar la faena a su manera, que no es como le dijo Ramón, por supuesto. Lo hace pensando en los lectores, en los presentes y los futuros, todos aquellos que no perderán su tiempo y su dinero leyendo los bodrios que Edmundo de Blas no escribirá jamás. Los lectores nacionales, que le sufrirían en su lengua vernácula plagada de incorrecciones, repeticiones e incluso faltas de ortografía que se les escaparon a los correctores apresurados. Y los miles de lectores extranjeros a quienes irremediablemente llegaría la novela gracias a las argucias comerciales de tantos editores sin escrúpulos. Nada de todo eso ocurrirá, se dice, en el fragor de su exaltación. Y todo gracias a él, Jimmy Borges de Mendoza, defensor de la literatura universal, quien en estos momentos se sitúa sobre el cuerpo sudoroso de Edmundo de Blas y alza el cuchillo de matar ciervos como en un ritual de sacrificio antes de hundirlo sobre su víctima media docena de veces.

Lo último es apurar la botella de Glenfiddich y hacer una llamada telefónica. Una rellamada, en realidad: a Ramón. Salta el contestador y deja un mensaje.

—Se me ha ido un poco la mano con el imbécil este. He pensado que desde la cárcel escribiré una novela autobiográfica. Se llamará *El día en que violé a Edmundo de Blas*. Será un bombazo. Por si te interesa, busco agente.

Epifanía

El escenario es el mismo de la otra vez: alcoba en penumbra, pasillo iluminado por el resplandor de las candelas que siguen ardiendo alrededor de la mecedora y ese silencio delicioso de la nocturnidad cuando el dormitorio da a un patio vecinal. La escena también es idéntica a la otra: Ángela ha vuelto perfumada del cuarto de baño, con su camisola de ositos, y se ha detenido medio minuto ante el altar doméstico. La ha oído murmurar esa letanía de todas las noches antes de entrar a la habitación con su sonrisa grande y preciosa, tumbarse sobre su lado de la cama y apagar la luz. No se le escapa a Epicteto que últimamente su esposa le sonríe más. De algún modo, al hacerlo le invita a seguir buscando estrategias para sorprenderla, algo que él piensa hacer con el celo de que sólo es capaz un profesor universitario.

Esta noche, sin ir más lejos. Ángela ha empezado a respirar profundamente diez minutos después de intercambiar con él sus deseos habituales de feliz descanso. Él, alevosamente, tiene el nuevo juguete preparado en la mesilla de noche y aguarda el momento mejor para utilizarlo. Esta tarde ha dedicado un rato a su puesta a punto: se ha cerciorado de que funcionara bien, ha introducido pilas nuevas —y alcalinas— en el compartimiento correspondiente y ha ensayado un rato con las distintas velocidades hasta que el cacharrito no ha tenido secretos para él. Ahora aguarda en la dulzura de la expectativa y la oscuridad. En la calma reinante le da por sonreír pensando cuán distinta hubiera sido la literatura decimonónica de haber existido algo similar a este invento de forma ovípara, cuán relajadas y satisfechas se hubieran mostrado las heroínas de sus novelas más estudiadas si sus maridos hubieran comprado para ellas algo semejante. Tal vez Anna Karennina nunca hubiera desertado de la ciudad y nunca se habría visto forzada a separarse de su hijo, que habría crecido feliz y consentido al lado de su madre quien, por supuesto, tampoco habría muerto en plena juventud. Tal vez Emma Bovary hubiera encontrado igual placer en la lectura, pero ésta ya no la hubiera llevado a los desmanes adúlteros a que se vio abocada su existencia, sino acaso a la erudición, puede que a la escritura misma, convirtiéndola en la Charlotte Bronte de su país y su tiempo. Y lo mismo piensa de su querida Ana Ozores, cuánto temperamento desperdiciado, con lo bien que hubiera liderado esta mujer los primeros balbuceos del feminismo ibérico. Hubiera sido una precursora, una Mary Wollstonecraft asturiana, que con toda seguridad habría sabido extraer de las aburridas clases dirigentes más tempranos frutos para la causa. Comprende ahora Epicteto que de ingenios como éste, que cabe con holgura en la palma de una mano no muy grande, depende el sosegado devenir de la historia. Porque, ¿cómo van a sostenerse los pilares de una sociedad que se tenga por avanzada sobre la triste realidad de la eterna insatisfacción femenina? Si fuera político lo tendría muy claro: defendería el placer absoluto de las hembras, su goce continuo, el orgasmo perpetuo. En la escuela primaria los varones deberían aprender los mecanismos de la feminidad del mismo modo que hoy día se les inculca el respeto por el medio ambiente o las ventajas de la integración. El mundo, así concebido, se le antoja a Epicteto en su excitación, un remanso venidero de paz. Y él se ve ahora mismo, ya provisto del huevo vibrátil, como un precursor, un avanzado a su época, uno de esos abanderados del progreso que terminan siendo responsables de los grandes cambios de rumbo de la historia.

Ángela suele quedarse dormida boca arriba, lo cual facilita mucho la maniobra. Con absoluta seguridad, Epicteto aparta la sábana y el cobertor. Se introduce el huevo en la boca con la finalidad de ensalivarlo bien. Una vez untado lo desliza en esa zona almohadillada en que da comienzo la vagina. Es como dejar que una vagoneta se deslice por un par de rieles engrasados. Apenas empujarlo un poco, el artilugio resbala hasta detenerse en el primer obstáculo. Ángela ronronea como una gata a la primera caricia. En cuanto a Epicteto le parece que todo está en su lugar, acciona la primera velocidad. La reacción de su mujer es inmediata. Un gemido largo como un bostezo y una celebración de viva voz:

—Ay, Epi. Qué rico, esto.

El profesor siente como una exaltación del ego que le lleva a comportarse, tal vez por primera vez, no como un ser reflexivo sino como alguien que se deja dominar por sus impulsos. Por eso, sin apenas pensarlo, agarra a Ángela por la nuca y le estampa un beso en los labios cuya fuerza centrífuga dura varios segundos. Al separarse ella, que parece desmayada, dice:

—Tú antes no eras así, Epi.

Ángela no lo sabe, pero con estas palabras acaba de hacerle muy feliz. Lo mismo que con los contoneos de sus caderas, y con sus ráfagas de suspiros y con esta sosegada entrega en la que se deja hacer sin oponer ninguna resistencia. Epicteto actúa. No analiza, no evalúa, no extrae conclusiones. Tan sólo procede, guiado por sus pulsiones primitivas, las mismas que lleva años ignorando o tal vez reprimiendo, las que de puro aletargadas parecían ausentes. Hoy celebra que Ángela advierta los cambios que en él se han operado y que también le llenan de estupefacción. De tener el mismo apetito sexual que una ameba ha pasado a engrosar ese veintitrés por ciento de españoles que alguna vez han usado juguetes eróticos. Eso le hace sentir de pronto tan moderno, tan dentro del mundo actual y tan activo sexualmente, que está empezando a cambiar la concepción que tenía de sí mismo y, con ella, sus esquemas mentales, empezando por sus prioridades. Ahora Ángela —y no sus heroínas de ficción— ocupa el primer lugar en su lista. Y desde que ella se da cuenta la vida tiene otra sustancia.

—Epi, cariño mío, ven conmigo —susurra ella, extendiendo los brazos en la oscuridad.

—Estoy aquí —responde él, apretujándose contra
· su mujer.

La siguiente frase casi le parece un milagro:

—Quiero tu *lingam* —dice.

Y previendo el desconcierto de su cómplice en este
menester, agarra el pene robustecido de su esposo y repite su deseo a la vez que lo ejecuta:

—Tu *lingam*. Lo quiero dentro. No puedo más.

Le falta tiempo a Epicteto para levantarse de un salto, librarse del pijama abotonado y de cuello de esmoquin
y lanzarse sobre su mujer con esa algarabía que siempre
da encontrarse de nuevo con algo que habías dado por
perdido para siempre.

Ángela tiene los ojos muy abiertos cuando, entre los
espasmos de un orgasmo tan delicioso como el jugueteo
que le ha precedido, ve aparecerse de nuevo a Paulina
ante sus ojos. En esta ocasión lleva una gasa de tul transparente que resalta su belleza desnuda —Ángela no puede evitar pensar que es un atuendo demasiado informal
para grandes revelaciones— y un viento que no sabe de
dónde procede alborota su larga melena suelta. Sus pies
desnudos flotan a varios centímetros del suelo. Mastica
los gajos de la naranja mondada que sostiene en una mano.
Su mirada se clava fijamente en la de Ángela, pero lleván-
dose un índice a los labios le da a entender que no debe
detener lo que está haciendo a causa de su presencia,
como suelen hacer las visitas cuando tienen confianza suficiente. De hecho, si está aquí es sólo para despedirse,
porque ha terminado cuanto quería hacer en este mundo
ruin antes de marcharse para siempre al lugar en el que

debe estar de ahora en adelante. De ese lugar o de lo que estuvo haciendo en éste no da más detalles. De hecho, tampoco se explica Ángela cómo ha podido decirle tanto sin despegar los labios, sólo con esa mirada apaciguadora y ese rostro sereno y, además, mientras sobre ella cabalga frenético Epicteto, loco de contento por sus logros. Tal vez el orgasmo favorece las comunicaciones con el más allá, piensa Ángela, mientras observa que las mondas de la naranja caen al suelo pero no ensucian, porque desaparecen en el aire al instante, como evaporadas.

Paulina parece feliz en esta última epifanía. Mastica a dos carrillos, está más bonita que nunca y les observa igual que haría una madre satisfecha de los logros de sus hijos. Parece querer decirles: aprovechad este momento, chatos, que yo ya sólo puedo comer naranjas desde el más allá mientras fastidio un poco a algunos de los hijos de puta del más acá.

Adiós, muñeca

Mónica ha cuidado todos los detalles. Ha reservado la mejor mesa de su restaurante favorito, con vistas al puerto de pescadores. Ha hecho traer Don Perignon del 95 para regar la langosta que ha pedido como aperitivo. Se ha hecho la manicura francesa, se ha cambiado ligeramente el color del pelo y estrena un modelo exclusivo de Lorenzo Caprile. Alberto está desbordado. No por el lujo, que solo desborda a los idiotas. Quien le desborda es Mónica.

—Me marcho —explica ella—. He terminado con los asuntos pendientes. Tengo dinero. Es el momento —explica ella, a la luz de una vela y con el mar nocturno a su espalda.

A Alberto le agarra de nuevas la noticia.

—¿Cómo que te marchas? ¿A dónde?

La naturalidad con que ella ha tomado sus decisiones le saca de quicio. Sigue disimulando.

—A Costa Rica. Tengo una amiga allí. Vive en un lugar paradisíaco donde sólo hay que tumbarse en una hamaca bajo una palmera para ser rabiosamente feliz. Con el dinero que tengo me da para una vida holgadísima hasta que me muera. Me he comprado una casa en una playa de ensueño. Puedes venir a visitarme cuando quieras. No olvides el traje de baño.

Mónica está exultante. Salta a la vista que se siente feliz con su decisión y que no le duele nada de lo que deja atrás. Por mucho que le invite a ir a visitarla.

—No dices nada. ¿No te alegras por mí?

—Mucho —miente él.

—Quería despedirme en condiciones. Y, además, tengo una sorpresa para ti —anuncia, mientras extrae de su bolso un pliego de papel, que extiende ante los ojos atónitos de Alberto—. El pisito de Sam. El picadero. Te lo regalo.

Alberto intenta sonreír, pero está tan confuso que no está seguro de haberlo conseguido.

—Sólo tienes que firmar aquí —prosigue ella, ahora muy metida en su piel de abogada, señalando un espacio en blanco en el que destaca una pequeña cruz de tinta azul.

—No tienes por qué —dice él.

A Mónica le estalla una carcajada a escasos milímetros de la langosta que se disponía a devorar.

—Toma, pues claro. Por eso es un regalo. Quiero que lo disfrutes tú.

—Me haces sentir un poco incómodo. No creo merecerlo.

—Tú eres tonto.

La euforia de Mónica aumenta a medida que el champán se va agotando. También la incomodidad de Alberto. Cuando ella levanta la mano y le pide al camarero otra botella, ya es evidente que sus estados de ánimo avanzan en direcciones opuestas.

—¿Qué te pasa? —pregunta ella, haciendo un esfuerzo por tomarle en serio—. Estás rarísimo.

Le cuesta explicarse. Las palabras salen despacio.

—No esperaba esto, simplemente.

—¿A qué te refieres?

—Me jode que te marches, la verdad. Debo de ser un imbécil, pero me había hecho ilusiones.

Sólo en ese momento repara Alberto en la franja de nubes como corderitos mansos que empiezan a merodear por el horizonte. En la época del año en que están, y aunque ahora parezcan tan inofensivas, no le extrañaría que fueran el primer aviso de una gran tormenta.

—¿Ilusiones? ¿Qué clase de ilusiones?

Lo que va a pasar con las nubes podría ocurrirle también a esta conversación, si Mónica continúa insistiendo como lo hace.

—No me hagas hablar como un adolescente, por favor. No soporto ponerme en ridículo.

—Ni yo a los hombres que lo hacen.

—Entonces ya sabes de qué hablo.

—No del todo. Será que no me cuadra contigo.

Alberto siente que su estado de ánimo es como la pared agrietada de una presa demasiado llena. Sólo tiene que producirse un pequeño movimiento, un ligero aleteo de mariposa en el otro lado del mundo, para que todo se vaya a la mierda. Por supuesto, lo último que desea en este instante es que eso suceda. Ya que, al parecer, esta es la última cena que va a compartir con la mujer que más le ha obsesionado de cuantas ha conocido jamás, espera ser capaz por lo menos de mantener la compostura.

—¿Te has enamorado de mí? —pregunta ella sin piedad, a bocajarro.

La luna ha desaparecido bajo los corderos del cielo. Ahora el mar parece más espeso y más negro. A sus presentimientos les ocurre lo mismo.

—Ese es un asunto viejo —responde.

—No te entiendo —Mónica parece decidida a extraer hasta la última sílaba de información disponible. O hasta la última gota de su sangre.

—Hace años que me enamoré de ti.

—¿Ah, sí?

Se queda pensativa unos instantes, con la mirada clavada en el panorama que se divisa a través del ventanal. Parece estar lucubrando la cantidad de oportunidades que se ha perdido al no disponer antes de esa información. O tal vez se pregunta cómo no se dio cuenta, ella que se tiene por mujer ducha en este tipo de asuntos.

—Lástima —concluye, al fin.

—¿Lástima de qué?

—De no haberlo sabido. Me hubiera gustado ponerle cuernos a Samuel en sus propias narices.

Sonríe Alberto imaginando esa posibilidad, que no le desagrada del todo. La superioridad que siempre esgrimía su mejor amigo en cuestiones de mujeres bien le hubiera hecho merecedor de un escarmiento de ese tipo.

—Me siento... —de nuevo baraja las palabras, las descarta, les da la vuelta con prudencia antes de dejarlas sobre el mantel.

—¿Qué? —se impacienta Mónica.

—Además de idiota...

—¿Sí? —los ojos de ella le ordenan que prosiga.

—Me siento como si hubiéramos cometido un error.

—Y de los grandes, sí —está de acuerdo ella.

Otro silencio. Les sirve para rebañar —con las maneras sofisticadas que el establecimiento impone— lo que queda de la extinta langosta.

—¿Pedimos algo más? ¿Otra como ésta? —inquiere Mónica.

—Mejor un güisqui.

La mujer llama de nuevo al camarero, quien acude con la mayor diligencia y una sonrisa amable.

—El caballero tomará un güisqui.

—¿Alguna preferencia, señor?

—¿Knockando?

—Me permito sugerirle el extraviejo.

—No se hable más —sentencia Alberto—, pero que sea doble.

Cabecea el camarero dando su bendición y se vuelve hacia Mónica.

—Yo quiero chocolate. Esa tarta tibia con helado de vainilla...

—Por supuesto, señora. Enseguida.

El camarero se aleja y ellos sonríen a las circunstancias. Las nubes se muestran ahora más arracimadas que antes. De la luna no queda ni rastro.

—Me siento un poco ridículo. Ya no tengo edad para declararme.

Una mano de ella avanza sobre la blancura del mantel hasta alcanzar una de las de él.

—No te enfades, Alberto, pero no quiero escucharte. Tu enamoramiento me da mucho miedo en estos momentos.

—¿Miedo?

—Te aprecio demasiado. No quiero que me des la oportunidad de arruinarte la vida.

Empiezan a salir del puerto los barcos de los pescadores. Ambos se embelesan, mirándolos. Tienen algo de cofradía de luciérnagas. Mónica señala al horizonte.

—Creo que hoy regresarán antes de tiempo. Va a caer una buena.

A la densidad de la conversación le viene muy bien este intermedio visual. Todavía no ha acabado cuando llega el camarero con los encargos. Las nubes siguen espesando, pero el ánimo de Alberto se siente, al primer sorbo de güisqui, algo más ligero. Ha llegado el momento de darle un tumbo a la velada.

—Hablemos de otra cosa —invita él—. ¿Te interesa que te cuente lo que te dije de Paulina?

—Claro. De esa zorra, todo.

—Te decía que me pidió que intercediera ante ti para recuperar la tarjeta de memoria.

—No lo hiciste.

—No.

Sonríe Mónica. Tiene las comisuras de los labios manchadas de chocolate.

—Ay, la célebre tarjeta de memoria... —dice—. Si todos los que la siguen buscando hubieran aunado sus esfuerzos, tal vez la habrían recuperado. Pero claro, eso es imposible.

—Por lo menos en los tiempos que corren. Individualismo crónico en todas partes. Demasiados intereses en juego.

—Tú siempre has sabido donde está, ¿no es cierto? —quiere saber él.

Mónica sonríe, maliciosa. Brillan sus ojos bajo los efectos del alcohol o a la luz de las velas. Tiene cara de niña mala. Le sienta bien.

—Por supuesto. ¿Quieres saberlo?

—¿No temes que yo le pueda facilitar la información a alguno de ellos?

—Allí donde está no creo que nadie se atreva a ir a buscarla.

Le gusta esa mirada de pícara. Está deseando escucharla.

—Lo primero que hice al encontrar la tarjeta en el bolsillo de Samuel, la misma noche de su lamentable deceso —comienza ella— fue ver qué contenía. Me desilusioné un poco al ver que sólo era una novela. Sinceramente, de un hombre como él lo esperaba casi todo. Sólo una novela, y ni siquiera de un autor muy interesante: era lo nuevo de Edmundo de Blas. No soy tonta, y he pasado demasiado tiempo al lado de Samuel para no saber que ese original vale mucho dinero.

—Mucho más del que imaginas. No hay otro.

—¿Qué significa que no hay otro?

—Que ésa era una copia única. El autor tuvo un desastre informático y perdió la suya. Esa novela, en este momento, sólo existe en tu tarjeta de memoria.

Mónica lanza otra de sus sonoras carcajadas, a la vez que echa la cabeza hacia atrás.

—Intenté leerlo, de verdad. No soporté ni treinta páginas. Era malísima. Un asco, créeme. Lo peor que he leído nunca. Te aseguro que la literatura española debería estarme agradecida.

—Aún no me has dicho lo que hiciste con la tarjeta.

—Se la devolví al responsable de todo. A quien se apuntó en su culata la muesca del infame descubrimiento de Edmundo de Blas.

—A Sam.

—Sí —esboza una sonrisa triunfal—. Le enterré con ella.

Ahora es Alberto quien se carcajea.

—¿Cómo? ¿La famosa tarjeta de memoria está dentro de la caja de Samuel? —más risas—, ¿la misma que casi todos ellos vieron introducir en el nicho?

—La misma.

—Así que para conseguirla sólo habría que profanar su tumba y...

—No creo que sea tan fácil, si es que estás pensando en eso, so degenerado. Le pedí a los embalsamadores, ya sabes, esa gente de las funerarias que se dedican a dejar presentables a los muertos, que hicieran algo por mí.

Alberto la mira con una mezcla de espanto y admiración.

—No quiero ni imaginar dónde les pediste que la pusieran.

—Podría haber sido peor. Se merecía que se la metiera por el culo.

—Desde luego —le da la razón Alberto.

—Pero no. No había ninguna necesidad de incomodar a aquellos señores de la funeraria. Bastante desagradable es ya su trabajo para encima tener que hurgar en el recto de los difuntos.

—¿Entonces?

—Yo de ti no profanaría a tu amigo del alma. Aunque encontraras la tarjeta, no creo que estuviera en muy buenas condiciones, después del tiempo que ha pasado.

Alberto la escruta con la mirada. Mónica se detiene en un silencio teatral, que engorda el suspense.

—Pedí que se la metieran en la boca. Entre la lengua y el paladar. Y luego le sellaron los labios con pegamento, como a todos los muertos. ¿Qué te parece? ¿Te atreverías a recuperarla?

Sobre el mar empieza a lloviznar. Es sólo el principio de la tormenta de dimensiones bíblicas que se avecina. Protección civil hace horas que ha decretado la alerta. Ellos, claro, no se han enterado. Las cosas no llegan con la misma claridad, ni revisten tanta importancia, cuando se contemplan desde la mejor mesa de un buen restaurante, a la luz de algunas velas, con un vaso lleno en la mano y frente a un mar espeso como sangre.

IV: DESAGÜE

H A LLOVIDO TODA LA NOCHE. SERÍA POCO OPOR-
TUNO señalar que se trata de una de esas lluvias
desatinadas que suelen llegar en primavera, porque esto es mucho más. Nadie se explica muy bien los
avatares de la meteorología desde que anda el mundo tan
revuelto, tan apocalíptico. Esta, desde luego, es una tormenta que amenaza con desbordarlo todo. Y es que no
están preparadas nuestras ciudades para este tipo de fenómenos. Mucho menos las ciudades de los muertos.

Aquí estamos. Entre muertos, precisamente. Ya son
más que los vivos, y seguirán aumentando. Ya hace algún
tiempo hubo problemas de drenaje en el cementerio católico. Los más viejos del lugar recuerdan también una con-
flagración con las aguas freáticas durante un verano de
tremenda sequía. En aquella ocasión, se anegaban los
panteones de los ricos y se empantanaban las tumbas ex-
cavadas en el suelo, de modo que todos vivían con el re-
mordimiento de tener a sus antepasados en unas humeda-
des muy poco confortables, cuando no en peceras, en

lugar de saberlos entregados al eterno descanso que sería deseable. Por todas partes se veían entonces parientes afanados en achicar agua de las sepulturas, o en construir tejadillos sobre éstas porque en un principio creyeron que la causa de las inundaciones venía de arriba y no de abajo. Fue todo en vano, ya que la cosa no se resolvió hasta pasados varios meses, y sólo dejó huella en el recuerdo de unos pocos y en las paredes de algunas tumbas, donde todavía hoy son bien visibles los verdines que el agua dejó antes de su retirada.

Hoy el problema es otro. Ya desde primera hora de la mañana estaba el guarda alertado: con la que ha caído y la que está por caer pueden tener un disgusto. El camposanto carece de un sistema de alcantarillado decente y la única conducción de aguas existente se obstruye con tanta facilidad que no hace presagiar nada bueno. De hecho, ya comienza a correr el torrente de agua por los pasillos más bajos. Ya empiezan a verse floreros, marcos de fotografías, feos floripondios de plástico dejados aquí hace lustros, marchitas hojarascas naturales o incluso coronas recién depositadas frente a algún difunto aún fresco. El guarda mira al cielo, escucha las señales de alarma de los informativos y a sus propios presentimientos. Parece que hoy nadie les va a librar de lo peor. Esto se va a convertir en un canal navegable por el que los muertos saldrán a dar un último e impensable paseo antes de que los arcángeles de la entrada formen un embudo similar a un enorme desagüe, y se los trague.

Demasiada experiencia atesora el guarda, que ya debería haberse jubilado, para equivocarse a estas alturas.

En el segundo pasillo de nichos descansa Samuel Martínez Febles. Ya no queda rastro junto a su tumba de las coronas que aquí se dispusieron el día del entierro. El personal de limpieza las retira pasado un tiempo prudencial, para que no estorben el tráfico de las calles de la muerte. Queda el acero inoxidable y el mármol negro de la lápida, sellada a toda prisa por los sepultureros, cuyo cemento va hoy a verse reblandecido por la fuerza de una crecida de las aguas nunca vista. Son cosas del cambio climático, el calentamiento global, el efecto invernadero y todas esas lacras modernas, que tanto preocupan a algunos vivos y que ya no dejan en paz ni a los muertos.

No todos se ven afectados por igual. A Samuel le toca porque su nicho está en una segunda hilera, un segundo piso dirían los graciosos, y hasta aquí, y un poco más allá, llega el río desbordado de las aguas con toda su fuerza de arrastre. Si hubiera sido depositado tan sólo un nivel más arriba, más que probablemente se hubiera librado. Pero desde el cielo cae un segundo diluvio universal que levanta las miradas de a los que aún respiran, mucho más preocupados por ellos mismos que por los cadáveres que abandonaron aquí. Por eso no hay nadie en este lugar y por eso a nadie le importa lo que aquí pueda suceder, por increíble que resulte.

Y en verdad lo es: algunos de los nichos se resquebrajan, o se desploman las lápidas igual que si fueran diques de contención. Si hay suerte y caen hacia atrás, impiden la salida de los ataúdes, que quedan atrancados en su pequeño espacio. Si, por el contrario, se vencen hacia delante, y caen al fondo del torrente, el agua entra sin piedad en el hueco y hace flotar la madera con su carga más o menos liviana —eso depende ya del tiempo que lleve en este lugar— y en ocasiones la fuerza a salir, a flotar en la superficie de las aguas en busca de espacios más extensos y más desahogados.

Es el caso del ataúd de Samuel, contrachapado de madera de 45 milímetros de grosor, tapizado en fruncido de seda artificial de raso sobre guata, incluido cubre difuntos bordado a mano y en tamaño estándar de metro noventa y tres por cuarenta y ocho centímetros, modelo «Última cena», una lástima de trabajo para estar escondido en una ranura de la pared. Ahora tiene la oportunidad de lucirse, y avanza majestuoso bajo la tormenta, en busca de los arcángeles custodios y de la puerta que franquean, que atravesó no hace tanto en el que se suponía su último viaje.

Éste de ahora sí lo será y si pudiera haber alguien observando desde la altura de la escalinata de la iglesia, vería el «Última cena» del que fue el editor de *Suma de cosas* precipitarse por las calles en dirección al mar que se adivina no tan lejos de aquí, camino de su postrera aventura, aquella con la que en vida nunca pudo soñar. Esto es un cataclismo. Una tragedia, sin duda. Nuestra época es esencialmente trágica. Lo sabemos los vivos que ahora miramos al cielo con temor. Precisamente por eso nos negamos a tomarla trágicamente. Y así será mientras podamos o nos sea permitido o conservemos un poco de inteligencia o un mínimo sentido del humor, de la ironía, del ridículo o de la distancia, por los siglos de los siglos —siempre que no se vaya antes todo a la mierda—, amén.

Esta novela se empezó a escribir el día de San Celestino,
quien fue canonizado por inútil. Se terminó hacia
la hora del Ángelus del día de San Mateo,
sabio varón: era recaudador y se hizo evangelista.
Ambos del año 2005.

204 sq.   Todo apunta que Ramón ha matado
a Paulina - Pues no. Fue la editorial Sintonizon.
313 - Ayudado por Jimmy Bayes de Mendoza!
(317)